BIBLE ET CHRISTOLOGIE

COMMISSION BIBLIQUE
PONTIFICALE

BIBLE
ET CHRISTOLOGIE

Préface d'Henri Cazelles

LES ÉDITIONS DU CERF
29, bd Latour-Maubourg, Paris
1984

© *Les Éditions du Cerf*, 1984
ISBN 2-204-02193-8

SOMMAIRE

PRAEFATIO

Non est Pontificiae Commissionis Biblicae ut per se ipsam in exegeseos opus incumbat. Ipsi munus mandatum est ut studia biblica recte promoveat ac validum auxilium Magisterio ecclesiastico praestet. Cum autem eidem quaestio proposita sit de doctrina biblica circa Christum-Messiam adlaborare, nullo modo documentum habebat conficiendum, quod directe ad rei biblicae cultores et exegeseos peritos proponeretur, ne quidem ad eos quorum onus est catecheseos peculiare tradendae.

Ad Sacrarum Scripturarum cognitionem serviendam et pastores in suo explendo munere iuvandos, duo ipsa debebat facere :

1. Post attentum examen investigationum de christologia biblica quae hodie publice prodeunt, in lucem ponere diversas hac in re orientationes diversasque methodos, minime praetermissis periculis quae gignere potest usus exclusivus alicuius methodi ad perfectam intelligentiam acquirendam testimonii biblici et doni Dei in Christo ;

2. Summatim exponere assertiones biblicas quae :

a) In Priore seu Vetere Testamento respiciunt promissiones Dei, dona iam concessa, et spem populi Dei de Messia futuro ;

b) In Novo Testamento exprimunt intelligentiam fidei, ad quam communitates christianae tandem accesserunt, id est quod attinet ad verba et gesta Jesu Nazareni, per illos textus intellecta

PRÉFACE

La Commission Biblique Pontificale n'a pas pour fonction de faire elle-même œuvre exégétique. Elle doit promouvoir avec justesse *(rettamente)* les études bibliques et proposer au magistère une contribution valable. Interrogée sur la doctrine biblique concernant le Christ-Messie, elle n'avait pas à rédiger un document qui s'adresserait directement aux biblistes, spécialistes de l'exégèse, pas plus qu'il ne s'adresserait aux catéchètes qui ont leur responsabilité propre.

Pour servir à la connaissance de la Bible et aider les pasteurs dans leur mission, elle devait :

1. Après une lecture attentive des travaux actuels traitant de christologie biblique, en dégager les différentes lignes et les différentes méthodes, sans laisser ignorer les risques que présente l'emploi exclusif d'une méthode pour une intelligence complète du témoignage biblique et du don de Dieu dans le Christ ;

2. Résumer succinctement l'ensemble des affirmations bibliques :

a) Celles du Premier Testament concernant les promesses du Dieu de la Bible, les dons déjà faits, et l'espérance messianique du peuple de Dieu ;

b) Celles du Nouveau Testament exprimant l'intelligence de foi que les communautés chrétiennes ont eue finalement des paroles et des actes de Jésus de Nazareth, et cela par la

quorum auctoritas divina a communitatibus iudaicis jam agnita fuerat.

Commissio Biblica investigationibus exegeticis, litterariis, et historicis consulto reliquit studium progressivae compositionis scriptorum biblicorum, ita ut tantummodo testimonia plane consideraret, quae in Canone Sacrarum Scripturarum recepta sunt. Unde titulus ejus documenti : *De Sacra Scriptura et Christologia.*

Ipsi tamen utile visum est pastoribus praebere quasdam uberiores tractationes quorumdam thematum, quae tantum per summa capita in documento suo proprio conscripta sunt. Quapropter petivit, ut nonnulli ex suis membris *textus adnexos* redigere vellent *propria auctoritate evulgandos*, quibus tamen ipsa Commissio ad suum laborem collectivum exsequendum usa sit. In istis textibus lector minime inveniet studia exegetica apparatu scientifico instructa, sed tantum synteses theologiae aut methodologiae de rebus biblicis, circa nonnulla christologiae capita quae nunc saepe in controversia versa sunt.

Henri CAZELLES, p.s.s.

méditation des textes dont les communautés juives reconnaissaient l'autorité divine.

La Commission a délibérément laissé au travail proprement
exégétique, littéraire et historique, l'étude de la composition
progressive des écrits bibliques pour s'en tenir au témoignage
achevé dans un canon des Écritures. D'où le titre de ce
document : *Bible et Christologie*.

Mais il lui a paru utile d'offrir aux pasteurs quelques
développements sur des thèmes que le document officiel n'a fait
qu'esquisser. Elle a demandé à certains de ses membres de
rédiger des textes annexes qu'ils signeraient sous leur propre
autorité, alors même qu'elle s'en est servie pour son travail
collectif. Le lecteur ne trouvera pas là des études exégétiques,
munies d'un apparat scientifique, mais des synthèses de théologie
ou de méthodologies bibliques relatives à des points discutés de
christologie.

Henri CAZELLES, p.s.s.

I
TEXTUS :

I

TEXTE :

DE SACRA SCRIPTURA
ET CHRISTOLOGIA

Plures nostrae aetatis homines, in Occidente praesertim, ultro se agnosticos et non credentes profitentur. Num inde sequitur ipsos minime animum intendere ad Jesum Christum et ad eius munus in mundo ? Ex studiis et scriptis, quae in lucem prodeunt, patet res minime ita se habere, etsi modus mutatus sit hanc tractandi quaestionem. Nihilominus sunt christiani, qui haud parum perturbantur sive ob modorum varietatem, quibus hoc problema agitatur, sive ob solutiones quae de eodem problemate proponuntur. Pontificia Commissio Biblica hac in re auxilium pastoribus et fidelibus praebere exoptat, et quidem hisce modis :

1. Exhibendo *brevem horum studiorum conspectum*, quorum momentum ac pericula describuntur ;
2. Summatim exponendo *testimonia Sacrarum Scripturarum* de expectatione *Salutis* ac de *Messia*, ut Evangelium recte collocetur in hoc antecedenti contextu, ac postea ostendendo quomodo expectationis huius harumque promissionum *adimpletio in Jesu Christo* sit intellegenda.

BIBLE ET CHRISTOLOGIE

Beaucoup d'hommes de notre époque, surtout en Occident, se disent volontiers agnostiques ou incroyants. Se désintéressent-ils pour autant de Jésus-Christ et de son rôle dans le monde ? Les études et publications qui paraissent montrent qu'il n'en est rien, même si la façon d'aborder cette question a changé. Toutefois, certains chrétiens sont troublés par la variété des approches du problème et des propositions qui sont faites. La Commission Biblique Pontificale désire aider sur ce point les pasteurs et les fidèles :

1. En leur *présentant* un bref tableau de ces travaux, de leur intérêt, des risques qu'ils comportent ;

2. En rappelant brièvement *l'ensemble de témoignages* conservés dans l'Écriture sainte sur l'attente du *Salut* et du *Messie,* pour situer exactement l'Évangile sur cet arrière-plan, puis en montrant comment il faut entendre *l'accomplissement en Jésus-Christ* de cette attente et des promesses qui la fondent.

PARS PRIMA

PROSPECTUS METHODORUM QUIBUS HODIE PROBLEMA DE CHRISTO PERTRACTATUR

Caput 1. — *Brevis conatuum conspectus*

Hic non agitur de completa exponenda serie studiorum circa Jesum Christum ; sed simpliciter animadvertitur nostris temporibus varias vias initas esse ad haec studia perficienda. Quae quidem viae hic summatim describuntur in aliqua genera plus minusve distributa, quae neque logicum neque chronologicum ordinem stricte servant, indicatis simul nominibus quorundam auctorum, qui harum methodorum sunt praecipui fautores.

1.1.1. DE VIA THEOLOGICA « CLASSICA » SEU TRADITIONALI

1.1.1.1. Haec est via quae adhibetur in tractatibus dogmaticis speculativis, qui doctrinam systematice elaboratam exhibent, initium habentes in definitionibus Conciliorum et scriptis SS. Patrum : hunc spectant tractatus *De Verbo Incarnato* (cf. Concilia : Nicaenum, a.325 ; Ephesinum, a.431 ; Chalcedonense, a.451 ; Constantinopolitanum II et III, a.553 et a.681) et tractatus *De redemptione* (cf. Concilia : Arausicanum, a.529 ; Tridentinum, sessiones 5 et 6, annis 1546 et 1547).

1.1.1.2. Tractatus hoc modo elaborati hodie multiplicibus elementis ditantur, quae in hunc locum allata sunt per scientiarum progressum :

a) generatim utuntur *critica biblica*, vi cuius melius distinguuntur ea quae singuli libri vel plures simul libri afferunt : quo fit ut ipsa exegesis theologica solidiore innitatur fundamento (v. g. J. Galot, etc.).

b) Influxu indirecto illius theologiae, cuius cardo vertitur in sic dicta « historia Salutis » (*Heilsgeschichte*, vide infra, 1.1.6), Jesu Christi persona firmius collocatur in ea dispensatione mediorum salutis quae apud Patres « oeconomia (seu dispensatio) Salutis » denominabatur.

PREMIÈRE PARTIE

PERSPECTIVES ACTUELLES
DANS L'APPROCHE DE JÉSUS-CHRIST

Section 1. — *Bref inventaire des approches*

On ne cherche pas ici à fournir une histoire complète des études sur Jésus-Christ ; on constate simplement que, de nos jours, diverses voies sont tentées pour le faire. Elles seront résumées suivant un classement approximatif qui ne prétend être ni logique ni chronologique, avec quelques noms représentatifs pour certaines d'entre elles.

1.1.1. APPROCHES THÉOLOGIQUES DE STYLE « CLASSIQUE »

1.1.1.1. Cette approche reste celle de traités dogmatiques à tendance spéculative, qui présentent une élaboration systématique de la doctrine à partir des définitions conciliaires et des œuvres des Pères : traité *De Verbo incarnato* (cf. Conciles de Nicée, 325 ; d'Éphèse, 431 ; de Chalcédoine, 451 ; de Constantinople II et III, 553 et 681), et traité *De redemptione* (cf. Conciles d'Orange, 529, de Trente, sessions 5 et 6, 1546 et 1547).

1.1.1.2. Les traités ainsi conçus bénéficient toutefois de plusieurs enrichissements modernes :

a) Ils utilisent généralement la *critique biblique,* en distinguant mieux l'apport propre de chaque livre ou groupe de livres : ainsi l'exégèse théologique est-elle plus solidement fondée (*v.g.* J. Galot, etc.)

b) L'influence latérale d'une théologie axée sur l'« histoire du Salut » (*Heilsgeschichte,* voir *infra,* 1. 1.6) permet de replacer avec plus de fermeté la personne de Jésus dans ce que les Pères appelaient l'« économie *(dispensatio)* du Salut ».

c) Ratione habita diversorum adspectuum sub quibus hodie quaestiones theologicae considerantur, nonnullae earum, quae iam in Medio Aevo pertractatae sunt, hodie denuo partim renovantur : ita « scientia » Christi et progressus Eius personalitatis (v. g. J. Maritain, etc.).

1.1.2. DE METHODIS SPECULATIVIS INDOLEM CRITICAM PRAE SE FERENTIBUS

1.1.2.1. Nonnulli theologi speculativi censent quamdam *lecturam criticam*, quae tam multa commoda attulit in campo studiorum biblicorum, applicandam esse non solum ad opera Patrum et theologorum Medii Aevi, sed etiam ad definitiones ipsas Conciliorum ; quae quidem definitiones interpretandae sunt, ratione habita *contextus historici et culturalis*, ex quo prodierunt.

1.1.2.2. Ex investigatione historica Conciliorum patet enim eorum definitiones habendas esse tamquam conatus superandi controversias scholarum vel diversitatem opinionum et loquendi modorum, quae theologos inter se dividebant, etiamsi omnes fidem ex Novo Testamento provenientem confirmare vellent. Conatus autem illi non semper oppositiones penitus superarunt. Quando examini critico subicitur contextus culturalis nec non lingua formularum acceptarum, v. g. in Concilio Chalcedonensi (a.451), melius distingui potest *obiectum* definitionum a *formulis* quae ad illud recte enuntiandum adhibitae sunt. Atqui, contextu culturali mutato, formulae facile amittere possunt vim suam efficacitatemque in alio contextu linguistico, in quo eadem verba non eamdem significationem semper servant.

1.1.2.3. Oportet igitur ut huismodi formulae denuo componantur cum fontibus fundamentalibus Revelationis, peculiari adhibita diligentia quod attinet ad Novum Testamentum. Quo fit, ut investigationes quaedam de « Jesu Christo historico » nonnullos theologos (v. g. P. Schoonenberg) perducant ad loquendum de Eius « persona humana » ; at, nonne rectius esset loquendum de Eius « personalitate humana », eo sensu quo Scholastici loquebantur de Eius « natura humana individuali » et « singulari » ?

c) En tenant compte des points de vue modernes, certaines questions déjà traitées au Moyen Age sont en partie renouvelées : ainsi la « science » du Christ et le développement de sa personnalité (*v.g.* J. Maritain, etc.).

1.1.2. Approches spéculatives de type critique

1.1.2.1. Un certain nombre de théologiens spéculatifs estiment nécessaire d'appliquer non seulement aux théologiens patristiques et médiévaux, mais aussi aux définitions conciliaires, une forme de *lecture critique* qui a donné des résultats positifs dans l'étude des textes bibliques : il convient d'interpréter ces définitions en fonction des *cadres culturels et historiques* où elles ont été élaborées.

1.1.2.2. L'étude historique des Conciles montre en effet que leurs définitions se sont efforcées de dépasser des querelles d'écoles ou des différences de points de vue et de langages qui divisaient les théologiens, tout en réaffirmant la foi venue du Nouveau Testament. En dépit de cet effort, les oppositions n'ont pas été toujours pleinement surmontées. En examinant critiquement le contexte culturel et le langage des formulations adoptées, par exemple au Concile de Chalcédoine (451), on distingue mieux l'*objet* de la définition et les *énonciations* employées pour le cerner correctement. Si le contexte culturel change, les formulations peuvent elles-mêmes perdre leur efficacité dans un cadre linguistique où les mêmes mots ne seraient plus employés dans le même sens.

1.1.2.3. Il faut donc confronter à nouveau ces énonciations avec les sources fondamentales de la Révélation, en revenant avec une attention plus soutenue au Nouveau Testament lui-même. L'étude du « Jésus historique » amène alors certains théologiens (*v.g.* P. Schoonenberg) à parler de sa « personne humaine » ; mais ne vaudrait-il pas mieux dire : sa « personnalité » humaine », au sens où la Scolastique parlait « d'humanité individuelle » et « singulière » ?

1.1.3. DE CHRISTOLOGIA CUM INVESTIGATIONE HISTORICA CONNEXA

Aliae praeterea viae procedunt secundum methodos historiae scientificae. Quae methodi, cum efficaciam suam iam ostendissent in studio textuum praeteritae aetatis, consentaneum erat ut ad textus etiam Novi Testamenti applicarentur.

1.1.3.1. Reapse, inde ab initio saeculi XIX[i], studia in id praecipue intendebant, ut *vita Jesu historice restitueretur*, qualis apparuit hominibus cum Eo viventibus, et secundum conscientiam quam de Seipso habere potuit. Revera dogmatum neglectus christologicorum ultro accipiebatur ab auctoribus rationalistis (v. g. Reimarus, Paulus, Strauss, Renan, etc.). Idem autem neglectus admissus est etiam a Protestantibus « liberalibus » nuncupatis, qui theologiam « biblicam », critice stabilitam, substituere voluerunt in locum theologiae « dogmaticae », quae ipsis videbatur omnem investigationem positivam excludere (cf. A. Harnack, *Das Wesen des Christentums*). Haec autem inquisitio circa « Jesum historicum » ad conclusiones perduxit inter se tam oppositas, ut « investigatio de vita Jesu » *(Leben-Jesu-Forschung)* tandem visa sit negotium omni spe felicis exitus plane destitutum (A. Schweitzer, 2ᵉ éd, 1913). Ex parte autem catholica, etiamsi M.J. Lagrange firmiter statuerit « methodum historicam » pro studio Evangeliorum (*La Méthode historique*, 3ᵉ éd., 1907), eaedem difficultates in praxi von vitabantur, nisi postulando integram veritatem « historicam » omnium vel etiam minimarum indicationum, quae in textibus evangelicis inveniuntur (ita : Didon, Le Camus ; cum quodam tenui discrimine : Lebreton, Lagrange ipse, Fernández, Prat, Ricciotti, etc.). Conatus a R. Bultmann peractus ortum duxit ab hac impervia via, in quo inquisitio de « vita Jesu » detineri videbatur (cf. infra 1.1.8).

1.1.3.2. Ex illo tempore, « methodus historica » novis magni momenti elementis ditata est, quia ipsi periti rerum historicarum in dubium vocaverunt conceptum « positivisticum » de obiectivitate in historiae scientia.

a) Huiusmodi obiectivitas eadem non est ac obiectivitas in naturalibus scientiis, quia respicit *experientias humanas* (sociales, psychologicas, culturales, etc.), quae semel in praeterito evenerunt, atque ideo plene restitui nequeunt. Si quis igitur vult earum veritatem detegere, non potest id assequi, nisi reccurrendo ad

1.1.3. CHRISTOLOGIE ET ENQUÊTE HISTORIQUE

Les autres approches procèdent davantage des méthodes de l'histoire scientifique. Ces méthodes ayant fait la preuve de leur efficacité dans l'étude des textes du passé, il était naturel qu'on les applique aux textes du Nouveau Testament.

1.1.3.1. De fait, depuis le début du xixᵉ siècle, l'attention s'est concentrée sur *la reconstitution historique de la vie de Jésus* telle qu'elle est apparue à ses contemporains, et sur la conscience qu'il a pu avoir de lui-même. Ce détachement par rapport aux dogmes christologiques allait de soi chez des auteurs rationalistes comme Reimarus, Paulus, Strauss, Renan, etc. Il fut aussi adopté dans le protestantisme dit «libéral» : celui-ci voulait substituer une théologie «biblique», critiquement établie, à une théologie «dogmatique» qui semblait exclure toute recherche positive (cf. A. Harnack, *Das Wesen des Christentums*). Ces enquêtes sur le «Jésus de l'histoire» aboutirent à des résultats si contradictoires que la «recherche sur la vie de Jésus» *(Leben-Jesu-Forschung)* en vint à être regardée comme une entreprise désespérée (A. Schweitzer, 2ᵉ éd., 1913). Du côté catholique, bien que M.-J. Lagrange ait fermement posé le principe de la «méthode historique» pour l'étude des Évangiles (*La Méthode historique,* 3ᵉ éd., 1907), on n'échappait pratiquement aux difficultés précédentes qu'en postulant l'historicité intégrale de tous les détails des textes évangéliques (ainsi : Didon, Le Camus ; avec plus de nuances : Lebreton, Lagrange lui-même, Fernández, Prat, Ricciotti, etc.). L'effort de R. Bultmann (voir *infra,* 1. 1.8) aura pour point de départ cette impasse de l'enquête sur la «vie de Jésus».

1.1.3.2. Depuis lors, la «méthode historique» a reçu des compléments importants, car les historiens eux-mêmes ont remis en question la conception «positiviste» de l'*objectivité* en histoire.

a) Cette objectivité n'est pas celle des sciences de la nature : elle concerne des *expériences humaines* (sociales, psychologiques, culturelles, etc.), advenues une seule fois dans le passé, qu'on ne peut reconstruire pleinement telles quelles. Si l'on veut en découvrir la «vérité», c'est à partir des traces qu'elles ont

vestigia et testimonia (monumenta et documenta) quae ad eas pertinent; at ad earum veritatem eatenus acceditur, quatenus eaedem experientiae quodammodo « ab intus » intelliguntur.

b) Huiusmodi conatus secum fert necessario *subiectivitates humanas* in investigationibus a peritis historiae peractis; quarum praesentiam historicus discernit in omnibus textibus qui eventus referunt et eventuum auctores describunt, sine ullo praeiudicio de valore testimoniorum quae hoc modo sunt conservata.

c) Subiectivitas ipsius historici se immiscet suo labori per totum decursum illius, dum inquirit in « veritatem » historiae (cf. H.G. Gadamer). Ipse enim res, quas scrutatur, tractat secundum ea quae maxime illius animum intentum attrahunt, cum quadam « repraesentatione praeconcepta » *(Vorverständnis)*, quam paulatim testimoniis textuum in quibus inquirit aptare debet. Etiamsi, durante tali collatione, se ipsum scrutatur et diiudicat, raro fit ut conclusiones sui laboris exponat, quin aliquo modo pendeant a sua propria opinione de existentiae humanae sensu (cf. X. Léon-Dufour).

1.1.3.3. Studium historicum de Jesu exemplum praebet manifestissimum huius situationis peritorum historiae. Quae *numquam est « neutra »*. Persona enim Jesu omnes homines revera tangit, ac proinde tangit ipsum historicum, ob significationem cum Eius vitae, tum Eius mortis, ob momentum quod Eius nuntium habet in humana existentia, atque ob interpretationem eius personae cuius testes sunt singuli libri Novi Testamenti. Circumstantiae illae, in quibus omnis inquisitio circa hanc quaestionem peragitur, explicant magnam conclusionum diversitatem ad quas pervenerunt tum historici, tum theologi; nemo enim potest investigare ac proponere modo prorsus « obiectivo » humanitatem Jesu, atque Eius curriculum vitae morte coronatum, nuntiumque quod Ipse hominibus dedit Suis verbis, Suis actibus ac Sua ipsa existentia. Nihilominus *haec inquisitio historica omnino est necessaria*, ut duo simul pericula evitentur, scilicet ne Jesus merus heros mythologicus aestimetur, neve confessio qua Ipse agnoscitur Messias et Filius Dei relinquatur cuidam irrationali fideismo.

laissées et des témoignages (monuments et documents) qui les concernent qu'on peut tenter de le faire ; mais on n'y parvient que dans la mesure où on les comprend « de l'intérieur ».

b) Un tel effort fait nécessairement intervenir les *subjectivités humaines* dans les enquêtes de l'historien : celui-ci en discerne la présence dans tous les textes qui rapportent les événements et en évoquent les personnages, sans préjuger de la qualité des témoignages ainsi conservés.

c) La subjectivité de l'*historien lui-même* intervient à toutes les étapes de son travail, dans sa recherche de la « vérité » en histoire (cf. H.G. Gadamer). Il aborde les sujets qu'il étudie en fonction de ses propres centres d'intérêt, avec une « compréhension préalable » *(Vorverständnis)* qu'il doit ajuster peu à peu au contact des témoignages étudiés. Même si, au cours de cette confrontation, il se critique lui-même, il est rare que l'exposé des résultats obtenus ne soit pas conditionné par sa propre conception de l'existence humaine (cf. X. Léon-Dufour).

1.1.3.3. L'étude historique de Jésus est le cas le plus topique de cette situation. *Elle n'est jamais « neutre ».* En effet, la personne de Jésus concerne tout homme, et donc l'historien lui-même : par le sens de sa vie et de sa mort, par la portée humaine de son message, par l'interprétation dont témoignent les différents livres du Nouveau Testament. Les conditions dans lesquelles toute enquête sur ce point est entreprise expliquent la grande diversité des résultats obtenus soit par les historiens, soit par les théologiens ; car nul ne peut étudier et présenter d'une manière purement « objective » l'humanité de Jésus, le drame de sa vie que la Croix est venue couronner, le message qu'il a laissé aux hommes par ses paroles, par ses actes et par son existence même. Il n'empêche que *cette enquête historique est indispensable,* si on veut éviter deux dangers : ou bien que Jésus soit conçu comme un simple héros mythologique, ou bien que sa reconnaissance comme Messie et Fils de Dieu soit abandonnée à un fidéisme irrationnel.

1.1.4. DE CHRISTOLOGIA SUB RESPECTU SCIENTIAE RELIGIONUM

1.1.4.1. Ad fundamentum investigationum historicarum complendum aliud elementum praesto est, scilicet « scientia religionum », respectu habito ad intermixtiones quas animadvertimus inter ipsas vigere. Nonne enim haec via ingredienda est, ut intelligatur, v. g. quomodo ab *Evangelio Regni Dei*, quale Jesus praedicaverat secundum textus evangelicos, transitus factus est ad *Evangelium Jesu Messiae et Filii Dei*, quale invenitur in textibus qui diversimode fidem Ecclesiae primaevae proponunt ?

1.1.4.2. Inde a saeculo XIX° *inquisitio comparata de religionibus* magnum suscepit incrementum, vi cuius hac in re antiqua accedendi viae denuo instauratae sunt. Cuius quidem incrementi duae fuerunt causae : in primis recuperatio litterarum Antiqui Orientis, post enodationem inscriptionum Aegyptiarum et Cuneiformium (Champollion, Grotefend, etc.) ; deinde investigationes ethnologicae circa populos qui « primitivi » appellabantur. Exinde manifesto apparuit phaenomenon religiosum irreductibile esse ad cetera humana phaenomena (cf. R. Otto, *Das Heilige*, 1916), idemque diversissima complecti elementa tum quoad opiniones tum quoad ritus.

1.1.4.3. Rebus sic stantibus, ineunte saeculo XX° « Schola Historiae Religionis » *(Religionsgeschichtliche Schule)* conata est explicare, ex una parte, originem et progressum religionis antiqui Israel, ex altera vero, religionis christianae originem, quae initium cepit a Jesu Iudaeo, in mundo hellenico qui tunc syncretismo et Gnosticismo penitus imbutus erat. R. Bultmann (cf. infra 1.1.8) hoc principium sine restrictione acceptavit, ut sermonis christologici in Novo Testamento originem explicaret. Idem principium communiter accipitur ab iis qui christianam fidem non profitentur. Eo admisso, christologia omni substantia destituitur. Quae tamen servari potest, minime negando iura « scientiae religionum ».

1.1.5. DE ACCESSU AD JESUM A IUDAISMO

1.1.5.1. Manifesto patet *religionem iudaicam* primam omnium investigandam esse, ut personalitas Jesu intelligi possit. Evangelia Illum exhibent penitus radicatum in sua terra et in populi sui

1.1.4. Christologie et science des religions

1.1.4.1. Une autre donnée s'offre à la recherche pour compléter la base des enquêtes historiques : c'est celle de la « science des religions », avec les interférences qu'on peut observer entre celles-ci. N'est-ce pas dans cette perspective qu'il faut se placer, par exemple, pour expliquer le passage de l'*Évangile du Règne de Dieu,* tel que Jésus l'a annoncé d'après les textes évangéliques, à l'*Évangile de Jésus Messie et Fils de Dieu,* tel qu'on le trouve dans les textes qui présentent diversement la foi de l'Église primitive ?

1.1.4.2. Depuis le XIXᵉ siècle, l'*histoire comparée des religions* a connu un essor qui renouvela, sur ce point, des approches plus anciennes. Deux sortes de matériaux permirent cette avancée : en premier lieu, la récupération des anciennes littératures orientales grâce au déchiffrement des écritures égyptienne et cunéiforme (Champollion, Grotefend, etc.) ; en second lieu, les enquêtes ethnologiques sur les populations dites « primitives ». Le phénomène religieux apparut alors à la fois comme irréductible aux autres (cf. R. Otto, *Das Heilige,* 1916) et comme très varié dans le domaine des croyances et des rites.

1.1.4.3. Dans cette perspective, au début du XXᵉ siècle, l'« École de l'histoire de la religion » *(Religionsgeschichtliche Schule)* a tenté d'expliquer sous une forme génétique et évolutive, d'une part, les origines et l'évolution de la religion d'Israël, d'autre part, le surgissement de la religion chrétienne à partir du Juif Jésus, dans un monde hellénisé que marquaient profondément le syncrétisme et le gnosticisme. R. Bultmann (cf. *infra,* 1.1.8) a accepté ce principe sans réticence pour expliquer la formation du langage christologique dans le Nouveau Testament. Le même principe reste couramment admis chez ceux qui ne partagent pas la foi chrétienne. La christologie perd alors tout contenu réaliste. Mais il est possible de conserver ce dernier sans cesser de faire droit à ce qu'exige la « science des religions ».

1.1.5. Approches de Jésus à partir du judaïsme

1.1.5.1. *La religion juive* est évidemment la première à étudier pour comprendre la personnalité de Jésus. Les évangiles le montrent profondément enraciné dans son terroir et dans la

traditione. Ab initio huius saeculi christiani investigatores in lucem eduxerunt permultas analogias inter Novum Testamentum atque auctorum Iudaicorum scripta (cf. Strack-Billerbeck, J. Bonsirven, etc.). Recentiore tempore, scripta in loco dicto Qumran reperta, necnon vetustum Targum palestinense Pentateuchi recuperatum, quaestiones renovaverunt et ad studia de iisdem ineunda incitaverunt. Quondam, per hanc investigationem, saepe cura erat in luce ponendi historicitatem textuum evangelicorum. Hodie vero potius quaeritur *iudaicas christianismi radices* melius dignoscere, ut singularis eius natura accuratius describatur, minime neglecto arboris trunco unde ortus est.

1.1.5.2. Post bellum anno 1918° finitum, historici quidam Iudaici, saeculari illa animositate seposita, a qua nec ipsi christiani praedicatores immunes erant, ad personam Jesu christianasque origines directe studia sua contulerunt (J. Klausner, M. Buber, J.G. Montefiore, etc.). Ipsi illustrare conantur *iudaicitatem Jesu* (v. g. P. Lapide), relationes inter doctrinam Jesu et traditiones rabbinicas, singularem indolem propheticam aut sapientialem Eius nuntii, qui cum vita religiosa synagogae ac templi arcte colligabatur. Derivationes quaedam investigatae sunt sive apud Qumran ab historicis Iudaicis (Y. Yadin, etc.) vel christianae fidei prorsus expertibus (Allegro), sive apud paraphrases liturgicas S. Scripturae, ab auctoribus Iudaeis (v. g. E.I. Kutscher, etc.) et Christianis (R. Le Déaut, M. McNamara, etc.).

1.1.5.3. Nonnulli historici Iudaei, ad « fratrem Jesum » animum studiose intendentes (Sch. Ben Chorin), in lucem eduxerunt quaedam eius personae lineamenta, ita ut in Ipso invenirent doctorem pharisaeis antiquis simillimum (D. Flusser) aut thaumaturgum quemdam instar nonnullorum, quorum memorian Iudaeorum traditio conservavit (G. Vermes). Aliqui non recusarunt Passionem Jesu conferre cum Servo Patiente, de quo agitur in libro Isaiae (M. Buber). Qui omnes conatus magna animi attentione considerandi sunt a christianis theologis qui in christologiae studia incumbunt.

1.1.5.4. Attamen auctores Iudaici (v. g. S. Sandmel, etc.) inclinant ut Saulo Tarsensi attribuant christologiae aspectus qui transcendunt imaginem humanam Jesu, praesertim Eius filiatio-

tradition de son peuple. Depuis le début du siècle, des enquêteurs chrétiens ont relevé de nombreux parallélismes entre le Nouveau Testament et la littérature juive (cf. Strack-Billerbeck, J. Bonsirven, etc). Plus récemment, les découvertes de Qumrân et la récupération de l'ancien Targum palestinien du Pentateuque ont renouvelé les questions et stimulé leur étude. Au début, il y eut parfois, derrière cette recherche, un souci de souligner l'historicité des matériaux évangéliques sur l'arrière-plan du judaïsme ancien. Actuellement, on s'attache plutôt à comprendre mieux *les racines juives du christianisme* pour mesurer exactement l'originalité de celui-ci sans perdre de vue le tronc sur lequel il s'est greffé.

1.1.5.2. C'est après la Première Guerre mondiale que des historiens juifs, dépassant une animosité séculaire qui avait son pendant chez les prédicateurs chrétiens, se sont intéressés directement à la personnalité de Jésus et aux origines chrétiennes (J. Klausner, M. Buber, J.G. Montefiore, etc.). Ils s'appliquent à souligner *la judaïcité de Jésus* (par exemple, P. Lapide), les rapports de son enseignement avec celui des traditions rabbiniques, l'originalité prophétique ou sapientielle d'un message intimement lié à la vie religieuse des synagogues et du Temple. Des filiations ont été cherchées, soit du côté de Qumrân, par des historiens huifs (Y. Yadin, etc.) ou détachés de toute foi chrétienne (J. Allegro), soit du côté des paraphrases liturgiques de l'Écriture, par des auteurs juifs (*v.g.* E.I. Kutscher, etc.) et chrétiens (R. Le Déaut, M. McNamara, etc.).

1.1.5.3. Des historiens juifs, intéressés par « le frère Jésus » (Sch. Ben Chorin), ont mis en relief certains aspects de sa physionomie, pour retrouver en lui un docteur proche du pharisaïsme ancien (D. Flusser) ou un thaumaturge analogue à ceux dont la tradition juive a conservé le souvenir (G. Vermes). Quelques-uns ont accepté de mettre les récits de sa Passion en rapport avec le Serviteur souffrant du livre d'Isaïe (M. Buber). De tels efforts doivent être pris au sérieux par les théologiens chrétiens pour l'étude de la christologie.

1.1.5.4. Les auteurs juifs (*v.g.* S. Sandmel, etc.) ont toutefois tendance à reporter sur Saul de Tarse l'attribution d'aspects transcendants à sa physionomie, notamment sa filiation divine.

nem divinam. Haec rerum explicatio proxima est illius quae apud historicos provenientes a Schola Historiae Religionum *(Religionsgeschichtliche Schule)* invenitur, etsi non semper negligat indolem profunde iudaicam ipsius Pauli. Quidquid id valeat, patet investigationes circa Iudaismum aetatis Jesu in tota sua varietate, praeviam esse atque necessariam condicionem, ut Eius personalitas plene intellegatur et momentum percipiatur quod in «oeconomia Salutis» christiani primaevi Ipsi tribuerunt. Praeterea, hoc est fundamentum in quo frugiferum colloquium iniri potest inter Iudaeos et Christianos, absque apologeticis propositis.

1.1.6. De Christologia in sic dicta «Historia Salutis»

1.1.6.1. Saeculo XIX° quidam theologi protestantes Germaniae (v. g. J.T. Beck, J.C.K. von Hofmann), sive ut «historicismum» liberalem (cf. 1.1.3.1.) propugnarent, sive monismum idealisticum ab Hegel derivatum, quod eo tempore magna gaudebat auctoritate, suum fecerunt conceptum cuiusdam «Historiae Salutis» *(Heilsgeschichte)*, sat similem conceptui illi, qui ab Ecclesiae Patribus et a Medii Aevi theologis «oeconomia Salutis» appellabatur. Cum Evangelium accipiatur modo fidei consentaneo, reperiendi sunt inter res humanas illi *significatorii eventus*, in quibus Deus posuit, si fas est dicere, Sui interventus vestigia, per quos Ipse cursum rerum ad suam «adimpletionem» perduxit. Qui quidem eventus ipsam Sacrarum Scripturarum tramam constituunt; proinde «consummatio» historiae hoc modo intellectae nomen «eschatologiae» suscipit.

1.1.6.2. Sub respectu huius «historiae Salutis», christologia varias exhibet formas secundum ideam fundamentalem, in qua innititur tota tractatio.

a) Tanquam in operibus quae disserunt *de titulis Christi* in Novo Testamento (cf. F. Hahn, V. Taylor, L. Sabourin, etc.) vel de Christo «sapientia Dei» (A. Feuillet, etc.). O, Cullmann supra hanc basim christologiam elaboravit essentialiter «functionalem», quae a disquisitionibus metaphysicis ordinis «ontologici» prorsus abstinet. Tituli, de quibus agitur, sive illi sunt quos Jesus sibimetipsi dedit cum suis actibus modoque vivendi intime connexos, sive illi quos Evangelii praecones ei attribuerunt in Novo Testamento. Qui tituli designant, sive opus ab Eo

Cette vue, proche de celle des historiens issus de la *Religionsges-chichtliche Schule,* ne néglige pas toujours la profonde judaïcité de Paul lui-même. Il est clair, en tout cas, que l'étude du judaïsme contemporain de Jésus dans toute sa complexité est *un préalable nécessaire* pour comprendre la personnalité de ce dernier et le rôle que le christianisme primitif lui a attribué dans l'«économie du Salut». En outre, sur une telle base, un dialogue fécond peut s'engager, sans intentions apologétiques, entre Juifs et chrétiens.

1.1.6. CHRISTOLOGIE ET «HISTOIRE DU SALUT»

1.1.6.1. Au XIXᵉ siècle, en réaction contre l'«historicisme» libéral (cf. 1.1.3.1.) et contre le monisme idéaliste de Hegel qui exerçait alors une influence profonde, des théologiens protestants d'Allemagne (*v.g.* J.T. Beck, J. Chr. K. von Hofmann), ont repris à leur compte la notion d'«histoire du Salut» *(Heilsgeschichte),* assez proche de ce que les Pères et les théologiens médiévaux appelaient «économie du Salut». L'É-vangile étant reçu dans la perspective ouverte par la foi, on s'efforce de repérer dans l'histoire humaine les *événements significatifs* où Dieu a laissé, pour ainsi dire, la trace de son intervention, et à travers lesquels il mène cette histoire vers son «accomplissement». Ces événements constituent la trame même de la Bible, et la «fin» de l'histoire ainsi conçue reçoit le nom d'eschatologie.

1.1.6.2. Dans la perspective de l'histoire du Salut, la christologie se déploie de plusieurs façons, suivant le point de départ choisi pour la construire.

a) Parallèlement aux ouvrages sur *les titres du Christ* dans le Nouveau Testament (cf. F. Hahn, V. Taylor, L. Sabourin, etc.) ou sur le Christ «Sagesse de Dieu» (A. Feuillet, etc.), O. Cullmann construit sur la même base une christologie essentiellement «fonctionnelle» qui se garde des analyses métaphysiques de style «ontologique». Les titres en question sont aussi bien ceux que Jésus s'est donnés à lui-même, en liaison étroite avec ses actes et son comportement, que ceux que les prédicateurs de l'Évangile lui ont attribués dans le Nouveau

peractum in sua terrestri vita, sive Eius opus nunc completum in Ecclesia, sive opus ultimum seu eschatologicum quo tendit ultima spes Ecclesiae; respiciunt etiam Eius praeexistentiam (P. Benoit). Quo fit, ut soteriologia (seu theologia redemptionis) inseratur in christologiam ipsam, secus ac fiebat in classicis theologicis tractatibus, qui alteram ab altera separabant.

b) W. Pannenberg proficiscitur a facto *resurrectionis Jesu*, quam considerat tamquam anticipationem (seu «prolepsim») consummationis totius rerum cursus. Cum censeat veritatem huius facti investigatione historica *(Historie)* probari posse, putat hinc divinitatem Jesu firmiter demonstrari. Exinde initium capit eius tractatio de vita et ministerio Jesu : Eius praedicatio regnum Dei inauguravit inter homines ; Eius mors illis salutem attulit ; per Ipsius resurrectionem Deus Eius missionem confirmavit.

c) J. Moltmann sese immediate collocat in *prospectu eschato-logico*, vi cuius totus rerum humanarum cursus apparet conversus ad quamdam promissionem. Quam qui credendo accipiunt, inveniunt in ea fontem *spei*, quae tendit ad «Dei Salutem» obtinendam. Haec autem totam hominis existentiam afficere debet, sub omnibus eius aspectibus. Idque revera inveniebatur in promissionibus propheticis Prioris Testamenti. Quas quidem promissiones Evangelium adimplet, nuntiando mortem et resurrectionem Jesu Christi. Per Crucem enim Filius Dei poenam ac mortem hominum assumpsit, ut inopinato modo eas instrumentum salutis efficeret. Revera amore permotus, Jesus particeps factus est humani generis, peccato ac doloribus obnoxii, ut sub omni aspectu homines liberaret, sive quoad eorum relationes cum Deo, sive quoad eorum vitam psychologicam (anthropologia), sive quoad eorum vitam socialem (sociologia et ars politica). Hoc modo theologia redemptionis ad programma actionis necesse conducit. Huius generis tendentia invenitur etiam in «exegesi sociali» (cf. G. Theissen, E.A. Judge, A.J. Malherbe, etc.).

1.1.7. DE CHRISTOLOGIA SUB RESPECTU ANTHROPOLOGIAE

Sub hoc titulo collocantur variae methodi, quae hanc habent communem notam, ut exordium sumant a *diversis experientiae humanae et anthropologiae aspectibus*. Viae istae suo modo renovant quaestiones, quae agitabantur saeculo XIX° et prima

Testament. Ils concernent l'œuvre accomplie par lui durant sa vie terrestre, son œuvre présente dans l'Église, l'œuvre finale (ou eschatologique) vers laquelle l'Église tourne son espérance, mais aussi sa préexistence (P. Benoit). Dès lors, la sotériologie (ou théologie de la rédemption) est incorporée à la christologie, au lieu d'en être séparée comme dans les traités classiques.

b) W. Pannenberg prend pour point de départ de sa réflexion le fait de la *résurrection de Jésus,* anticipation (ou « prolepse ») de la fin de l'histoire entière. Estimant qu'on peut en établir la vérité par voie d'enquête historique *(Historie),* il pense que, du même coup, la divinité de Jésus est fermement établie. C'est à partir de là qu'il fait la relecture de sa vie et de son ministère : sa prédication a inauguré le Règne de Dieu parmi les hommes ; sa mort a réalisé leur salut ; par sa résurrection, Dieu a confirmé sa mission.

c) J. Moltmann se place d'emblée dans une *perspective eschatologique :* l'histoire humaine apparaît toute entière comme polarisée par une promesse, et ceux qui l'abordent avec foi y découvrent la source d'une *espérance* orientée vers le « Salut de Dieu ». Celui-ci doit atteindre l'existence de l'homme dans toutes ses dimensions. C'était effectivement le cas dans les promesses prophétiques du Premier Testament. Or, l'Évangile parachève ces promesses par l'annonce de la mort et de la résurrection de Jésus-Christ. A la Croix, Dieu a assumé en son Fils la peine et la mort humaines pour en faire paradoxalement le moyen du Salut. Par amour, Jésus s'est en effet rendu solidaire de l'humanité pécheresse et souffrante, afin de lui assurer une libération qui l'atteint dans tout son être, soit dans l'ordre de ses relations avec Dieu, soit au plan psychologique (anthropologie) et à celui de la vie sociale (sociologie et politique). La théologie de la rédemption débouche ainsi sur un programme d'action. On trouve une préoccupation semblable dans la « social exegesis » (cf. G. Theissen, E.A. Judge, A.J. Malherbe, etc.).

1.1.7. CHRISTOLOGIE ET ANTHROPOLOGIE

On groupe sous ce titre des approches diversifiées qui ont comme point commun de chercher leur départ dans *divers aspects sociaux de l'expérience humaine et de l'anthropologie.* Ces approches reprennent à leur façon les débats, courants au XIXe

parte xx[i], circa «signa credibilitatis», quae ad fidem perducunt. Huiusmodi studia oriebantur vel ab examine externorum signorum (apologetica classica), vel ab experientia religiosa generatim considerata (conatus modernistarum), vel a consideratione exigentiarum intrinsecarum «actionis» humanae qua talis (M. Blondel). Tempore subsequente haec problemata vario modo mutata sunt; huiusmodi tamen mutationes influxum habuerunt in christologiae studia.

1.1.7.1. *P. Teilhard de Chardin* hominem proposuit esse tamquam «fruticem finalem» evolutionis in toto universo. Hoc modo Jesus Christus, quatenus Dei Filius incarnatus, consideratur tamquam *principium unificans totum rerum humanarum cursum et totius universi* inde ab eius initio. Sic, per nativitem et resurrectionem Eius, totius «humani phaenomeni» significatio credentibus plene fit manifesta.

1.1.7.2. Secundum *K. Rahner,* initium christologicae commentationis sumendum est ab *existentia humana,* considerata sub aspectu, sic dicto, «transcendentali». quae fundamentaliter consistit in cognitione, amore et libertate. Iam vero hi aspectus existentiae plenam perfectionem attingunt in persona Jesu, durante eius terrestri vita. Per suam resurrectionem, per vitam suam in Ecclesia, ac per donum fidei a Spiritu Sancto credentibus concessum, Christus efficit ut possibilis evadat perfecta hominis imago ac finis, quae sine illo ad effectum deduci nequeunt.

1.1.7.3. *H. Küng,* sollicitudine affectus ob conflictationem quae hodie invenitur inter religionem christianam ceterasque mundi religiones et varias humanismi formas, studia sua intendit in *existentiam historicam istius Iudaei qui fuit Jesus.* Modum examinat, quo Jesus in se causam Dei suscepit et causam hominum, deinde tristes vicissitudines, quae eum ad mortem perduxerunt, ac denique illam vivendi formam, cuius Ipse fautor atque initiator fuit, quaeque per Spiritum Sanctum in Ecclesia fluere non cessat. Christiana igitur agendi ratio apparet velut «humanismus radicalis» qui hominibus veram tribuit libertatem.

1.1.7.4. *E. Schillebeeckx* ita investigat *experientiam personalem Jesu,* ut quamdam instituat colligationem ac nexum inter Ipsius experientiam et experientiam communem humanam, in primis illorum qui primi fuerunt vitae Suae socii. Mors, quam

siècle et dans la première partie du xxᵉ, sur les «signes de crédibilité» qui conduisent à la foi. Les essais de cette sorte prenaient comme point de départ soit l'examen des signes externes (apologétique classique), soit l'expérience religieuse considérée dans son universalité (tentative «moderniste»), soit les exigences intrinsèques de «l'action» humaine (M. Blondel). Depuis lors, ces problèmes se sont transformés, mais leur transformation a eu des répercussions dans le domaine de la christologie.

1.1.7.1. P. Teilhard de Chardin a présenté l'homme comme le «bourgeon terminal» de l'évolution de l'univers. Le Christ, Fils de Dieu incarné, est ainsi considéré comme *le principe unificateur de l'histoire de l'humanité et de l'univers,* depuis ses origines. Par la naissance et la résurrection de Jésus se dévoile ainsi aux croyants le sens cohérent du «phénomène humain» tout entier.

1.1.7.2. Pour K. Rahner, le point de départ de la réflexion est cherché dans l'*existence humaine,* analysée d'une façon qu'il appelle «transcendantale» : elle est fondamentalement connaissance, amour et liberté. Or, ces dimensions de l'existence sont totalement actualisées dans la personne de Jésus durant sa vie ici-bas. Par sa résurrection, sa vie dans l'Église et le don de la foi que l'Esprit Saint fait aux croyants, il rend possible à tous la réalisation du projet humain qui, sans lui, aboutirait à un échec.

1.1.7.3. H. Küng, préoccupé par l'affrontement entre le christianisme, les religions mondiales et les humanismes modernes, se penche sur l'*existence historique du Juif Jésus.* Il examine la façon dont Jésus a pris en main la cause de Dieu et celle des hommes, le drame qui l'a conduit à la mort, enfin le mode de vie dont il fut l'animateur et l'initiateur et que l'Esprit continue de faire jaillir dans l'Église. L'agir chrétien apparaît alors comme un «humanisme radical» qui donne à l'homme sa liberté authentique.

1.1.7.4. C'est en étudiant l'*expérience personnelle de Jésus* que E. Schillebeeckx cherche à jeter un pont entre elle et l'expérience humaine commune. Il la relie d'abord à l'expérience des premiers compagnons de sa vie. La mort que Jésus a subie en tant

Jesus subiit utpote «eschatologicus propheta», minime finem posuit eorum fidei in Ipsum. Nuntium Eius resurrectionis, accepta veluti divina comprobatio Eius vitae, ostendit eosdem in Christo agnovisse signum victoriae Dei super mortem ac pignus promissionis Salutis pro iis omnibus, qui Ipsum sequi vellent in Ecclesia.

1.1.8. INTERPRETATIO «EXISTENTIALIS» JESU CHRISTI

Generis pariter anthropologici accessus ad Jesum invenitur in interpretatione «existentiali» (aut «existentialistica») quae a R. Bultmann, exegeta simul ac theologo, proposita est.

1.1.8.1. Quatenus exegeta, Bultmann conclusiones negativas arripit, ad quas pervenerunt investigationes «de vita Jesu» apud Protestantes «liberales». Huiusmodi investigationes nullo modo constituere possunt, inquit, theologiae fundamentum. Una cum fautoribus *Scholae Historiae Religionis*, concedit fidem Christianismi primaevi originem duxisse a syncretismo quodam, inquit, in quo elementa Iudaica, praesertim apud coetus apocalypticos invalescentia, cum elementis paganis, quae proveniebant a religionibus hellenisticis, miscebantur. Quo fit, ut «Jesus historicus» quam maxime separetur a «Christo fidei» (iuxta principium positum a M. Kähler, exeunte saeculo XIXº).

1.1.8.2. Nihilominus Bultmann vult fidelis christianus permanere, sibique proponit opus vere *theo*-logicum peragere. Ad tutandam autem auctoritatem «Kerygmatis» evangelici, quod praecesserat modus quo Jesus se gerebat erga Deum, ipse eo devenit, ut hoc nuntium reducat ad *proclamationem veniae a Deo peccatoribus datae*; quod nuntium significatur per *Crucem Jesu*, quae est genuinum Dei «verbum» in facto historico inscriptum. In hoc ponendum est nuntium paschale, cui quidem respondendum est per «decisionem fidei» (cf. S. Kierkegaard); quae decisio sola homini praebet ut secure in novam existentiam plene «authenticam» ingrediatur. Haec vero fides, qua talis, nullam continet doctrinam, sed ad ordinem «existentialem» pertinet, quippe quae consistat in sponsione *libertatis,* vi cuius homo se totum Deo committit.

1.1.8.3. Secundum Bultmann, ad omnes formulas christologicas et soteriologicas redigendas, quae in Novo Testamento

que « prophète eschatologique » ne mit pas fin à leur foi en lui. L'annonce de sa résurrection, comprise comme la ratification divine de sa vie, montra qu'ils avaient reconnu en lui la victoire de Dieu sur la mort et la promesse du Salut pour tous ceux qui marcheraient à sa suite dans son Église.

1.1.8. L'INTERPRÉTATION « EXISTENTIALE » DE JÉSUS-CHRIST

C'est aussi une approche de type anthropologique qu'on trouve dans l'interprétation « existentiale » des évangiles proposées par R. Bultmann, à la fois exégète et théologien.

1.1.8.1. En exégèse, Bultmann prend acte des résultats négatifs auxquels aboutissaient les recherches sur la « vie de Jésus » dans le protestantisme libéral. De toute façon, ces recherches ne peuvent, à ses yeux, servir de base à la théologie. Avec la *Religionsgeschichtliche Schule*, il admet que les croyances du christianisme primitif furent le résultat d'un syncrétisme entre des éléments juifs, venus en particulier des milieux apocalyptiques, et des éléments païens, venus de la religiosité hellénistique. Ainsi le « Jésus de l'histoire » est séparé plus que jamais du « Christ de la foi » (suivant le principe posé à la fin du XIXᵉ siècle par M. Kähler).

1.1.8.2. Bultmann veut néanmoins rester un croyant chrétien qui réalise une œuvre *théo*-logique. Mais pour sauver la valeur du « kérygme » évangélique, qu'avait précédé l'attitude de Jésus devant Dieu, il finit par le réduire à la *proclamation du pardon* accordé par Dieu aux pécheurs : cette annonce est signifiée par la *Croix de Jésus,* véritable « Parole » de Dieu inscrite dans un événement historique. Tel est à ses yeux le contenu du message pascal. Celui-ci appelle en réponse une « décision de foi » (cf. S. Kierkegaard) qui seule assure à l'homme l'entrée dans l'existence nouvelle, pleinement « authentique ». Cette foi n'a pas, comme telle, de contenu doctrinal : elle est d'ordre « existentiel », en tant qu'engagement de la *liberté* qui remet l'homme aux mains de Dieu.

1.1.8.3. Les formulations de la christologie et de la sotériologie qui figurent dans le Nouveau Testament ont été faites,

inveniuntur, adhibita est lingua «mythologica» illius aetatis. Quam linguam, inquit, *«demythologizare»* oportet, scilicet interpretari, debita ratione legum linguae mythologicae habita, ut obiectum *interpretationis existentialis* evadat. Haec vero eo intendit non solum ut ostendantur consectaria practica nuntii evangelici, sed etiam ut in lucem ponantur «categoriae», a quibus structura pendet existentiae humanae «salvatae». Hac in re ratiocinatio R. Bultmann magnam dependentiam ostendit a principiis philosophicis, quae a M. Heidegger in opere *Sein und Zeit* propugnantur.

1.1.8.4. Bultmann in suo opere exegetico, haud secus ac eius coaevi M. Dibelius et K.L. Schmidt, supergressus est criticam litterariam classicam, recursum faciendo ad criticam «formarum» litterariarum, quae concurrerunt ad «efformationem» textuum *(Formgeschichte)*. Cuius studii propositum non est tam eruere e textibus Evangeliorum ipsas veritates historicas circa Jesum, quam potius statuere nexum inter illos textus et vitam concretam «communitatis primaevae», determinando eorum locum et munus *(Sitz in Leben),* ut exinde vivide detegantur diversi aspectus fidei apud eamdem communitatem. Discipuli autem ipsius Bultmann, quamquam praecipuas investigationes magistri non negarunt, tamen necessitatem senserunt inveniendi ipsum Jesum in exordio principioque christologiae (E. Käsemann, etc.).

1.1.9. DE CHRISTOLOGIA QUOAD SPONSIONES SOCIALES

1.1.9.1. Cum hominis existentia a vita in societate dependeat, hinc factum est, ut praesertim ad problemata vitae socialis practica animum attenderint complures «lectores», theologi vel non, quorum studia ad Jesum sunt conversa. Observantes, immo etiam in seipsis experientes, vitia societatum humanarum, ad *«praxim» quam Jesus secutus est,* recurrunt, ut ibi exemplum reperiant nostrae aetati accommodatum. Iam saeculo XIX° quidam socialistae, qui «utopici» vocabantur (cf. Proudhon), socialia Evangelii principia studio erant prosecuti. Ipse K. Marx, etsi religionem totaliter respuit, indirecte tamen influxui messianismi biblici obnoxius fuit. F. Engels vero interpretatus est, secundum principium suae theoriae de «certamine classium»,

d'après Bultmann, dans le langage « mythologique » de l'époque. Ce langage doit donc être *« dé-mythologisé »* c'est-à-dire interprété en tenant compte des lois du langage mythologique, pour faire l'objet d'une *interprétation « existentiale »*. Celle-ci n'a pas seulement pour but de montrer les conséquences pratiques du message évangélique ; elle vise à mettre en évidence les « catégories » qui structurent l'existence humaine « sauvée ». Sur ce point, la réflexion de Bultmann dépend fortement de la philosophie de M. Heidegger dans *Sein und Zeit*.

1.1.8.4. Dans son travail exégétique, Bultmann a dépassé, comme ses contemporains M. Dibelius et K.L. Schmidt, la critique littéraire classique pour recourir à la critique des « formes » littéraires qui ont concouru à la « formation » des textes *(Formgeschichte)*. Il s'agit moins d'extraire des textes évangéliques un contenu historique relatif à Jésus, que d'établir le rapport de ces textes avec la vie concrète de la « communauté primitive » en déterminant la place qu'ils y ont occupée et la fonction qu'ils y ont remplie *(Sitz in Leben)*, afin de saisir sur le vif les divers aspects de sa foi. Sans renier sur ce point les requêtes de Bultmann, ses propres disciples (E. Käsemann, etc.) ont éprouvé le besoin de retrouver Jésus lui-même aux origines de la christologie.

1.1.9. Christologie et engagements sociaux

1.1.9.1. L'existence de l'homme étant conditionnée par sa vie en société, l'attention aux problèmes pratiques posés par la vie sociale domine la réflexion d'un certain nombre de « lecteurs », théologiens ou non, qui ont porté leur regard vers Jésus. Observant ou expérimentant les vices des sociétés humaines, ils se tournent vers la *« praxis » de Jésus* pour y chercher un modèle applicable à notre temps. Dès le XIXᵉ siècle, les socialismes utopiques (cf. Proudhon) s'intéressaient aux aspects de l'Évangile. Marx lui-même, tout en rejetant en bloc le fait religieux, subissait l'influence latérale du messianisme biblique, et F. Engels interprétait en fonction de sa théorie de la « lutte des classes » l'espérance du christianisme primitif, telle qu'elle se

spem christianismi primaevi qualis, exempli gratia, in Apocalypsi animadvertitur.

1.1.9.2. Nostris autem temporibus fautores variarum formarum *theologiae liberationis,* quae praesertim in America Latina elaboratae sunt, in «Christo liberatore», quem historici aliqui exhibuerunt tamquam adversarium politicum imperii Romani (cf. S.G.F. Brandon), quaerere conantur fundamentum spei cuiusdam et praxeos. Ut liberationem socialem et politicam hominibus afferatur, ut aiunt, nonne Jesus *patrocinium causae pauperum* suscepit et contra abusus auctoritatum surrexit, quae in rebus oeconomicis, politicis, ideologicis et etiam religiosis populum opprimebant? Attamen theologiae huius generis multiplices induunt formas. Aliae enim in hoc versantur, liberationem necessariam omnes res humanas amplecti, inter quas includunt relationem fundamentalem hominis ad Deum (v. g. G. Gutiérrez, L. Boff, etc.). Aliae vero praecipue spectant ad sociales hominum relationes inter se (v. g. J. Sobrino).

1.1.9.3. Insuper nonnulli marxistae, quamvis athei, cum quaerant aliquod «spei principium» (E. Bloch), «praxim» Jesu considerant, in fraterna caritate fundatam, veluti viam apertam ut tandem aliquando emergat in rebus humanis nova humana societas, in qua «communismus» integralis suam perfectam formam exprimere poterit (v. g. M. Machoveč).

1.1.9.4. Sunt etiam lectores quidam evangeliorum, qui pro principio admittentes interpretationem phaenomenorum socialium et humanarum rerum ab hodiernis sectatoribus marxismi propositam, methodis analyseos istius scholae textus Novi Testamenti subiciunt, et proponunt *legendi modum materialisticum.* Hoc modo principia exinde deducunt alicuius «praxeos» liberatricis, quae ita sit immunis, iuxta eos, a quavis «ideologia ecclesiastica», ut in ea fundamentum ponant propriae activitatis socialis (F. Belo). Nonnulli studiosorum coetus, ad quos pertinere possunt sinceri christiani, ad hanc methodum recurrunt, utpote quae actionem cum theoria coniungat, quin tamen necessario fines theoricos «materialismi dialectici» prosequantur.

1.1.9.5. Huiusmodi «legendi» modi omne studium in «Jesum historicum» intendunt. Ac revera, iuxta has sententias, Jesus ut homo novae cuidam «praxi» liberatrici initium dedit ; quae actio in mundo huius temporis, novis quidem mediis ac rationibus redintegranda est. Sub quodam respectu, haec interpretationis

présente, par exemple, dans l'Apocalypse.

1.1.9.2. De nos jours, les *théologies de la libération,* élaborées
surtout en Amérique latine, cherchent dans le «Christ libérateur», que quelques historiens ont présenté comme un opposant
politique au pouvoir romain (cf. S.G.F. Brandon), le fondement
d'une «praxis» et d'une espérance. Pour apporter aux hommes
une libération sociale et politique, Jésus n'a-t-il pas pris parti
pour la *cause des pauvres,* et n'a-t-il pas contesté les excès des
pouvoirs oppresseurs dans les domaines économique, politique,
idéologique et même religieux ? Les théologies en question ont
toutefois des formes multiples. Les unes soulignent le caractère
global de la libération nécessaire, en y incluant la relation
fondamentale de l'homme à Dieu (*v.g.* G. Gutiérrez, L. Boff,
etc.). D'autres insistent principalement sur les relations sociales
des hommes entre eux (*v.g.* J. Sobrino).

1.1.9.3. De fait, un certain nombre de marxistes athées, en
recherche d'un «Principe-Espérance» (E. Bloch), voient dans la
«praxis» de Jésus, fondée sur l'amour fraternel, une voie ouverte
pour faire émerger dans l'histoire l'humanité nouvelle où se
réalisera l'idéal du «communisme» intégral (*v.g.* M. Machoveč).

1.1.9.4. Des lecteurs des évangiles, acceptant par principe
l'interprétation des phénomènes sociaux et de l'histoire humaine
proposée par certains courants du marxisme contemporain,
appliquent ses méthodes d'analyse aux textes du Nouveau
Testament et en proposent une *lecture matérialiste.* Ils extraient
ainsi des textes les principes d'une «praxis» libératrice détachée,
selon eux, de toute «idéologie ecclésiastique», pour fonder leurs
propres engagements sociaux (*v.g.* F. Belo). Des groupes de
travail où peuvent figurer des chrétiens sincères se réclament de
cette méthode, qui veut joindre la théorie à l'action, sans
rejoindre nécessairement les buts théoriques du «matérialisme
dialectique».

1.1.9.5. Toutes ces «lectures» concentrent leur attention sur
le «Jésus de l'histoire». C'est en effet l'homme-Jésus qui, à leur
point de vue, fut l'initiateur d'une «praxis» libératrice dont
l'action doit être reprise dans le monde moderne avec des
moyens nouveaux. Sous un certain angle, les projets qui se

conamina locum occupant qui, in theologia classica, doctrinae de redemptione et ethicae sociali assignabatur.

1.1.9.6. Sub luce notabiliter diversa nonnullae investigationes hodie apparent, quae eo spectant, ut quaedam *theologia practica* condatur, vi cuius ratione habita socialium politicarumque quaestionum, hominibus, praesertim coetibus pauperibus et oppressis, spes praebeatur quae vera sit et ad effectum deduci possit : per Crucem Christi, Deus sese sodalem effecit cum humani generis doloribus obnoxium, ut eius liberationem operaretur (cf. J.B. Metz). Hoc modo ad ethicae campum iam fit transitus.

1.1.10. Studia systematica novae indolis

1.1.10.1. Sub hoc titulo recensentur duo syntheses theologicae, in quibus *christo*-logia intellegitur tamquam revelatio *theo*-logica ipsius Dei : altera K. Barth, altera H.U. von Balthazar auctorem habet. In utraque synthesi minime ignorantur recentiores exitus criticae biblicae ; utraque tamen integra Sacra Scriptura utitur, ut systematica componatur synthesis. Jesus Nazarenus et Christus fidei nonnisi duo aspectus sunt inter se intime coniuncti, e quibus constituitur *auto-revelatio Dei* inter res humanas. Huiusmodi revelatio nonnisi *per fidem* clare et evidenter ostenditur (K. Barth). Secundum H.U. von Balthasar, Christi « kenosis », manifestata per absolutam oboedientiam erga Patrem usque ad mortem Crucis, ostendit notam quamdam essentialem vitae trinitariae ipsius, simulque hominum peccatorum salutem operatur, gustata morte pro illis.

1.1.10.2. Iuxta K. Barth, tota Christi existentia significationem suam ex eo accipit quod sit *Verbum* supremum Patris. Hoc Verbum communicando per suum Spiritum in Ecclesia sua, Deus talem vivendi disciplinam inducit, quae credentes iubet se in negotia *huius saeculi* incumbere, rebus politicis non exceptis. Secundum H.U. von Balthasar vero, qui contemplationem Dei instituit per viam quam « *aestheticam* » nuncupat, considerationes rationales, investigationes historiae et obligationes libertatis humanae in caritate absolvendae coalescunt in ipsum paschale mysterium. Hoc modo adumbratur quaedam *theologia historiae* quae conclusiones paulisper restrictas idealistarum et materialistarum devitat.

déploient dans cette direction prennent la place qu'occupaient, dans la théologie classique, la doctrine de la rédemption et l'éthique sociale.

1.1.9.6. Dans une perspective sensiblement différente, des recherches se font jour en vue d'une *théologie pratique* qui, s'attachant aux problèmes du domaine socio-politique, offrirait aux hommes, et surtout aux classes pauvres et opprimées, une espérance effective et réalisable : par la Croix du Christ, Dieu s'est rendu solidaire de l'humanité souffrante pour effectuer sa libération (cf. J.B. Metz). On débouche ainsi sur le domaine de l'éthique.

1.1.10. Études systématiques de style nouveau

1.1.10.1. On relève sous ce titre deux synthèses où la *christo*-logie est conçue comme une révélation *théo*-logique de Dieu lui-même : celles de K. Barth et de H.U von Balthasar. Les résultats de la critique biblique ne sont pas ignorés ; mais c'est le recours à l'Écriture sainte tout entière qui permet de construire une synthèse systématique. Jésus de Nazareth et le Christ de la foi constituent deux « prises de vue » qui sont profondément unies pour constituer l'*autorévélation de Dieu* dans l'histoire humaine. Cette révélation ne se découvre évidemment que *dans la foi* (K. Barth). Pour H.U. von Balthasar, la « kénose » du Christ, manifestée par son obéissance radicale au Père jusqu'à la mort de la Croix, dévoile un aspect essentiel de le vie trinitaire elle-même, en même temps qu'elle opère le salut de l'humanité pécheresse en assumant l'expérience de la mort.

1.1.10.2. Chez Barth, l'existence entière du Christ n'acquiert son sens qu'en tant que *Parole* suprême du Père. En communiquant cette Parole par son Esprit dans son Église, Dieu ouvre la voie à une éthique qui exige des croyants un engagement *dans le monde temporel :* la vie politique n'y échappe donc pas. Chez Balthasar, qui opère une contemplation de Dieu par la voie de l'« *esthétique* », la réflexion rationnelle, les enquêtes historiques et les engagements de la liberté humaine dans l'amour sont intégrés dans le mystère même de Pâques. Ainsi s'ébauche une *théologie de l'histoire* qui échappe aux réductions idéaliste et matérialiste.

1.1.11. DE CHRISTOLOGIIS « AB IMO » ET « EX ALTO » PROCEDENTIBUS

.1.1.11.1. Inter studia christologica supra memorata, ea quae a « Jesu historico » sumunt exordium aliquo modo apparent veluti « christologiae ab imo » procedentes. E contra, christologiae quae praecipue considerant filialem Jesu relationem erga Deum Patrem merito appellari possunt « christologiae ex alto ». Complures huius aetatis auctores *utrumque aspectum coniungere* conantur; demonstrant, enim, initio capto a studio critico textuum, christologiam, quae *implicite* continetur in verbis Jesu et in Eius humana experientia, quiddam efformare continuum penitusque unitum cum diversis christologiis quae *explicite* continentur in Novo Testamento. Quod ligamen per vias valde varias exquiritur (v. g. L. Bouyer, R. Fuller, C.F.D. Moule, I.H. Marshall, B. Rey, Chr. Duquoc, W. Kasper, M. Hengel, J.D.G. Dunn, etc.).

1.1.11.2. Quamquam multum abest ut procedendi viae et conclusiones horum auctorum plene inter se congruant, nihilominus duo haec praecipua capita omnibus sunt communia :

a) distinguendus est, ex una parte, modus quo Jesus *oculis hominum sui temporis* (familiae, adversariorum, discipulorum) *sese praebuit atque intellegi potuit,* et ex altera parte, modus quo credentes in Jesum intellexerunt Eius vitam personamque *post Ipsius manifestationes tamquam ressuscitati.* Inter utrumque tempus nulla sane habetur *interruptio;* animadvertitur tamen quaedam magni momenti *progressio,* cum primigenis sententiis congruens, quae habenda est elementum constitutivum ipsius christologiae. Quae quidem, si rationem habere debet humanitatis fines « Jesu Nazareni », simul tamen in Eo agnoscere debet « Christum fidei », plene revelatum per Eius resurrectionem sub luce Spiritus Sancti.

b) Adnotandum etiam est *diversos modos* intellegendi Christi mysterium relucere iam in ipsis libris Novi Testamenti. Hoc tamen fit, adhibita *loquendi ratione Sacrarum Scripturarum* quae *« adimpletae »* dicuntur in Jesu mundi Salvatore. Earum autem adimpletio supponit aliqualem *« amplificationem sensus »,* sive agitur de sensu quem textus biblici primitus significabant, sive de sensu quem Iudaei, hos textus relegentes, iisdem attribuebant tempore Jesu. Quae quidem amplificatio sensus minime tribui debetur *speculationi* theologicae secundariae, sed eius originem

1.1.11. CHRISTOLOGIES D'EN HAUT ET CHRISTOLOGIES D'EN BAS

1.1.11.1. Parmi les recherches christologiques qu'on vient de passer en revue, celles qui partent du «Jésus historique» se présentent, en quelque sorte, comme des «christologies d'en bas». Au contraire, celles qui mettent l'accent sur la relation filiale de Jésus avec le Dieu-Père peuvent être dites des «christologies d'en haut». Beaucoup d'essais contemporains s'efforcent de *joindre les deux points de vue* en montrant, à partir de l'étude critique des textes, que la christologie *impliquée* dans les paroles et l'expérience humaine de Jésus présente une continuité profonde avec les christologies *explicites* qu'on trouve dans le Nouveau Testament. Cette liaison est cherchée par des voies très diverses (*v.g.* L. Bouyer, R. Fuller, C.F.D Moule, I.H. Marshall, B. Rey, Chr. Duquoc, W. Kasper, M. Hengel, J.D.G. Dunn, etc.).

1.1.11.2. Les orientations et les conclusions de tous ces auteurs sont loin de coïncider pleinement, mais elles se recoupent sur deux points principaux :

a) Il faut distinguer, d'une part, la façon dont *Jésus s'est présenté et a pu être compris par ses contemporains* (famille, adversaires, disciples) et, d'autre part, *la compréhension que ses manifestations en tant que ressuscité* ont donnée de sa vie et de sa personne à ceux qui crurent en lui. Il n'y a pas de *coupure* entre ces deux temps ; mais on observe une *transformation* considérable qui est constitutive de la christologie elle-même. Celle-ci doit respecter les limites de «Jésus de Nazareth», tout en sachant reconnaître en lui le «Christ de la foi», pleinement révélé par sa résurrection dans la lumière de l'Esprit Saint.

b) Il faut constater aussi que les livres du Nouveau Testament reflètent de *diverses façons* la compréhension du mystère du Christ. Mais ils le font en se référant toujours au *langage des Écritures* : celles-ci sont «*accomplies*» en Jésus, Sauveur du Monde. Leur accomplissement suppose un «*surcroît de sens*», qu'il s'agisse du sens que les textes bibliques comportaient primitivement, ou de celui que le judaïsme leur attribuait en les relisant au temps de Jésus. Ce surcroît de sens n'est pas l'effet d'une simple *spéculation* théologique : il a son origine dans la

ducit a *persona* ipsius Jesu, cuius notas proprias melius in sua luce ponit.

1.1.11.3. Hac quippe rerum consideratione permoti, tum exegetae tum theologi questionem aggrediuntur de *individua Jesu personalitate.*

a) Haec individua personalitas exculta atque formata est per Iudaicam educationem, cuius valores positivas Jesus in se plene adsumpsit. Eadem tamen praedita etiam fuit *conscientia sui ipsius plane singulari,* quod attinet ad suam relationem eum Deo et ad suam missionem apud homines absolvendam. Nonnulli textus evangelici (v. g. Luc. 2, 40. 52) nos inducunt ad quemdam huius conscientiae *progressum* agnoscendum.

b) Attamen exegetae et theologi recusant ingredi in « psychologiam» Jesu, tum propter textuum difficultates criticas, tum propter periculum speculandi (haud recto modo, seu per excessum seu per defectum). Potius habent reverenter se gerere coram mysterio personalitatis Eius, quam Jesus minime euravit expresse definire, etiam cum Ipse sivit suis verbis aut actibus (J. Schürmann) ut nonnihil in arcanis vitae intimae Suae introspiceretur. Variae Novi Testamenti christologiae sicut etiam Conciliorum definitiones, quibus repetita sunt ea quae ibi continentur, «lingua auxiliari» adhibita, demonstrarunt *viam* qua potest procedere theologica speculatio, non autem exacte mysterium ipsum plane circumscribendo.

1.1.11.4. Exegetae et theologi, in suis studiis ad Jesum Christum spectantibus, in id etiam consentiunt, quod *christologia minime seiuncta sit a soteriologia.* Verbum Dei caro factum est (Joan. 1, 14), ut mediatoris munus inter Deum et homines gereret. Si Ipse esse potuit homo «plene liber» et «homo pro aliis», id idcirco contigit, quod haec libertas et hoc sui ipsius donum ab intima coniunctione cum Deo tanquam a suo fonte profluebant, cum ad Deum ut Patrem, sensu peculiari ac prorsus unico Sese convertere posset. Quaestiones igitur de scientia ac praeexistentia Christi nullo modo vitari possunt, sed utraque ad ulterius stadium pertinet investigationis christologicae.

Caput 2. — De periculis et limitibus harum variarum methodorum

Unaquaeque methodus supra recensita habet praecipua sua capita fundata in textibus biblicis, ac proinde etiam sua commoda

personne de Jésus lui-même, dont il permet de mettre en évidence les traits spécifiques.

1.1.11.3. C'est dans cette perspective que les exégètes et les théologiens abordent la question de la *personnalité individuelle de Jésus.*

a) Cette personnalité a été façonnée par une *éducation juive* dont Jésus a assumé pleinement les valeurs. Mais elle fut dotée aussi d'une *conscience de soi originale,* tant pour sa relation à Dieu que pour sa mission à remplir auprès des hommes. Les textes (*v.g.* Lc 2, 40 . 52) obligent à envisager un *développement* de cette conscience.

b) Mais les exégètes comme les théologiens répugnent à entreprendre une « psychologie » de Jésus, tant à cause des difficultés critiques qui s'attachent aux textes, qu'en raison du danger des spéculations abusives, qu'elles soient majorantes ou minimisantes. Ils respectent le mystère d'une personnalité que Jésus n'a pas pris soin de définir expressément, même quand il laissait entrevoir quelque chose de ses secrets intimes par ses paroles ou par ses actes (H. Schürmann). Les diverses christologies du Nouveau Testament, de même que les définitions conciliaires qui en ont redit le contenu en recourant à des « langages auxiliaires », ont indiqué *la direction* dans laquelle peut s'engager la réflexion sans circonscrire exactement le mystère lui-même.

1.1.11.4. Dans leur réflexion sur Jésus-Christ, exégètes et théologiens sont également d'accord *pour ne pas séparer la christologie de la sotériologie.* Le Verbe de Dieu s'est fait chair (Jn 1, 14) pour exercer une fonction médiatrice entre Dieu et les hommes. S'il a pu être l'homme « pleinement libre » et « l'homme pour les autres », c'est que cette liberté et ce don de soi avaient leur source dans son intimité avec Dieu à qui il pouvait s'adresser comme à son Père, en un sens particulier et tout à fait unique. Les questions de la science et de la préexistence du Christ se posent inévitablement ; mais elles relèvent d'une phase ultérieure de la recherche en christologie.

Section 2. — *Risques et limites de ces diverses approches*

Chacune des approches qui viennent d'être présentées a ses points forts, son enracinement dans les textes bibliques, sa

possidet suamque fecunditatem. Sed ex his nonnullae, si solae adhibentur, periculum prae se ferunt nuntium biblicum non totaliter explicandi, aut etiam imaginem Jesu Christi infirman proponendi.

1.2.1. *Methodi theologiae classicae* in duos scopulos incidunt :

1.2.1.1. Formulatio doctrinae de Christo magis a *lingua theologorum aetatis Patrum ac Medii Aevi pendet,* quam a lingua ipsius Novi Testamenti, quasi hic fons ultimus revelationis minus accuratus et aptus sit ad redigendam doctrinam in formulas bene definitas.

1.2.1.2. Recursus ad Novum Testamentum, si unica sollicitudine ducitur defendendi aut fundandi doctrinam sic dictam «traditionalem» in sua formulatione «classica» periculum incurrit ut *via non pateat,* sicut oportet, *quibusdam quaestionibus criticis,* quae in campo exegetico vitari nequeunt. Exempli gratia, accidere potest ut nimis facile admittatur indoles textuum plane historica, cum agitur de omnibus minimis circumstantiis quarumdam narrationum evangelicarum, quae finem theologicum habere potuerunt secundum morem litterarium illius temporis, vel authenticitas verbalis quorumdam sermonum, quae Jesu in Evangeliis tribuuntur, quamvis diverso modo in diversis libris referantur. Quo fit ut nonnullae quaestiones neglegantur, quae iure merito nostra aetate agitantur, ac proinde fieri potest ut propositiones doctrinales innitantur in conclusionibus criticis nimis «conservativis», quae reapse in controversia versantur.

1.2.2. Conatus speculationis theologicae, qui procedit a *critica linguae adhibitae a theologis et a Conciliis,* fundatur in recta rerum aestimatione. Attamen, ne Sacrarum Scripturarum testimonium detorqueatur, duabus condicionibus obtemperandum est :

1.2.2.1. Linguae «auxiliares», quae decursu saeculorum in Ecclesia adhibitae sunt, non eadem auctoritate pollent, ad fidem quod attinet, ac *«lingua referentialis»* qua auctores inspirati usi sunt, praecipue in Novo Testamento cuius modus loquendi habet radices in Priore. Ut *«absolutum pondus revelationis»* recipi

richesse et sa fécondité propre. Mais beaucoup d'entre elles risquent, si on les emploie seules, de ne pas expliciter la *totalité du message biblique,* ou même de propager une image tronquée de Jésus Christ. Il faut donc mesurer avec précision les limites de plusieurs d'entre elles.

1.2.1. *Les approches théologiques de style classique* s'exposent à deux écueils :

1.2.1.1. La formulation des thèses christologiques *dépend davantage du langage des théologiens patristiques ou médiévaux* que de celui du Nouveau Testament lui-même, comme si cette source ultime de la révélation était, en elle-même, trop peu précise pour fournir à la doctrine une formulation bien définie.

1.2.1.2. Le recours au Nouveau Testament, marqué par le souci de défendre ou de fonder la doctrine dite « traditionnelle » dans sa présentation « classique », risque alors d'être *trop peu ouvert à certains problèmes critiques* que l'exégèse ne peut éluder. Par exemple, il arrivera qu'on admette trop facilement l'historicité de tous les détails dans certains récits évangéliques, alors qu'ils peuvent avoir une fonction théologique suivant les conventions littéraires de l'époque, ou l'authenticité verbale de certaines paroles que les évangiles mettent dans la bouche de Jésus, alors même qu'elles sont rapportées diversement dans ces évangiles. Certaines questions sont ainsi négligées, que nos contemporains soulèvent légitimement, et l'on risque de suspendre des affirmations doctrinales à des solutions critiques de type « conservateur », qui sont discutées.

1.2.2. L'effort de réflexion théologique lié à *la critique du langage employé par les théologiens et les conciles* repose sur une intuition juste. Toutefois, pour ne pas trahir le témoignage de l'Écriture sainte, deux conditions sont essentielles :

1.2.2.1. Les langages « auxiliaires » utilisés au cours de l'histoire de l'Église n'ont pas pour la foi une valeur identique à celle du *langage référentiel* utilisé par les auteurs inspirés : celui du Nouveau Testament qui plonge ses racines dans le Premier. Pour saisir « *l'Absolu de la révélation* » *dans la relativité du*

possit, mediante lingua quadam relativa, salva continuitate inter
experientiam fundamentalem Ecclesiae apostolicae et subsequen-
tem *experientiam ecclesiasticam,* distinctiones et analyses quae ad
investigandum sunt necessariae, fieri non possunt cum detrimen-
to expressarum affirmationum, quae in Sacris Scripturis habentur.

1.2.2.2. Hac in re periculum est, ne vis absoluta attribuatur
modis cogitandi et loquendi nostrae aetatis propriis, ita ut recta
Christi cognitio, quae ex Evangeliis profluit, in discrimen vocari
possit. Quod certe eveniret, si textus Novi Testamenti selectioni
et interpretationi subiceretur, quas varia systemata philosophica
expostularent. At christologia solide elaborari nequit, nisi
servetur aequilibrium quod effluit e Sacra Scriptura in toto
apprehensa variis e que loquendi modis quibus utitur.

1.2.3. *Investigationes historicae,* quarum magnum momentum
ad intelligendos tam homines quam eventus praeteritae aetatis
omnibus manifesto patet, procul dubio adhibendae sunt etiam
erga Jesum Nazarenum. Uti patet, nullo modo neglegi potest
quidquid attulit investigatio historica quoad circumstantias
locorum ac temporum, in quibus haec testimonia recepta ac
tradita sunt (cf. supra 1.1.3.).

1.2.3.1. Attamen simplex textuum analysis minime sufficit.
Textus enim illi apud hominum communitatem sunt redacti atque
recepti, quae non ideis abstractis sed fide vivebat. Quae fides
originem et progrediens incrementum sumpsit a Jesu resurrectione; Salutis eventus imbutus est in hominibus qui jam
diversarum indaicorum communitatum religiosa experientia
participes erant.

1.2.3.2. Cum maxima animadvertatur differentia inter fidem
communitatum iudaicarum et fidem christianae Ecclesiae, facile
in oblivionem cadere posset continuatio historica inter primaevam fidem Apostolorum, fundatam in «Lege Moysis, in
Prophetis, et in Psalmis» (Luc. 24, 44), et fidem quam ipsi sibi
acquisierunt ex relationibus cum Christo resuscitato. At continuatio haec pariter factum historicum est : datur scilicet
continuatio in eorum professione religiosa erga Deum Abrahae
et Moysi ante et post eventum paschalem. Ipsi vixerunt cum
«Jesu historico» antequam viverent cum «Christo fidei».

langage, en respectant la continuité entre l'*expérience fondatrice* de l'Église apostolique et l'*expérience ecclésiale* qui l'a suivie, les distinctions et analyses nécessaires ne peuvent sacrifier les affirmations formelles de l'Écriture.

1.2.2.2. Dans ce travail, on risque de donner une valeur absolue aux catégories de pensée et au langage propres à notre temps, de telle sorte que la compréhension du Christ qui ressort des textes bibliques pourrait être mise en question. C'est ce qui se produirait, si les textes du Nouveau Testament faisaient l'objet d'une sélection ou d'une interprétation *commandée* par des systèmes philosophiques. Or, la christologie ne peut être élaborée qu'en respectant l'équilibre qui résulte de l'ensemble de l'Écriture et en assumant la variété des langages qu'elle utilise.

1.2.3. *Les enquêtes historiques,* qui ont prouvé leur valeur pour l'intelligence des personnages et des événements du passé, s'imposent naturellement dans le cas de Jésus de Nazareth. On ne peut évidemment négliger aucune des données historiques concernant le milieu où ces témoignages ont été reçus et transmis (cf. *supra* 1. 1. 3).

1.2.3.1. Toutefois, les simples analyses de textes ne suffisent pas. En effet, ces textes ont été rédigés et reçus dans une communauté qui ne vivait pas d'idées abstraites, mais de la foi naissante, et progressivement approfondie, à la résurrection de Jésus, événement de Salut inséré dans l'expérience de communautés juives diverses.

1.2.3.2. Comme il y a sur ce point une différence capitale entre la foi des communautés juives et celle de l'Église chrétienne, on pourrait être tenté d'oublier la continuité historique entre la foi première des apôtres, structurée par « la Loi de Moïse, les Prophètes et les Psaumes » (Lc 24, 44), et celle qu'ils acquirent par leur relation avec le Christ ressuscité. Or, cette *continuité* est aussi une donnée historique : il y eut une continuité dans leur attitude religieuse envers le Dieu d'Abraham et de Moïse avant comme après l'événement pascal. Ils ont vécu avec le « Jésus de l'histoire » avant de vivre avec le « Christ de la

Quare, quidquid sit de subiectivis dispositionibus hodiernorum peritorum, omnibus tamen opus est investigare quae sit illa *profunda unitas,* quam christologia Novi Testamenti ostendit intus inclusam in suo ipsius progressu.

1.2.4. Quamvis necessarium sit subsidium *scientiae comparatae religionum,* ut de origine religionis christianae inquiratur, usus eius tamen duo prae se fert pericula.

1.2.4.1. Ipsa enim vitiari potest hoc *praeiudicio,* quod scilicet Christi religio explicanda sit, sicut in similibus casibus accidit, per *fusionem seu syncretismum* elementorum praeexistentium in ambitu sociali ubi orta est : aliorum scilicet e Iudaismo, aliorumque e religionibus ethnicis illius temporis provenientium ; Christi enim religio orta est a coniunctione cuiusdam coetus credentium iudaicae originis cum ambitu sociali hellenistico, a quo mutuari nonnulla elementa debuit. Atqui, inde a saeculo III° ante Christum *Iudaismus iam aggressus erat problemata Hellenismi,* sive ut elementa propriae traditioni contraria respueret, sive ut bona assumeret, quibus locupletari posset. Cum autem aetatibus sequentibus tradidisset Sacras Scripturas in Graecam linguam translatas, iam felicem exitum suae «inculturationis» manifestaverat, Christianismus primaevus, qui has translatas S. Scripturas hereditate accepit, eamdem viam est secutus.

1.2.4.2. Item periculum est, ne christianis primaevis communitatibus attribuatur vis creativa quovis interno moderamine destituta, quasi singulae ecclesiae radicibus et solida traditione caruissent. Nonnuli historiae cultores ad hoc extremum pervenerunt, ut Christum esse nonnisi «mythum quemdam» aestimarent, cuiusvis historicae veritatis expertem. Opinio huiusmodi, quae paradoxum sapit, quasi semper evitatur, at non pauci historici a fide alieni, putant communitates christianas ex Hellenismo oriundas mutasse «Salvatorem» secundum Iudaicam traditionem in «heroem» principalem alicuius «religionis salvificae», quae haud dissimilis erat «cultibus quibusdam divinis *mysteriis*» dicatis. At scientia religionum nullo modo expostulat principium evolutionisticum, quod statuat hoc criterium sequendum esse. Discernere conatur «leges constantes» in historia religionum, non autem religiosas opiniones ita exaequat, ut eas deformet. Sicut in ceterarum religionum studiis, ita in christianae religionis studio, munus huius scientiae est *rationem propriam*

foi ». Quelles que soient les dispositions subjectives des enquêteurs modernes, il leur faut ainsi retrouver ce qui constitue l'*unité*
profonde de la christologie du Nouveau Testament à l'intérieur
même de son développement.

1.2.4. Si nécessaire que soit le recours à la *science comparée*
des religions pour étudier les origines chrétiennes elle comporte
deux risques.

1.2.4.1. Elle peut être dominée par un *jugement préconçu :* la
religion du Christ doit s'expliquer comme tous les cas analogues,
par la *fusion syncrétiste* d'éléments préexistant dans le milieu où
elle est née : éléments juifs et éléments venus des paganismes
contemporains, puisqu'elle résulterait de la confrontation entre
un groupe croyant d'origine juive et un milieu hellénistique
auquel ce groupe *a dû* faire des emprunts. En fait, dès le IIIe siècle
avant notre ère, le *judaïsme avait déjà affronté l'hellénisme,* soit
pour rejeter les éléments qui s'opposaient à sa propre tradition,
soit pour assimiler les valeurs qui pouvaient l'enrichir : en
léguant aux siècles suivants une Bible traduite en grec, il avait
déjà manifesté la réussite de son inculturation. Le christianisme
naissant, héritier de cette Bible, s'est engagé dans une voie
semblable.

1.2.4.2. De même, on risque d'attribuer aux communautés
chrétiennes primitives *une faculté créative dénuée de toute*
régulation interne, comme si les Églises n'avaient eu ni
encadrement ni tradition solide. A la limite, quelques historiens
ne verraient dans le Christ Jésus qu'un « mythe » dénué de toute
historicité. Cette conjecture paradoxale est le plus souvent
évitée. Mais un certain nombre d'historiens incroyants estiment
que les communautés du christianisme hellénistique ont fait du
« Sauveur » de la tradition juive le « héros » central d'une
« religion de salut » parallèle aux « cultes à mystères ». La science
des religions n'exige aucunement le *postulat évolutionniste* qui
commande ces vues. Elle s'efforce de déceler des « constantes »,
mais elle ne nivelle pas les croyances au point de les fausser.
Comme pour toutes les religions, elle doit détecter la *spécificité*
de la religion du Christ, liée à l'originalité de l'« Évangile ». C'est
ainsi que, par le biais de la phénoménologie, elle peut ouvrir la
voie à la christologie elle-même.

religionis Christi reperire, quae connexa est cum novitate « Evangelii ». Hoc modo ipsa, per obliquas phaenomenologiae vias, iter pandere potest ad ipsam christologiam.

1.2.5. *Diligentissima pervestigatio Iudaismi* maximi momenti est ut persona Jesu recte intellegatur nec non vita Ecclesiae primaevae eiusque peculiaris fides.

1.2.5.1. Si ad Jesum cognoscendum studia hac via *unice* procedunt, semper adest periculum mutilandi Eius personalitatem, eo ipso momento quo per haec studia ponerentur eius Iudaica origo atque indoles. Fuitne tantum unus ex multis doctoribus, licet omnium fidelissimus traditioni Legis et Prophetarum? Vel propheta, calamitosi erroris victima? Vel thaumaturgus similis quibusdam aliis, quorum memoria servata est in Iudaicarum litterarum monumentis? Vel politicus concitator, qui tandem a Romanis auctoritatibus interfectus, complicibus summis sacerdotibus, qui eum non intellexerant?

1.2.5.2. Equidem verum est contentiones, quibus Jesus coetibus Pharisaeorum severioris disciplinae fautoribus oppositus est, haud dissimiles videri controversiis inter fratres, qui sunt eiusdem hereditatis participes. In posterum autem vitalitas illius motus, qui ab Eo ortum duxit, luculenter demonstrat illius dissensionis causam praecipuam multo profundiorem fuisse, etiamsi admittimus narrationes Evangeliorum gravius aequo describere potuisse primigenas rerum condiciones. Nam dissensio haec obiectum habuit modum novum intellegendi relationes cum Deo et « adimpletionem Scripturarum », quem Jesu per Evangelium Regni hominibus suae aetatis attulerat. Accurata investigatio Iudaicae indolis Jesu hunc aspectum praeterire non potest.

1.2.6. Quoad methodum accedendi ad Jesum Christum ex notione sic dicta *historiae Salutis,* concedendum est commoda magni momenti afferri, etiamsi vox « Heilgeschichte » nimis sit ambigua. Quaestiones autem quae hac via proponuntur, variae sunt pro variis huius methodi fautoribus.

1.2.6.1. In hodiernis linguis latinae originis necnon in lingua anglica, vox « historia » non eadem significationem habet, cum sermo est de Jesu ut persona « historica » et de « historia salutis ». Lingua germanica quamdam distinctionem operatur inter voces « Historie » ac « Geschichte » ; sed terminologia adhibenda

1.2.5. L'*étude approfondie du milieu juif* est essentielle pour comprendre la personne de Jésus et la vie de l'Église chrétienne avec sa foi originale.

1.2.5.1. L'étude de Jésus, conduite *exclusivement* dans cette perspective, risquerait toutefois de mutiler sa personnalité, au moment même où elle mettrait en évidence sa judaïcité. Ne serait-il qu'un docteur parmi les autres — fût-ce le plus fidèle à la tradition de la Tôrah et des Prophètes ? Ou bien un prophète, victime d'un terrible malentendu ? Un thaumaturge analogue à quelques autres dont la littérature juive a gardé le souvenir ? Ou un agitateur politique, finalement victime du pouvoir romain avec la complicité du haut sacerdoce qui ne l'aurait pas compris ?

1.2.5.2. Il est exact que les tensions qui ont opposé Jésus au courant piétiste des Pharisiens ressemblent à des disputes entre frères qui participent au même héritage. Mais la vitalité ultérieure du courant issu de lui, après son rejet par les chefs religieux de sa nation, montre que le *dissentiment fondamental entre lui et eux avait un principe plus profond,* même si l'on admet que les récits évangéliques ont pu durcir sur ce point la situation originelle : il portait sur un mode de relation à Dieu et d'« accomplissement des Écritures » que Jésus apportait à ses contemporains par son Évangile du Règne de Dieu. Une étude approfondie de la judaïcité de Jésus ne peut oublier ce point.

1.2.6. L'approche de Jésus-Christ à partir de la notion d'*histoire du Salut* a donné des résultats importants, même si l'expression *Heilsgeschichte* reste trop vague. Les questions qu'elle laisse ouvertes varient avec les auteurs qui pratiquent cette approche.

1.2.6.1. Le mot « histoire », du moins dans les langues modernes d'origine latine et en anglais, n'a pas le même sens quand on parle de Jésus comme personnage « historique » et quand on parle d'« histoire » du Salut. L'allemand peut introduire une distinction entre *Historie* et *Geschichte,* mais la terminologie

difficilem revera ponit quaestionem. Nam historica cognitio Jesu in empiricis rebus fundatur, seu in experientia, ad quam acceditur per studium documentorum ; at sic dicta «historia Salutis» non eodem modo fundatur. Complectitur enim experientiam communem ; sed supponit *comprehensionem* quamdam ad quam non acceditur nisi per intelligentiam fidei. Haec distinctio prae oculis semper habenda est, ut christologia in suo vero ac proprio loco collocetur. Hoc supponit quod, tum in historiae perito tum in theologo, animus pateat ad fidem vivam et ad «decisionem fidei», qua in eamdem panditur accessus.

1.2.6.2. Animadversio haec peculiari modo applicanda est ad *resurrectionem Christi,* quae suapte natura ratione mere empirica probari nequit. Ab ipsa enim Jesus in «saeculum venientem» introducitur. Quod reapse deduci quidem potest ut verum ex apparitionibus Christi gloriosi quibusdam praeordinatis testibus, atque eo facto corroboratur quod sepulchrum Jesu apertum vacuumque inventum est. At quaestionem huiusmodi non licet nimis simplicem reddere, quasi omnis historicus, unice ope suae investigationis scientificae, possit eam certo demonstrare ut factum cuilibet observatori pervium : hic etiam requiritur «decisio fidei», seu melius «cor apertum», ut mens ad assensum moveatur.

1.2.6.3. Quod attinet ad *titulos Christi,* haud satis est inter titulos Ipsi per Seipsum attributos tempore eius terrestris vitae, et titulos qui Ei inditi sunt a theologis apostolicae aetatis, secernere. Expedit potius distinctionem instituere inter *titulos functionales,* quibus Christi partes definiuntur in procuranda hominum salute, et *titulos relationales,* qui spectant ad Ipsius relationem cum Deo, cuius est et Verbum et Filius. Qua in quaestione pertractanda, non minus quam tituli, examini subiciendae sunt *Eius mores* atque *actiones conversatioque,* utpote quae revelant id quod maxime persona reconditum habet.

1.2.6.4. Quod *historia Salutis ad eschatologiam tendat,* necnon spes ex hoc oriatur, illud consectaria magni momenti affert quoad christianam «praxim» in humanis societatibus. At vox «eschatologia» in se est ambigua. An «novissima tempora» sint extra experientiam historicam ponenda ? Annuntiavitne Jesus finem «huius mundi», antequam generatio illius temporis praeteriret ? Vel potius hoc modo novum modum induxit considerandi condiciones, in quibus humanarum rerum cursus evolvitur ? Nonne potius agebatur de ultimo stadio «œconomiae Salutis»

à employer pose une question difficile. L'histoire de Jésus relève en effet du *domaine empirique* accessible par l'étude des documents, tandis que l'histoire du Salut n'en relève pas. Elle inclut l'expérience commune, mais elle en suppose une *compréhension* à laquelle on n'accède que par l'intelligence de la foi. Il faut prendre garde à cette distinction pour placer la christologie sur son véritable terrain. Cela suppose, chez l'historien comme chez le théologien, une ouverture à la vie de foi et à la « décision de foi » qui y donne accès.

1.2.6.2. Cette observation s'applique particulièrement à la *résurrection du Christ* qui, par sa nature même, échappe à une constatation purement empirique. Elle introduit en effet Jésus dans le « monde qui vient ». Sa réalité peut être *inférée* des manifestations du Christ en gloire à des témoins privilégiés, et elle est corroborée par le fait du tombeau trouvé ouvert et vide. Mais il ne faut pas simplifier cette question en supposant que tout historien, avec les seules ressources de son enquête scientifique, pourrait la démontrer comme un *fait* accessible à n'importe quel observateur : ici encore, la « décision de foi », ou mieux l'« ouverture du cœur », commande la position prise.

1.2.6.3. Quant aux *titres du Christ,* il ne suffit pas de distinguer ceux qu'il s'est donnés durant sa vie et ceux qui lui ont été donnés par les théologiens de l'époque apostolique. Il convient plutôt de distinguer les titres *fonctionnels* qui définissent son rôle dans la réalisation du salut des hommes, et les titres *relationnels* qui concernent ses rapports avec Dieu dont il est le Fils et le Verbe. Dans l'étude de cette question, l'examen de ses *comportements* et de ses *actes* n'a pas moins d'importance que celui de ses titres, car les actes dévoilent ce qu'il y a de plus profond dans la personne.

1.2.6.4. *La tension de l'histoire du Salut vers l'eschatologie* et l'espérance que celle-ci soulève ont des conséquences importantes pour la « praxis » chrétienne au sein des sociétés humaines. Mais le mot « eschatologie » est par lui-même ambigu. Les « derniers temps » sont-ils au-delà de l'expérience historique ? Jésus a-t-il annoncé la fin de « ce monde-ci » avant que passe la génération où il vivait ? ou bien a-t-il ouvert par là une nouvelle perspective sur la condition dans laquelle l'histoire elle-même se déroulerait ? Ne s'agissait-il pas de la dernière étape de

per nuntium Evangelii Regni Dei inaugurato, sed nondum consummato, quod in toto historiae Ecclesiae decursu extenditur? Christologia veri nominis omnes huius generis quaestiones elucidare debet.

1.2.7. Periculum *methodorum anthropologicarum,* quae diversissimos inter se cogitandi modos complectuntur, in eo positum est, quod nonnulla elementa parvipenduntur, ex quibus persona humana in eius existentia ac historia constituitur; quo fit, ut christologia hoc modo mutila evadere possit.

1.2.7.1. In *phaenomeno humano* observando, satisne investigatum est circa eius *aspectum religiosum* pro suo progressu historico, ita ut persona Jesu et Ecclesiae fundatio in ambitu Iudaico accurate collocentur intra cursum evolutionis universalis? Optimistica interpretatio huius evolutionis, ad «punctum Omega» directae, relinquitne sufficientem locum *quaestionibus de malo* et actioni redemptrici mortis Jesu, etiamsi ex alia parte ratio habeatur discriminum quae evolutio humana superare debet? Investigationes de persona Jesu et de christologiis Novi Testamenti, hac in re necessaria afferent complementa.

1.2.7.2. Conamina speculativa circa *analysim philosophicam existentiae humanae* huic periculo subiciuntur, ne reiciantur ab iis, qui fundamenta philosophica ista non admittunt. Elementa biblica certe non negleguntur; eadem tamen saepe novo examini subicienda sunt, ut melius satis fiat exigentiis criticae biblicae et multiplicitati christologiarum, quae in Novo Testamento continentur. Hoc tantum modo anthropologia philosophica recte conferri poterit, ex una parte, cum personali existentia Jesu in hoc saeculo, ex altera parte vero, cum munere quod Christus glorificatus adimplet in christiana existentia.

1.2.7.3. Legitimum sane est initium sumere ab *investigatione historica circa Jesum ut verus homo consideratum,* quod plura complectitur : vitam Ipsius quatenus Iudaei; Eius agendi modos et praedicationem; conscientiam quam de seipso habuit et modum quo missionem suam proposuit; praevisionem suae mortis et significationem quam Ipse ei tribuere potuit; originem fidei in Ipsius resurrectionem et modos interpretandi Eius mortem in Ecclesia primaeva; progredientem elaborationem christologiae et soteriologiae in Novo Testamento. At periculum est, ne *elementa doctrinalia hoc modo comparata nimis pendeant*

l'«économie du Salut», inaugurée par l'annonce de l'Évangile du Règne de Dieu mais non encore consommée, coextensive à toute la durée de l'histoire de l'Église ? Une christologie authentique doit préciser toutes ces questions.

1.2.7. Le risque de certaines *approches anthropologiques,* qui regroupent des modes de réflexion très diversifiés, est de minimiser certaines composantes de cet être complexe qu'est l'homme dans son existence et dans son histoire ; d'où éventuellement une christologie tronquée.

1.2.7.1. Dans l'observation du *phénomène humain,* l'aspect *religieux* de celui-ci ou son déploiement historique est-il toujours étudié d'assez près, pour que la personne de Jésus et la fondation de l'Église au sein du judaïsme soient situées avec précision dans le cours de l'évolution universelle ? Une vue optimiste de celle-ci en direction du «point Oméga» laisse-t-elle une place suffisante au *problème du Mal* et à la fonction de la mort de Jésus, même si, par ailleurs, on tient compte des crises que l'évolution humaine doit traverser ? L'étude de Jésus et des christologies du Nouveau Testament donnera ici les compléments nécessaires.

1.2.7.2. Les essais spéculatifs sur une *analyse philosophique de l'existence humaine* risquent d'être récusées par ceux qui refusent ces bases. Les données bibliques ne sont certes pas négligées ; mais elles doivent souvent être reprises en tenant mieux compte des exigences de la critique et de la pluralité des christologies à l'intérieur du Nouveau Testament. C'est alors seulement que l'anthropologie philosophique peut être confrontée, d'une part, avec l'existence personnelle de Jésus ici-bas, d'autre part, avec le rôle du Christ glorifié dans l'existence chrétienne.

1.2.7.3. Il est juste de prendre pour point de départ *une approche historique de l'homme-Jésus* : sa vie de Juif, ses comportements et sa prédication, sa conscience de lui-même et la façon dont il a présenté sa mission, la perspective de sa mort et le sens qu'il a pu lui donner, les origines de la foi en sa résurrection et les interprétations de sa mort dans l'Église primitive, l'élaboration de la christologie et de la sotériologie dans le Nouveau Testament. Mais on risque de *faire dépendre les résultats obtenus au plan doctrinal des hypothèses critiques* utilisées au préalable. Si, par méthode, on ne retenait que les

ab hypothesibus criticis, quae ad hunc finem in antecessum adhibitae fuerunt. Si vi huius methodi, admittantur tantummodo hypotheses quam maxime restrictivae, tunc christologia lacunosa evadere potest. Id tunc praesertim animadvertitur, cum textus qui « antiquiores » habentur, unice fide digni censentur, recentiores vero tribuuntur speculationibus posteriore tempore factis, quae penitus mutaverunt elementa « originalia » ad « Jesum historicum » pertinentia. Nonne potius hi textus eo spectabant ut, ope novae meditationis Prioris Testamenti et profundioris considerationis eorum quae a Jesu dicta et facta fuerant, *magis explicitam* apud credentes redderent *intelligentiam* per fidem de Christo, qualis ab initio quasi in nucleo et modo implicito retinebatur? Periculum est, ne partes tribuendae Priori Testamento, cuius auctoritatem neque Jesus neque eius discipuli in dubium revocaverunt, hac in re nimis neglegantur : quo fit, ut ipsa interpretatio Novi Testamenti falsa evadat.

1.2.7.4. Legitime sane quidam conantur *continuitatem statuere inter experientiam Jesu et christianam experientiam.* Tunc autem statuendum quoque est, sine ulla dependentia ab hypothesibus nimis restrictivis, quomodo et quo sensu Jesus, « propheta eschatologicus », per fidem agnitus sit Filius Dei; quomodo primordialis fides et spes discipulorum Ipsius mutari potuerint in firmam certitudinem de Ipsius triumpho supra mortem ; quomodo inter conflictationes, quibus ecclesiae aetatis apostolicae afflictae sunt, tandem agnosci potuerit *« vera praxis »,* quam Christus voluerat, in qua scilicet innititur authentica « Jesu sequela » ; quo denique modo diversae interpretationes Eius personae ac missionis ut Mediatoris Dei et hominum, quae in Novo Testamento inveniuntur, tandem censeri possint *veram* imaginem praebere tum Ipsius, qualis reapse fuit, tum revelationis, quae in Ipso et per Ipsum facta est. Hisce condicionibus, modus ambiguus vitari poterit in christologia proponenda.

1.2.8. *Methodus fundata in analysi existentiali,* cum instanter postulet a credentibus, ut sese gerant erga Deum iuxta exemplum oboedientiae a Jesu ipso praebitum, clara in luce ponit arctum ligamen, quibus inter se coniunguntur exegesis, investigatio theologica et viva fides. Per accuratam analysim criticam textuum, haec methodus saepe conducit ad detegendum eorum munus in christianis communitatibus pro quibus compositi sunt, et consequenter etiam eorum munus in hodierna Ecclesia.

plus restrictives, la christologie pourrait être vidée d'une partie de son contenu. On le constate surtout si les textes estimés « les plus anciens » sont regardés comme les seuls qui fassent vraiment autorité, et si les plus récents sont considérés comme des spéculations secondaires qui auraient modifié substantiellement les données « originaires » attribuables au « Jésus historique ». Ces textes n'ont-ils pas eu pour fonction, à leur époque, d'*expliciter*, grâce à une méditation sur l'Ancien Testament et à une réflexion plus approfondie sur les paroles et les actes de Jésus, la *compréhension* croyante du Christ tenue globalement et virtuellement dès l'origine ? Le rôle dévolu au Premier Testament, dont l'autorité n'était contestée ni par Jésus ni par ses disciples, risque d'être ici trop négligé, ce qui fausserait l'interprétation du Nouveau Testament lui-même.

1.2.7.4. Il est parfaitement légitime de chercher à établir une *continuité entre l'expérience de Jésus et l'expérience chrétienne*. Il reste alors à établir, sans se lier aux hypothèses minimisantes, comment et en quel sens Jésus, « prophète eschatologique », a été reconnu dans la foi comme Fils de Dieu ; comment la foi et l'espérance inchoatives de ses disciples ont pu se muer en certitude de sa victoire sur la mort ; comment, au milieu des conflits qui ont tourmenté les Église des temps apostoliques, on a pu reconnaître la *vraie « praxis »* voulue par le Christ, celle qui fondait la *sequela Jesu* authentique ; comment les interprétations diverses de sa personne et de sa fonction médiatrice, telles qu'on les trouve dans le Nouveau Testament, peuvent être regardées comme l'expression *vraie* de ce qu'il fut réellement et de la révélation advenue en lui et par lui. C'est en tenant compte de ces conditions qu'on peut éviter le flou dans la présentation de la christologie ?

1.2.8. L'*approche fondée sur l'analytique existentiale*, par son insistance sur l'engagement personnel du croyant envers Dieu conformément à l'obéissance pratiquée par Jésus lui-même, souligne fortement le lien entre l'exégèse, la réflexion théologique et la foi vivante. En pratiquant une critique rigoureuse des textes, elle parvient souvent à mettre en lumière leur(s) fonction(s) dans les communautés chrétiennes pour lesquelles ils ont été composés et, par conséquent, dans l'Église d'aujourd'hui.

Attamen complures exegetae et theologi, cuiusvis confessionis, limites et lacunas huius methodi demonstrarunt.

1.2.8.1. *Criticae radicalis fautores* summam suarum investigationum circa evangelia ad tenuissimam medullam limitaverunt, eo vel magis quod notitia de Jesu quatenus persona historica minimi esse momenti pro fide opinabantur. Itaque *Jesus iam non vere pertineret ad originem christologiae.* Quae quidem ortum duceret a Kerygmate paschali, non autem ab existentia Jesu, hominis Iudaei, qui in se adimplevit Legem (= *Torah*), sub qua vivebat. Quod si huius Legis ratio eo unice spectat, ut per suam caducitatem demonstret homines se ipsos salvare non posse, nonne tota quoque theologia Prioris Testamenti evanescit?

1.2.8.2. *Lingua symbolica* quae in Novo Testamento ad Kerygma paschale tradendum adhibetur, ut dicat quis est Christus et in quo consistat Eius munus, simul reducitur intra fines linguae « mythologicae » : quo fit, *ut relatio inter utrumque Testamentum ad extremum extenuatur.* Denique interpretatio « existentialis » (seu « existentialisticam ») proposita ad interpretandam linguam « mythologicam », nonne in istud periculum incidit, ut christologia in *anthropologiam* reducatur?

1.2.8.3. Si Christi resurrectio Eiusque exaltatio nonnisi transformationes mythologicae nuntii Paschalis habendae sunt, haud intellegitur quo modo fides christiana a Cruce nasci potuerit. Praeterea, si Jesus non est Filius Dei sensu prorsus unico, haud patet cur Deus in Ipso nobis « ultimum verbum » dixerit mediante Cruce. Denique si, ad removendum modum rationalisticum concipiendi « argumenta » ad fidem probandam, supprimuntur etiam « signa », quibus ipsa fundatur, nonne id habendum est invitatio ad fideismum?

1.2.8.4. In quantum haec via accedendi ad Jesum in personali *decisione fidei* exclusive consisteret, nonne respuerentur *aspectus sociales existentiae humanae?* Eo vel magis quod per hanc viam quaedam « moralitas amoris », modo sat vago definita, radicitus opponeretur « moralitati legis », quae complecteretur positivas exigentias iustitiae. Omnibus his de causis, discipuli R. Bultmann rursus Jesum ad *origines christologiae* introducere statuerunt, quin respuant globalem investigationis finem, qui in « existentiali » analysi fundatur.

Mais beaucoup d'exégètes et de théologiens, quelles que soient leurs appartenances confessionnelles, ont montré ses limites et ses lacunes éventuelles.

1.2.8.1. *Le radicalisme critique* réduit le résultat de l'étude des évangiles à un noyau très ténu, d'autant plus que la connaissance de Jésus comme personnage de l'histoire est regardée comme dénuée d'intérêt pour la foi. Ainsi *Jésus n'est plus vraiment aux origines de la christologie* : celle-ci serait née du kérygme pascal et non de son existence de Juif accomplissant en sa personne la Loi (Tôrah) sous laquelle il a vécu. Si cette Loi n'a pour rôle que de montrer, par son échec, l'impuissance des hommes à se sauver eux-mêmes, la théologie du Premier Testament ne disparaît-elle pas à son tour ?

1.2.8.2. *Le langage symbolique* employé dans le Nouveau Testament pour traduire le kérygme pascal en disant ce qu'est le Christ et quelle est sa fonction, est ramené ici au seul secteur « mythologique » : *la relation entre les deux Testaments est alors réduite à l'extrême*. Finalement, l'interprétation existentiale proposée pour interpréter le langage « mythologique » ne risque-t-elle pas d'aboutir logiquement à une réduction *anthropologique* de la christologie.

1.2.8.3. Si la résurrection de Jésus et son exaltation ne sont que des traductions mythologiques du kérygme pascal, on ne comprend plus pourquoi la foi chrétienne a pu naître de la Croix. Si Jésus n'est pas « Fils » de Dieu en un sens unique, on ne voit plus pourquoi Dieu nous aurait dit en Lui son « dernier mot » par la médiation de cette Croix. Enfin, si, pour écarter une conception rationaliste des « preuves » de la foi, on supprime la notion des « signes » qui la fondent, ne débouche-t-on pas sur une invitation au fidéisme ?

1.2.8.4. Dans la mesure où cette approche est concentrée exclusivement sur la *décision personnelle* de foi, ne laisse-t-on pas à l'écart les *aspects sociaux de l'existence humaine* ? D'autant plus qu'on oppose radicalement une « morale de l'amour » très peu définie, à une « morale de la loi » qui inclurait les exigences positives de la justice. C'est pour toutes ces raisons que les élèves de Bultmann ont entrepris de réintroduire *Jésus aux origines de la christologie*, tout en faisant droit au projet global de réflexion fondé sur l'analytique existentiale.

1.2.9. Fautores « *theologiae liberationis* » opportune in memoriam revocarunt Salutem a Christo allatam non esse tantummodo « spiritualem », i.e. a rebus huius mundi plane abstractam : ipsa homines liberare debet, Dei utique gratia, a quavis tyrannide, quae in praesenti rerum condicione eos opprimit. Ex hoc tamen generali principio, periculosa quaedam erui possunt consectaria, praesertim si doctrina redemptionis non sat clare iungitur cum ethica, quae Novi Testamenti praeceptis plene cohaereat.

1.2.9.1. Etsi quidam « marxistae » indirecte ad Evangelium Jesu spectant, ut in eo reperiant perfectam vitae socialis formam in vera fraternitate fundatam, non deserunt tamen suam *methodum inquirendi in facta socialia* sub aspectu oeconomico et politico. Quae methodus cum *anthropologia philosophica* cohaeret, cuius fundamentum theoricum atheismum includit. Haec methodus investigandi et « praxis », quae inde sequitur, adhibitis absque iusta dispectione, ita ut Deus Sacrae Scripturae proponatur tanquam auctor liberationis sic intellectae, magnum praestant periculum, ne falsa evadant natura ipsa Dei, rectaque Christi interpretatio, ac tandem ipsius hominis cognitio et comprehensio.

1.2.9.2. Nonnulli « theologi liberationis » firmiter asseverant « Christum fidei » retinendum esse tamquam spei supremum principium. At fit etiam ut solummodo « praxis » Jesu « historici » consideretur, et quidem plus minusve arbitrario modo efficta, mediante quadam « lectionis ratione », quae eam partim falsam reddit. Adeoque « Christus fidei » nonnisi mera « ideologica » interpretatio censetur, vel etiam « mythologicatio » Eius personae historicae. Cum nullo accurato examini subiciatur notio « potestatis » apud communitates christianas, tunc obnoxias Imperio Romano et eius localibus magistratibus, grave etiam periculum est, ne illa ipsa notio interpretationem accipiat secundum Marxismi regulas.

1.2.9.3. Inde sequitur, ut actio Christi liberatoris, qui per Spiritum Sanctum in Ecclesia operatur, iam non amplius consideretur : Jesus nonnisi « exemplum » praeteritum remanet, cuius « praxis » prosequenda est aliis mediis, quae magis nostris temporibus accommodata sint et maiore polleant efficacitate. Hoc modo christologia in periculo est, ne plene *in anthropologiam reducatur*.

1.2.9. *Les « théologies de la libération »* ont utilement rappelé que le Salut apporté par le Christ ne se situe pas dans le domaine d'un « spirituel » désincarné : il doit affranchir les hommes, par la grâce de Dieu, de toutes les tyrannies qui pèsent sur leur condition présente. Mais il y a des risques possibles dans les conséquences qu'on tire de ce principe général, surtout si la doctrine de la rédemption n'est pas clairement articulée sur une éthique qui respecte pleinement les données du Nouveau Testament.

1.2.9.1. Certains marxistes regardent latéralement vers l'Évangile de Jésus pour y chercher l'idéal d'une vie sociale vraiment fraternelle. Mais cela laisse intacte leur *méthode d'analyse des faits sociaux* aux plans économique et politique, liée elle-même à une *anthropologie philosophique* qui, dans sa théorie, inclut un athéisme fondamental. En adoptant sans critique cette méthode d'analyse et la « praxis » qui s'y rattache pour faire du Dieu de la Bible l'artisan d'une « libération » ainsi conçue, on risque fort de fausser la nature même de Dieu, l'interprétation correcte du Christ et, finalement, la compréhension de l'homme lui-même.

1.2.9.2. Certains « théologiens de la libération » retiennent fermement le « Christ de la foi » comme principe ultime de l'espérance. Mais il arrive aussi qu'on regarde exclusivement vers la « praxis » du « Jésus de l'histoire », reconstruite plus ou moins arbitrairement à l'aide d'une méthode de lecture qui la fausse en partie, de sorte que le « Christ de la foi » ne soit plus regardé que comme une interprétation « idéologique », ou même une « mythologisation » de sa figure historique. Alors, la notion de « pouvoir » dans des communautés chrétiennes soumises à la puissance impériale de Rome et aux administrations locales ne faisant plus l'objet d'aucune analyse précise, on risque fort d'interpréter suivant des critères marxistes la notion même de ce « pouvoir ».

1.2.9.3. En conséquence, l'action libératrice du Christ agissant par l'Esprit Saint dans son Église n'est plus prise en considération : Jésus devient un simple « modèle » historique dont l'action devrait être poursuivie par d'autres moyens plus modernes et plus efficaces. On risque ainsi d'aboutir à une *réduction anthropologique* complète de la christologie.

1.2.10. *Studia theologiae speculativae de Christo* pro principio habent, idque non sine causa, ut respuant *dependentiam* ab *hypothesibus criticis*, quae continuis recognitionibus sunt obnoxiae. Periculum tamen est ne, ob nimiam curam synthesim perficiendi, diluatur *varietas christologiarum Novi Testamenti*, quae quidem magni pretii habenda est ; vel etiam, ne ea quae ad *praeparationem Prioris Testamenti* spectant, penitus tollantur aut minoris momenti fiant, quo in casu Novum Testamentum suis radicibus privaretur. Optandum igitur est, ut studia exegetica magis determinatum ac bene definitum obtineant locum in revelatione investiganda, quae quidem, inde a primordiis ac per totum progressum sui decursus, tendit ad ultimum finem in totalitate mysterii Christi assequendum. Ibi adest quaedam divina « paedagogia », alio sensu ac Paulino (Gal. 3, 24), quae homines ad Christum perducit.

1.2.11. Omnes conatus uniendi *Christologiam « ab imo »* cum *Christologia « ex alto » procedente*, rectum monstrant iter, quod certe est suscipiendum. In suspenso tamen peculiares quaestiones relinquuntur, quae solutionem expostulant.

1.2.11.1. In campo studiorum exegeticarum multa adhuc solvenda manent, ac nominatim *quaestiones criticae* ad Evangelia spectantes : scilicet modus efformandi verba Jesu quae ibi continentur ; indoles plus minusque « historica » stricto sensu narrationum quae ad Eum attinent ; tempus et auctores singulorum librorum ; modi et stadia eorum compositionis ; progressus doctrinae christologicae. Campus patet studiorum investigationi, quae non solum legitima est, verum etiam necessaria ac frugifera pro ipsa christologia systematica.

1.2.11.2. Ut percipiatur maximum atque *unicum momentum, quod Christus habet in decursu rerum huius mundi*, praetermitti nequit inquisitio de loco, quem Sacra Scriptura obtinet in variarum culturarum progressu. Quoad in historiam harum culturarum hi sacri libri sero prodierint, non est neglegendum studium de modo, quo ex iisdem culturis elementa nonnulla in illis recepta sunt ut Revelationi inservirent. *Indoles iudaica* Jesu, variis culturis inserta, *integram Illius humanitatem* quodammodo portat. Haec accedendi ad Jesum via, ad quam maxime incitant explorationes archeologicae atque ethnologicae ultimis duobus saeculis peractae, vix temptari coepta est. Ut autem recte

1.2.10. *Les études de théologie spéculative* sur le Christ refusent par principe — et non sans raison — de se mettre en position de *dépendance* par rapport à des hypothèses critiques qui sont toujours sujettes à révision. Mais le risque serait que, par un souci de synthèse excessif, *la variété des christologies du Nouveau Testament* soit estompée, alors qu'elle constitue une richesse certaine ; ou encore, que *les préparations de l'Ancien Testament* soient omises ou minimisées, en privant ainsi le Nouveau de ses racines. Il faut souhaiter que les travaux exégétiques trouvent une place déterminée et très précise dans l'étude de la révélation qui, depuis ses origines historiques et dans son développement, est tendue vers son achèvement dans la totalité du mystère du Christ. Il y a là, en un autre sens que celui auquel saint Paul s'attachait (cf. Ga 3, 24), une « pédagogie » divine qui conduit les hommes vers le Christ.

1.2.11. Toutes les tentatives faites pour *unir la « christologie d'en haut » et la « christologie d'en bas »* montrent la direction dans laquelle il faut certainement s'engager. Elles peuvent laisser en suspens des questions particulières à résoudre.

1.2.11.1. *Les questions critiques* relatives aux évangiles, à la mise en forme des paroles de Jésus qui y figurent, à l'historicité plus ou moins dense des récits qui le concernent, à la date et à l'auteur de chaque livre, aux modalités et aux étapes de sa composition, au développement doctrinal de la christologie, restent ouvertes dans le cadre des études exégétiques. Il y a là un domaine de recherche qui est non seulement légitime, mais nécessaire et fructueux pour la christologie systématique elle-même.

1.2.11.2. Pour saisir la *valeur unique du Christ dans l'historicité du monde*, on ne peut faire l'économie d'une enquête sur la place qu'occupe la Bible dans le développement des cultures. Comme elle y est apparue à une date relativement tardive, on ne peut se passer d'étudier la façon dont elle a repris certains de leurs éléments pour les mettre au service de la Révélation. Insérée dans les cultures, la *judaïcité* de Jésus est porteuse de sa totale humanité. Cette approche, stimulée par les découvertes archéologiques et ethnologiques des deux derniers siècles, est à peine entamée. En retour, pour découvrir comment Jésus est ainsi le sauveur de *tous* les hommes dans *tous* les temps, il

percipiatur quo modo Jesus sit salvator *omnium* hominum *omnibus* temporibus, necesse est quaestionem considerare de Eius praeexistentia, Ipsum agnoscendo Dei Sapientiam et Dei Verbum (cf. Prologum Johanneum), auctorem simulque totius creationis exemplar, ac rerum humanarum totius cursus potentem moderatorem.

1.2.11.3. Ut autem intellegatur quomodo *Christus glorificatus efficaciter operans maneat in hoc mundo*, oportet ut accuratiora Sacrarum Scripturarum studia instituentur circa relationes vigentes inter Ecclesiam, quae est Corpus Eius, ducente Spiritu Sancto, et societates in quibus ipsa evolvitur. Cum res ita se habeant, *ecclesiologia constituit aspectum essentialem christologiae*, et quidem eo ipso momento quo se fert obviam sociologorum investigationibus.

Caput 3. — *Quomodo vitanda sint huiusmodi pericula, limites atque ambiguitates?*

Experimenta supra commemorata demonstrant quod non sat esset, ut remedia contra haec omnia pericula adhibeantur, aliquas acutas formulas enuntiare, quae «veritatem» definitivam peremptorie proponerent, nec systematicos tractatus elaborare, qui quaestiones universas complecterentur easque immediate solverent.

1.3.1. *Communio fidei* cum tota ecclesiastica traditione, quae iubet peritos in re biblica semper reverti ad *Traditionem fundatricem* aetatis apostolicae (lato sensu sumptae, ita ut totum Novum Testamentum complectatur) minime eximit ab inquisitionibus peragendis de *Sacra Scriptura complexive sumpta,* de loco quem habuit in Israel, de novo ramo ipsi inserto mediante Christo in scriptis Novi Testamenti usque ad conclusionem indicis librorum «canonicorum», scilicet «*regulam*» prae se ferentium fidei et vitae christianae. Quoad hoc ultimum caput, quamquam habetur fundamentalis dissensio inter Iudaeos et Christianos, firmum tamen apud utrosque manet principium «canonicitatis».

1.3.2. Incrementum litterarium, quae in Sacra Scriptura invenitur, prae se fert imaginem quamdam illius doni Dei, quod hominibus attulit Eius revelationem ac salutem. Secundum

importe de réfléchir sur la question de sa préexistence en reconnaissant en lui la Sagesse de Dieu et sa Parole (cf. le Prologue de Jean), artisan et modèle de la création entière, puissance à l'œuvre dans toute l'histoire.

1.2.11.3. Pour comprendre comment *le Christ glorifié continue d'agir efficacement dans ce monde-ci* pour effectuer son œuvre de rédemption, il est nécessaire de poursuivre une étude biblique plus précise au sujet des relations entre l'Église, qui est le Corps du Christ dirigé par l'Esprit Saint, et les sociétés au sein desquelles elle se développe. Sous ce rapport, l'*ecclésiologie constitue un aspect essentiel de la christologie*, au moment même où elle recoupe les enquêtes des sociologues.

Section 3. — *Comment faire face à ces risques, à ces limites, à ces incertitudes ?*

L'expérience évoquée plus haut montre qu'on ne fera pas face à tous ces risques en énonçant quelques formules tranchantes qui représenteraient la « vérité » définitive, ou en élaborant des exposés systématiques qui engloberaient toutes les questions et les résoudraient immédiatement.

1.3.1. La *communion de foi* avec l'ensemble de la tradition ecclésiale, qui renvoie toujours le théologien à la *Tradition fondatrice* des temps apostoliques (au sens large du mot qui inclut tout le Nouveau Testament), ne dispense pas des recherches qui doivent porter sur l'*ensemble de l'Écriture*, sur sa place en Israël, sur le nouveau rameau qui s'est branché sur elle à partir de Jésus dans les écrits du Nouveau Testament jusqu'à la clôture de sa liste « canonique » — c'est-à-dire « régulatrice » de la foi et de la vie pratique. Sur ce dernier point, il existe une divergence fondamentale entre les Juifs et les chrétiens ; mais le principe de la « canonicité » est admis par les uns et par les autres.

1.3.2. Le développement littéraire de la Bible reflète celui du don de Dieu apportant aux hommes sa révélation et son salut. Pour les chrétiens, ce don culmine dans celui de son Fils, « né de

Christianos, huius doni culmen est Dei Filius, verus homo « natus de Maria virgine ». Unitas Scripturarum efficitur per promissiones a Patriarchis receptas et a Prophetis amplificatas, ac deinde per expectationem Regni Dei ac Messiae ; atqui hae promissiones atque haec expectatio in Jesu, Messia et Filio Dei, adimplentur. Usus Sacrarum Scripturarum in Christologia subicitur huic *principio totalitatis* quod bene meminerant Patres ac theologi medii aevi, quando secundum methodos a cultura ipsorum aetatis suppeditas, textus biblicos legebant atque interpretabant. Alias cultura nostrorum temporum invenit methodos ; modus autem et finis, quibus ipsis utendum est, idem remanent.

1.3.3. Quo facilius lectores credentes discernere possint in Sacris Scripturis hanc *christologiam integralem*, optandum est ut *scientia biblica*, methodorum exegeticarum nostrae aetatis auxilio exercita, maiora incrementa suscipiat, quam quae in statu hodierno studiorum atque investigationis animadvertuntur. Ac revera complura problemata adhuc obscura manent, quod attinet ad processum compositionis librorum sacrorum per auctores inspiratos, quales in fine proponuntur. Quamobrem ii qui, parcendo investigationibus huius generis, leviter Sacras Scripturas attingerent, perperam aestimantes hunc legendi modum esse « theologicum », fallacem ingrederentur viam : solutiones quae nimis faciles sunt, nullo modo solidum fundamentum praebere possunt investigationibus de theologia biblica, cum plena fide adhibendis. At Pontificia Commissio Biblica aestimat, praetermissis disceptationibus singularibus minoris momenti, studia sat progressa esse, ut in *horum conclusionibus omnis fidelis lector solidum fundamentum reperire possit pro suis investigationibus circa Jesum Christum.* De his quaestionibus agit sequens tractatio in duo capita divisa, quae sunt :

1. Promissiones et expectatio Salutis et Salvatoris in Priore Testamento ;

2. Adimpletio harum promissionum et huius exspectationis in persona Jesu Nazareni.

la vierge Marie ». L'*unité des Écritures* se réalise ainsi autour des *promesses* reçues par les patriarches et amplifiées par les prophètes, puis autour de l'*attente* du Règne de Dieu et du Messie annoncé. Or, ce sont ces promesses et cette attente qui trouvent leur *accomplissement* en Jésus, Messie et Fils de Dieu. Le recours à la Bible en christologie est soumis à ce *principe de totalité* que n'avaient oublié ni les Pères ni les théologiens médiévaux, lorsqu'ils recouraient aux méthodes fournies par leur culture pour lire et interpréter les textes bibliques. Notre culture nous fournit d'autres méthodes, mais l'orientation suivant laquelle il faut les pratiquer reste la même.

1.3.3. Pour que le lecteur croyant puisse aisément discerner dans la Bible cette *christologie intégrale*, il serait souhaitable que la *science biblique*, menée à l'aide des méthodes exégétiques de notre temps, soit plus avancée qu'elle ne l'est dans l'état actuel de la recherche et de la réflexion. En effet, beaucoup de points restent obscurs dans le processus de composition qui a abouti à la présentation actuelle des livres saints par les auteurs inspirés. Ceux qui, pour faire l'économie des recherches de ce genre, s'en tiendraient à une lecture superficielle qu'ils croiraient « théologique », s'engageraient sur une voie trompeuse : les solutions simplistes ne peuvent aucunement servir de fondement solide à la réflexion théologique effectuée avec une pleine foi. Mais la Commission Biblique Pontificale estime qu'au-delà des discussions de détail, les travaux sont assez avancés pour que *tout lecteur croyant trouve un appui ferme dans certains de leurs résultats* pour sa recherche de Jésus-Christ.

C'est ce qu'exposeront les deux sections suivantes :

1. Les promesses et l'attente du salut et du Sauveur dans le Premier Testament ;
2. L'accomplissement de ces promesses et de cette attente dans la personne de Jésus de Nazareth.

PARS SECUNDA

TESTIMONIUM SACRAE SCRIPTURAE DE CHRISTO COMPLEXIVE SUMPTUM

Caput 1. — *Salutares Dei actiones et spes messianica in Israel*

Constat Jesum et primaevam communitatem christianam agnovisse divinam auctoritatem Scripturarum, quas nos Prius vel Vetus Testamentum appellamus. Ac revera, Sacris auctoribus testantibus Israel credere potuit Deum suum velle eius salutem, ac etiam ipsum eius vias cognoscere. Haec ergo prima experientia relationum inter Deum et populum suum in solido fundamento consistit, eiusque momentum iure postulat ut debita ratione aestimetur.

Itaque in hisce scriptis tria genera rerum considerari possunt, quas Christiani comperient perfecte in Christo Jesu adimpletas esse : *a) cognitio veri Dei*, qui a ceteris diis distinguitur et spem Israel constituit ; *b)* experientia *voluntatis salvificae* Dei sui, quam Israel habuit inter rerum decursum quem expertus est in medio aliorum populorum ; *c)* diversae *formae mediationis*, quibus iugiter promotae sunt observantia Foederis et communio inter Deum et homines. Hic non agitur de variis delineandis stadiis revelationis divinae Israel factae, sed de commemorandis praecipuis testibus huius « Prioris Testamenti », quos communitas christiana primaeva audivit et intellexit, illuminata per lucem Christi iam adventi.

2.1.1. DE DEO AC DE EIUS REVELATIONE IN PRIORE TESTAMENTO

2.1.1.1. Omnes Orientis Antiqui populi Deum quaerebant « si forte attrectarent Eum » (Act. 17, 27) ; secundum librum Sapientiae, ipsi quaerendo erraverunt quia, rerum pulchritudine capti, putaverunt Potentias huius mundi esse deos, ignorantes quanto speciosior esset earum Artifex (Sap. 13, 3). Deus autem Israel manifestatur Ipsemet quaerens homines : vocat Abraham (Gen. 12, 1-3) et stirpem tribuit, quae fiet Eius populus

DEUXIÈME PARTIE

LE TÉMOIGNAGE GLOBAL
DE LA SAINTE ÉCRITURE SUR LE CHRIST

Section 1. — *Les actions salvatrices de Dieu et l'espérance messianique d'Israël*

On sait que Jésus et la première communauté chrétienne reconnaissaient l'autorité divine des Écritures que nous appelons Ancien ou Premier Testament. En effet, sur le témoignage des auteurs sacrés, Israël a pu croire à la volonté de salut de son Dieu et en connaître les voies. Cette première expérience des rapports entre Dieu et son peuple a donc sa consistance propre et mérite, du même coup, qu'on l'évalue à son juste poids.

On peut ainsi examiner dans ces écrits trois types de réalités dont les chrétiens trouveront le parfait accomplissement en Jésus Christ : *a)* la *connaissance du vrai Dieu* qui se distingue des autres divinités et fonde l'espérance d'Israël ; *b)* l'expérience qu'Israël a faite des *volontés de salut* de son Dieu, au cours de son histoire au milieu des autres peuples ; *c)* les différentes *médiations* qui ont constamment promu la réalisation de l'alliance et de la communion entre Dieu et les hommes. Il ne s'agit pas ici de retracer les différentes étapes de la révélation de Dieu à Israël, mais d'évoquer les principaux témoins de ce «Premier Testament» que la communauté chrétienne primitive a entendus et compris à la lumière du Christ déjà venu.

2.1.1. Dieu et sa révélation dans l'Ancien Testament

2.1.1.1. Tous les peuples de l'Ancien Orient cherchaient Dieu, mais comme «à tâtons» (Ac 17, 27) ; selon le livre de la Sagesse, ils se sont égarés dans cette recherche lorsque, charmés par la beauté des choses, ils prirent les Puissances de ce monde pour des dieux sans savoir combien leur maître est supérieur (Sg 13, 3). Or, Dieu se présente à Israël comme cherchant lui-même les hommes : il appelle Abraham (Gn 12, 1-3) et lui

peculiaris inter omnes populos terrae (Ex. 19, 5-6 ; Deut. 7, 6) et quidem modo prorsus gratuito (Deut. 7, 8). In Abraham et in eius posteritate nationes terrae benedictionem accipient (Gen. 12, 3 ; 22, 18 ; 26, 4) ; in hoc Deo solummodo salutem invenient (Is. 45, 22-25) et fundamentum suae spei quaerere debent (Is. 51, 4-5).

2.1.1.2. Deus, rerum universarum *Creator* (Gen. 1, 1 — 2,4), sese Israel manifestat praecipue ut *Dominum* et *Moderatorem* historiae (Am. 1, 3 — 2, 16 ; Is. 10, 5 ss) ; Ipse est « Primus et Novissimus », et praeter Eum non est alius Deus qui sicut Ille agere possit (Is. 44, 6 ; 45, 5-6) ; non est Deus nisi in Israel (Is. 45, 14), et Ipse solus (Is. 45, 5). Peculiari autem modo sese hominibus exhibet ut *Regem* : etsi regalem hanc potestatem iam revelaverat per suam virtutem in creatione (Ps. 93, 1-2 ; 95, 3-5), magis eam manifestat curam suscipiendo de fortuna Israel (Ex. 15, 18 ; Is. 52, 7), et de suo regno futuro (Ps. 98). Quae regia potestas praecipuum obtinet locum in ipso cultu, qui Deo tribuitur in urbe Ierusalem (Is. 6, 1-5 ; Ps. 122). Postquam Israel sua sponte dominos sibi elegit (I Sam. 8, 1-9), ac demum grave horum regum iugum expertus est (I Sam. 8, 10-20), tunc in Deo suo bonum Pastorem invenit (Ps. 23 ; Ez. 34), quia Ipse est semper « fidelis, ... iustus et rectus » (Deut. 32, 4), « misericors et clemens, ... patiens et multae misericordiae ac verax » (Ex. 34, 6, Vg).

Deus, igitur, quatenus proximus est hominibus, constituit veluti substantiam ipsam fidei Israel ; proprium Eius nomen, tetragrammate YHWH expressum, huius fidei confessio est (cf. Ex. 3, 12-15) ac simul formam definit relationum, quas Ipse inire vult cum populo suo, eum ad fidelitatem vocando.

2.1.2. Deus et homines : de Promissione et foedere

2.1.2.1. Hic Deus, propria et indeclinabili voluntate (Jer. 31, 35-37), significata iureiurando « per Semetipsum » (Gen. 22, 16-18), iniit foedus cum hominibus in populum constitutis. Huic populo duces praefecit, quibus Eius consilia exsequi incumbebat : Abraham (Gen. 18, 19), Moyses (Ex. 3, 7-15), « iudices » (Jud. 2, 16-18) ac reges (II Sam. 7, 8-16). Ipsorum opera, Deus liberaturus erat populum suum ab omni servitute vel alienigenarum dominatione (Ex. 3, 8 ; Jos. 24, 10 ;

constitue une descendance qui deviendra son peuple particulier parmi tous les peuples de la terre (Ex 19, 5-6 ; Dt 7, 6), par pure gratuité (Dt 7, 8). En Abraham et sa postérité les nations recevront la bénédiction (Gn 12, 3 ; 22, 18 ; 26, 4) ; c'est uniquement en ce Dieu qu'elles trouveront le salut (Is 45, 22-25), et qu'elles doivent chercher l'objet de leur espérance (Is 51, 4-5).

2.1.1.2. Dieu, *Créateur* de l'univers (Gn 1, 1 — 2, 4) se manifeste à Israël surtout comme *Seigneur* et *Maître* de l'histoire (Am 1, 3 — 2, 16 ; Is 10, 5 ss) ; il est « le Premier et le Dernier », et en dehors de lui, il n'est pas un autre Dieu qui puisse agir comme lui (Is 44, 6 ; 45, 5-6) ; il n'y a de Dieu qu'en Israël (Is 45, 14) et il est le seul (Is 45, 5).

C'est notamment comme *Roi* qu'il se présente aux hommes : s'il a déjà révélé cette royauté par sa force de création (Ps 93, 1-2 ; 95, 3-5), il la manifeste encore davantage par sa prise en charge de la destinée d'Israël (Ex 15, 18 ; Is 52, 7) et son règne à venir (Ps 98).

Aussi cette royauté sera-t-elle au centre même du culte qui lui sera rendu à Jérusalem (Is 6, 1-5 ; Ps 122). Quand Israël se donne des maîtres selon son choix (1 S 8, 1-9), c'est en souffrant sous le joug de ces rois (1 S 8, 10-20) qu'il découvrira en son Dieu le bon Pasteur (Ps 23 ; Ez 34), parce qu'il est toujours « fidèle »..., juste et droit » (Dt 32, 4), « miséricordieux, compatissant, ... riche en tendresse et véridique » (Ex 34, 6).

Un Dieu proche des hommes constitue donc le cœur même de la foi d'Israël ; son nom propre, rendu par le tétragramme YHWH, veut être la confession d'une telle foi (cf. Ex 3, 12-15), et définit par là même le type de rapport qu'il entend établir avec son peuple en appelant celui-ci à la fidélité.

2.1.2. Dieu et les hommes : Promesse et Alliance

2.1.2.1. En vertu d'une volonté infrangible (Jr 31, 35-37), signifiée par un serment « envers lui-même » (Gn 22, 16-18), ce Dieu s'est engagé envers des hommes constitués en un peuple. Il les pourvoit de chefs responsables de la réalisation de ses desseins : Abraham (Gn 18, 19), Moïse (Ex 3, 7-15), des « juges » (Jg 2, 16-18) et des rois (2 S 7, 8-16). C'est par eux que Dieu libérera son peuple de tout esclavage ou domination étrangère (Ex 3, 8 ; Jos 24, 10 ; 2 S 7, 9-11), qu'il lui fera don de

II Sam. 7, 9-11), daturus Terram Promissionum (Gen. 15, 18;
22, 17; Jos. 24, 8-13; II Sam. 7, 10) ac denique salutem procu-
raturus (Ex. 15, 2; Jud. 2, 16.18). Item eorumdem opera Deus
transmissurus erat huic populo praecepta sua ac leges
(Gen. 18, 19; Ex. 15, 25; 21, 1; Deut. 5, 1; 12, 1; Jos. 24, 25-
27; I Reg. 2, 3), quorum observantia habenda esset peculiaris
modus quo Israel fidem suam in Deum confiteretur, reverentiam
scilicet praestans erga proximi personam ac bona (Ex. 20, 3-17;
Deut. 5, 6-21; Ex. 21, 2 ss; Lev. 19). Nexus inter donationem
terrae et oboedientiam Legi in S. Scripturis exhibetur ope
iuridicae notionis « foederis » *(berît)*, quo nova ligamina definiuntur quae Deus inter Semetipsum et homines condere statuit.

Constat populum eiusque duces libere se submittere huic
foederi (Ex. 24, 3-8; Deut. 29, 9-14; Jos. 24, 14-24); semper
autem tentatione sollicitabantur ut praeter YHWH alios deos
colerent (Ex. 32, 1-6; Num. 25, 1-18; Jud. 2, 11-13), proximum
omni iniustitiae genere opprimerent (Am. 2, 6-8; Os. 4, 1-2;
Is.1, 22-23; Jer. 5, 1 ss), ideoque «Foedus» cum Deo initum
infrigerent (Deut. 31, 16.20; Jer. 11.10; 32, 32; Ez. 44, 7).
Nonnulli reges praecipue se culpabiles praebuerunt, eiusmodi
iniustitias exercendo (Jer. 22, 13-17) Foedusque frangendo
(Ez. 17, 11-21). Nihilominus Dei fidelitas infidelitatem hominum
tandem superabit (Os. 2, 20-22), novum Foedus cum eis ineundo
(Jer. 31, 31-34), Foedus scilicet perpetuum atque infrangibile
(Jer. 32, 40; Ez. 37, 26-27). Quod quidem Foedus extendendum
erit non solum ad semen Abrahae per circumcisionis signum
(Gen. 17, 9-13), sed ad homines universos per signum arcus in
coelo (Gen. 9, 12-17; cf. Is. 25, 6; 66, 18).

2.1.2.2. Prophetae scandalum denuntiarunt de huius Foederis
multiplici violatione, cuius erant testes, quae causa erat cur
populus electus a Deo condemnaretur (II Reg. 17, 7-23). Iidem
tamen praecipui testes exstiterunt praesertim ipsius Dei fidelita-
tis, quae supergressura erat hominum infidelitates. Idem enim
Deus radicitus cor hominis transformabit, ei facultatem tribuens
satisfaciendi obligationibus suis per oboedientiam Legi
(Jer. 31, 33-34; Ez. 36, 26-28). Quanquam Foedus ex parte
Israel toties violabatur, nihilominus prophetae numquam spem
deposuerunt Deum tandem salutem populo allaturum, propter
immensum amorem suum atque indulgentiam (Am. 7, 1-6;
Os. 11, 1-9; Jer. 31, 1-9), et hoc quando rerum cursus quam
tristissimus erat (Ez. 37, 1-14).

la terre des promesses (Gn 15, 18 ; 22, 17 ; Jos 24, 8.13 ; 2 S 7, 10), qu'il lui procurera enfin le salut (Ex 15, 2 ; Jg 2, 16.18). C'est aussi par eux que Dieu transmettra à ce même peuple ses commandements et ses lois (Gn 18, 19 ; Ex 15, 25 ; 21, 1 ; Dt 5, 1 ; 12, 1 ; Jos 24, 25-27 ; 1 R 2, 3), dont l'observance sera pour Israël la manière de confesser son Dieu, par le respect du prochain dans sa personne et dans ses biens (Ex 20, 3-17 ; Dt 5, 6-21 ; Ex 21, 2 ss ; Lv 19). Le rapport entre le don de la terre et l'obéissance à la loi est présenté, dans la Bible, sous le concept juridique d'« alliance » *(berît)* qui définit les liens nouveaux que Dieu établit entre lui et les hommes.

Certes, le peuple et ses chefs s'engagent librement dans cette alliance (Ex 24, 3-8 ; Dt 29, 9-14 ; Jos 24, 14-24). Aussi seront-ils toujours tentés d'introduire d'autres dieux aux côtés de YHWH (Ex 32, 1-6 ; Nb 25, 1-18 ; Jg 2, 11-13), et d'opprimer leur prochain par toutes formes d'injustices (Am 2, 6-8 ; Os 4, 1-2 ; Is 1, 22-23 ; Jr 5, 1 ss), en rompant ainsi l'alliance conclue avec leur Dieu (Dt 31, 16.20 ; Jr 11, 10 ; 32, 32 ; Ez 44, 7). Certains rois ont été particulièrement coupables dans ces injustices (Jr 22, 13-17) et cette rupture d'alliance (Ez 17, 11-21). Mais la fidélité de Dieu vaincra l'infidélité des hommes (Os 2, 20-22), en concluant avec eux une alliance nouvelle (Jr 31, 31-34), alliance perpétuelle et infrangible (Jr 32, 40 ; Ez 37, 26-27). Elle ne s'étend pas seulement à la descendance d'Abraham marquée par le signe de la circoncision (Gn 17, 9-13) mais à l'humanité entière par le signe de l'arc-en-ciel (Gn 9, 12-17 ; cf. Is 25, 6 ; 66, 18).

2.1.2.2. Si les prophètes ont été les témoins scandalisés de cette rupture d'alliance sous toutes ses formes, entraînant ainsi la condamnation du peuple élu par YHWH (2 R 17, 7-23), ils sont surtout les témoins privilégiés de la fidélité de ce même Dieu au-delà des infidélités humaines. Il transformera radicalement le cœur de l'homme, en le rendant capable de réaliser ses engagements par l'obéissance à la loi (Jr 31, 33-34 ; Ez 36, 26-28). Malgré donc les échecs répétés de l'alliance de la part d'Israël, les prophètes n'ont pas cessé d'espérer la réalisation du Salut apporté par leur Dieu, grâce à son amour et son indulgence sans limite (Am 7, 1-6 ; Os 11, 1-9 ; Jr 31, 1-9), même aux pires moments de leur histoire (Ez 37, 1-14).

Deus enim per David adimpleverat promissiones anteriores, quibus ex tribubus pluribus Israel populum liberum in terra propria facturum esse pollicitus erat (II Sam. 7, 9-11). Etsi Davidis successores minime eius vestigia sint secuti, prophetae tamen semper exspectarunt *illum regem*, qui sicut David (II Sam. 8, 15), *institurus esset aequitatem et iustitiam*, praesertim erga pauperrimos et infimos regni (Is. 9, 5-6; Jer. 23, 5-6; 33, 15-16). Talis rex, Dei «zelum» erga suum populum revelabit (Is. 9, 6), pacemque ab origine promissam praestabit (Am. 9, 11-12; Ez. 34, 23-31; 37, 24-27).

Item prophetae praenuntiant urbem Ierusalem purificatam ac restituendam esse, ubi Deus inhabitabit in templo suo; cui dabuntur quaedam nomina symbolica, scilicet «Urbs iustitiae» (Is. 1, 26), «Dominus iustitia nostra» (Jer. 33, 16), «Dominus ibi est» (Ez. 48, 35); murique eius appellabuntur «Salus» et portae «Laudatio» (Is. 60, 18). Omnes gentes, iam sociae aeterni foederis David (Is. 55, 3-5), vocabuntur ad participandam salutem Dei Israel in Urbe sancta restaurata (Is. 62, 10-12), quia de Sion exibunt lex et iustitia, ut usque ad fines terrae extendantur (Is. 2, 1-5; Mich. 4, 1-4), et in solo YHWH salutem invenient (Is. 51-4-8).

2.1.3. DE VARIIS MEDIATIONIBUS SALUTIS

2.1.3.1. Procul dubio Ipsemet Deus populum suum totumque genus humanum salvat, sed ad id faciendum diversos adhibet mediationis modos.

a) Rex peculiarem obtinet locum in hoc advendu Salutis. Ipsum velut filium adoptando (II Sam. 7, 14; Ps. 2, 7; 110, 3 LXX; 89, 27-28), Deus ei potestatem confert vincendi inimicos populi sui (II Sam. 7, 9-11; Ps. 2, 8-9; 110, 1 ss; 89, 23-24) : qua potestate aucti antea fuerant Iudices sospitatores (Jud. 2, 16). Sapientia divina praeditus (I Reg. 3, 4-15.28), oportet rex fidelis sit Deo Foederis (I Reg. 11, 11; II Reg, 22, 2) ac vigilet ut aequitas et iustitia in universo regno observentur, praesertim erga pauperes, viduas et orphanos (Is. 11, 3-5; Jer. 22, 15-16; Ps. 72, 1-4.12-14). Iure merito igitur liber Deuteronomii instanter urget hanc huiusmodi regis obligationem obtemperandi omnibus Foederis officiis (Deut. 17, 16-20). Ceterum, tantummodo si fidelem se praebet in iustitia

Dieu, par David, avait réalisé ses promesses de faire des tribus d'Israël un peuple libre dans une terre qui lui appartienne (2 S 7, 9-11). Bien que ses descendants n'aient pas marché sur ses traces, les prophètes attendent toujours ce *roi qui*, comme David (2 S 8, 15), *fera régner le droit et la justice*, surtout à l'endroit des plus pauvres et des plus faibles du royaume (Is 9, 5-6 ; 11, 1-5 ; Jr 23, 5-6 ; 33, 15-16). Un tel roi sera la manifestation du « zèle » de Dieu pour son peuple (Is 9, 6), et la garantie de la paix promise dès les origines (Am 9, 11-12 ; Ez 34, 23-31 ; 37, 24-27).

Les prophètes annoncent aussi la purification et la restauration de Jérusalem, lieu où le Seigneur réside en son temple : elle portera désormais les noms symboliques de « Ville-justice » (Is 1, 26), « le Seigneur-notre-justice » (Jr 33, 16), « Le Seigneur-est-là » (Ez 48, 35) ; même ses remparts s'appelleront « Salut » et ses portes « Louange » (Is 60, 18). Toutes les nations participeront à l'alliance éternelle de David (Is 55, 3-5) ; elles seront appelées à partager le Salut du Dieu d'Israël dans la ville sainte restaurée (Is 62, 10-12), car c'est de Sion que la loi et la justice sortent pour atteindre les confins de la terre (Is 2, 1-5 ; Mi 4, 1-4), et c'est en YHWH seul qu'elles trouveront le salut (Is 51, 4-8).

2.1.3. LES MÉDIATIONS DE SALUT

2.1.3.1. Certes, c'est Dieu lui-même qui sauve son peuple et l'humanité entière, mais il le fait par diverses médiations.

a) Le *roi* occupe une place de choix dans cet avènement du Salut. En l'adoptant comme son Fils (2 S 7, 14 ; Ps 2, 7 ; 110, 3 LXX ; 89, 27-28), Dieu lui confère la force de vaincre les ennemis de son peuple (2 S 7, 9-11 ; Ps 2, 8-9 ; 110, 1 ss ; 89, 23-24), comme l'avaient fait jadis les juges sauveurs (Jg 2, 16). Investi de la sagesse divine (1 R 3, 4-15.28), le roi doit être fidèle au Dieu de l'alliance (1 R 11, 11 ; 2 R 22, 2...) et veiller à ce que le droit et la justice soient observés à travers tout le royaume, surtout à l'endroit des pauvres, des veuves et des orphelins (Is 11, 3-5 ; Jr 22, 15-16 ; Ps 72, 1-4.12-14). Le Deutéronome aura donc raison d'insister sur cette soumission du roi à tous les devoirs de l'alliance (Dt 17, 16-20). D'ailleurs c'est par sa fidélité à la justice qu'il assurera à son peuple paix et liberté (Ps 72, 7-11 ; Jr 23, 6 ;

servanda, ipse in tuto ponet pacem et libertatem populi sui
(Ps. 72, 7-11 ; Jer. 23, 6 ; Is. 11, 5-9). E contra, si rex, ut reapse
evenit, infidelis erga Foederis obligationes inventus fuerit, secum
trahet ruinam populi sui (Jer. 21, 12 ; 22, 13-19). Nationes ipsae
ubique invitantur ad participandas benedictiones huius doni,
quod a Deo datur hominibus (Ps. 72, 17).

b) Etsi reges munera sacerdotalia persolverint
(II Sam. 6, 13.17-18 ; I Reg. 8, 63 ss ; etc.) nihilominus horum
munerum exercitium ad *sacerdotem* levitam proprie spectat
(Deut. 18, 1-8). Notandum autem est, quod ex relatione ad
Legem definitio sacerdotalis officii derivatur (Jer. 18, 18) :
sacerdos custos Legis est (Os. 4, 6 ; Deut. 31, 9), ac docet
(Mal. 2, 6-7) varia praecepta, quibus illa constituitur
(Deut. 33, 10). Per cultus exercitium, sacerdos seipsum simul ac
totam Israeliticam (Lev. 21, 8) communitatem sanctificat, ut
oblatio sacrificii acceptabilis fieri possit apud Deum
(Deut. 33, 10). Quoniam vero cultus divinus celebrabat praeteri-
tos eventus salutis (Ps. 132 ; 136...) obligationesque Israel erga
Deum suum in memoriam revocabat (Is. 1, 10-20 ; Os. 8, 11-13 ;
Am. 5, 21-25 ; Mich. 6, 6-8), sequitur ut cultus sacerdotalis
valebit, testibus haud ambigue prophetis, secundum modum quo
sacerdos quisque suo munere fungitur quatenus minister Legis
(Os. 4, 6-10).

c) Propheta partibus maximi momenti functus est apud Israel,
quod attinet ad Salutis experientiam in rerum decursu. Pervasus
a « Verbo Dei » (Jer. 18, 18), praesens adest aliquis propheta in
gravissimis rerum gestarum discriminibus (Jer. 1, 10). Primum
quidem ipsi officium iniungitur denuntiandi sive populi sive
ducum infidelitates, in rebus tam politicis quam religiosis
(I Reg. 18). Propter honorem Dei sui ipse exigit, ut reverentia
praebeatur hominibus quoad personas et bona, secundum
sinaitici Foederis praecepta (I Reg. 21 ; Am. 2, 6-8 ; 5, 7-13 ; Os.
4, 1-2 ; Mich. 3, 1-4 ; Jer. 7, 9). Omnis Legis transgressio in
peccatorem populum indicium Dei provocat, quod intercessio
etiam ipsius Prophetae avertere nequit (Am. 7, 7-9 ; 8, 1-3).
Solummodo sincera populi infidelis conversio efficere poterit, ut
Deus rursus Salutem suam manifestet (Am. 5, 4-6 ; Jer. 4, 1-2 ;
Ez. 18, 21-23 ; Joel. 2, 12-17). Cum autem huiusmodi conversio
fluxam ac fragilem (Os. 6, 4), si non omnino impossibilem
(Jer. 13, 23), se revelaverit, solus igitur Deus eam perficere

Is 11, 5-9). Mais si le roi, comme ce fut le cas, est trouvé infidèle
à ses devoirs à l'égard de l'alliance, il entraînera avec lui le peuple
dans sa chute (Jr 21, 12 ; 22, 13-19). Les nations elles-mêmes
sont partout invitées à partager les bénédictions d'un tel don que
Dieu fait aux hommes (Ps 72, 17).

b) Bien que les rois aient exercé des fonctions sacerdotales
(2 S 6,13.17-18 ; 1 R 8, 63 ss ; etc.), c'est au *prêtre*-lévite que
reviendra l'exercice de ces fonctions (Dt 18, 18). Il convient de
souligner que c'est en référence à la Loi que la fonction du prêtre
est définie (Jr 18, 18) ; il en est le gardien (Os 4, 6 ; Dt 31, 9), il
enseigne (Ml 2, 6-7) les différentes clauses qui la constituent
(Dt 33, 10). Par sa fonction cultuelle, le prêtre se sanctifie
lui-même et toute la communauté d'Israël avec lui (Lv 21, 8),
pour rendre possible l'offrande d'un sacrifice agréable à Dieu
(Dt 33, 10). Puisque le culte célébrait les événements passés de
salut (Ps 132 ; 136 ...) et rappelait les engagements d'Israël
envers son Dieu (Is 1, 10-20 ; Os 8, 11-13 ; Am 5, 21-25 ;
Mi 6, 6-8), la valeur du rôle cultuel du prêtre, selon le
témoignage non équivoque des prophètes, est conditionnée par
l'accomplissement de sa fonction de ministre de la Loi (Os 4, 6-
10).

c) Le *prophète* a joué un rôle important dans l'expérience
qu'Israël a faite du Salut. Habité par la « parole » de Dieu
(Jr 18, 18), il est présent aux moments critiques de cette histoire
(Jr 1, 10). Il lui faut d'abord dénoncer les infidélités du peuple et
de ses chefs, politiques et religieux (1 R 18) : pour l'honneur de
son Dieu, il exige que l'on respecte l'homme dans sa personne et
son bien, en vertu même de l'alliance sinaïtique (1 R 21 ;
Am 2, 6-8 ; 5, 7-13 ; Os 4, 1-2 ; Mi 3, 1-4 ; Jr 7, 9). Le mépris de
la Loi attire sur le peuple pécheur le jugement de Dieu, que
l'intercession du prophète lui-même ne saurait détourner
(Am 7, 7-9 ; 8, 1-3). Seule une vraie conversion du peuple
infidèle pourra permettre à Dieu de manifester à nouveau son
Salut (Am 5, 4-6 ; Jr 4, 1-2 ; Ez 18, 21-23 ; Jl 2, 12-17). Puisque
cette conversion s'est révélée éphémère (Os 6, 4) sinon impos-
sible (Jr 13, 23), Dieu seul peut donc la réaliser (Jr 31, 18 ;
Ez 36, 22). Voilà pourquoi le prophète peut annoncer un avenir
meilleur, même au moment où les échecs sont les plus graves

potest (Jer. 31, 18; Ez. 36, 22). Qua de causa propheta meliora tempora in futurum annuntiare potest, tunc etiam cum calamitates gravissimae sunt (Os. 2, 20-25; Is. 46, 8-13; Jer. 31, 31-34; Ez. 37). Huiusmodi paedagogia victoriam divini amoris praeparat supra peccatricem conditionem, in qua homines versantur (Os. 11, 1-9; Is. 54, 4-10).

d) Est *Sapientis* (is qui sapientiam docet) percipere sensum huius universi, quod Creator in manus hominis tradidit (Eccli. 16, 24 — 17, 14), quippe quod sit simul donum Dei bonitatisque Eius manifestatio (Gen. 1, 1 — 2, 4; Ps. 8). Ad Sapientem item pertinet colligere ac sub luce revelationis recte aestimare varias experientias hominis, utpote viventis in societate ac proinde munere adstricti, ut easdem posteris sapientiam tradat, sive ut metam summopere optandam atque assequendam (Prov. 1 — 7), sive ut mysterium quodammodo reverandum (Prov. 30, 18-19). Attamen fieri potest ut sapiens plus aequo existimet sui ipsius consilia (Is. 5, 21; 29, 13-14), iisque consiliis ductus etiam Legem Domini violet (Jer. 8, 8-9). Multum interest eum talis sapientiae limites bene percipere, ut hominibus felicitatem prosperitatemque procuret (Eccl. 1, 12 — 2, 26).

2.1.3.2. Res ipsae testatae sunt has *varias mediationis formas minime satis fuisse*, ut stabilis hominum cum Deo communio constitueretur. Post calamitates semper recurrentes, Deus in conscientia populi sui mediatorum novorum spem excitavit, quorum opera regnum Eius in perpetuum tandem instaureretur.

a) Quamvis humilis appareat *Messias-Rex*, antiquis davidicis regibus comparatus, tamen omni bello finem imponet omnibusque nationibus pacem afferet (Zach. 9, 9-10; cf. Ps. 2, 10-12). Etsi huius regni messianici definitiva instauratio opus Dei ipsius sit (Dan. 2, 44-45), populi tamen sui sancti opera (Dan. 7, 27) vult iam fieri, cum scilicet « iustitia aeterna » atque « unctio Sancti Sanctorum » (Dan. 9, 24) advenient.

b) Quidam « *Servus Domini* », adhuc profundo arcano abvolutus, Foedus universale obsignabit, unicum verum Deum Salvatorem universo mundo manifestabit, rerumque ordinem a Deo statum instaurabit (Is. 42, 1-4; 49, 1-6). Dolorum populi sui errantis particeps, peccatorum omnium pondus portabit, ut multitudines iustificet (Is. 52, 13 — 53, 12).

(Os 2, 20-25 ; Is 46, 8-13 ; Jr 31, 31-34 ; Ez 37). Cette pédagogie prépare la victoire de l'amour de Dieu sur la condition pécheresse des hommes (Os 11, 1-9 ; Is 54, 4-10).

d) Il revient au *Sage* de comprendre le sens de cet univers que le Créateur a mis à la disposition de l'homme (Si 16, 24 — 17, 14), puisqu'il est à la fois le don et le reflet de sa bonté (Gn 1, 1 — 2, 4 ; Ps 8). Il lui appartient aussi de recueillir et d'évaluer à la lumière de la Révélation les diverses expériences de l'homme en tant qu'être social et responsable pour les léguer aux générations futures comme un idéal à réaliser (Pr 1 — 7), ou un mystère à respecter (Pr 30, 18-19). Cependant, il arrivera que le Sage surestime la valeur de ses conseils (Is 5, 21 ; 29, 13-14) et même fasse violence à la Loi de YHWH par ces mêmes conseils (Jr 8, 8-9). Il lui importera enfin de savoir mesurer les limites d'une telle sagesse pour procurer à l'homme bonheur et succès (Qo 1, 12 — 2, 26).

2.1.3.2. L'histoire a montré que ces *différentes médiations n'ont pas réussi* à mettre les hommes en communion durable avec Dieu. Au terme d'échecs constants, Dieu suscita dans la conscience religieuse de son peuple l'espérance de médiateurs nouveaux, capables d'instaurer définitivement son Règne.

a) Bien que, comparé aux anciens rois davidiques, le *Roi-Messie* soit humble, il mettra fin à toute guerre et apportera la paix à toutes les nations (Za 9, 9-10 ; cf. Ps 2, 10-12). L'instauration définitive de ce royaume messianique est sans doute l'œuvre de Dieu lui-même (Dn 2, 44-45), mais c'est encore par la médiation de son peuple saint qu'il veut le réaliser (Dn 7, 27), lors de la venue de la « justice éternelle », lors de l'« onction du Saint des Saints » (Dn 9, 24).

b) Le « *Serviteur du Seigneur* », encore voilé dans son mystère profond, scellera l'Alliance universelle, révélera au monde entier l'unique vrai Dieu-Sauveur et instaurera l'ordre édicté par Dieu (Is 42, 1-4 ; 49, 1-6). Solidaire des souffrances du peuple errant, il prendra sur lui le poids de ses péchés pour ensuite justifier les multitudes (Is 52, 13 — 53, 12).

c) Denique, cum tempora adimplenda sunt, parebit tamquam *Filius hominis* (qui ut «populus Sanctorum Altissimi» tunc temporis interpretatur, Dan. 7, 18), «veniens coram Deo cum nubibus Caeli» (Dan. 7, 13-14), ut potestatem accipiat aeternam super omnes populos terrae, qui Ipsi oboedient (Dan. 7, 27).

2.1.3.3. Ad illustrandam suam fidem in hanc Dei actionem in mundo et inter res humanas, Israelitae in fide sua usi sunt etiam *quarundam potestatum* figuris, quae in religionibus Gentilium interdum divinitates esse censebantur, sed ibi Deo Abrahae subiciuntur, ut Eius praesentiam creatricem et salvatricem evocent.

a) Spiritus est virtus Dei qui rerum omnium creationi praeerat easque renovare non cessat (Ps. 104, 29-30). Ipse praesertim in rerum cursu operatur : quatenus Potentia divina, homines idoneos reddit ad quasdam missiones absolvendas. Ille est qui Iudices invadit ut Israel liberetur (Jud. 3, 10 ; 6, 34 ; 11, 29) ; qui in David etiam descendit (I Sam. 16, 13), in regem qui perfectam regis imaginem exprimet (Is. 11, 2), et in Servum Domini (Is. 42, 1-4), ut eos veros mediatores regni Dei in mundo efficiat. Ille est qui prophetis tribuit intelligentiam sui temporis (Ez. 2, 1-7 ; Mich. 3, 8) spemque salutis proximae (Is. 61, 1-3). Novissimis temporibus idem Spiritus creabit populum novum qui a morte resurget (Ez. 37, 1-14), ut Dei praecepta servet (Ez. 36, 26-28). Denique homo hoc Spiritu inhabitabitur, qui ei pandet portam salutis (Joel. 3, 1-5).

b) Verbum Dei non solum datum est hominibus ut nuntium (cf. Deut. 4, 13 et 10, 4 : «decem verba»), sed praecipue vis activa est atque omnia revelans. Deus enim Ipse verbo suo «dixit, et facta sunt» (Ps. 33, 6-9 ; cf. Gen. 1, 3 ss). Quae creatio opus est Verbi Eius simul ac Spiritus (Ps. 33, 6). Verba Dei quae in os prophetarum ponuntur (Jer. 1, 9), eis interdum gaudium fiunt (Jer. 15, 16), et interdum ignis in eorum ossibus (Jer. 20, 9 ; cf. 23, 29). Verbum denique, sicut etiam Spiritus, paulatim lineamenta personae sumit : in ore et in corde Israel insidit (Deut. 30, 14) ; «in aeternum permanet in caelis» (Ps. 119, 89) ; mittitur donec expleat concreditum sibi munus (Sap. 18, 15-16) et numquam revertitur sine exitu (Is. 55, 11). Traditio rabbinica magnopere urgebit hanc imaginem : tunc Verbum Domini *(Memra)* actionem Dei ipsius manifestabit in suis relationibus cum mundo.

c) Enfin, quand les temps seront accomplis, paraîtra comme la figure d'un *Fils d'homme* (interprété alors comme le « peuple des saints du Très-Haut », Dn 7, 18), venant devant Dieu « avec les nuées du ciel », pour recevoir l'empire éternel sur tous les peuples de la terre, qui lui obéiront (Dn 7, 13-14.27).

2.1.3.3. Pour représenter cette action de Dieu dans le monde et dans l'histoire, la foi israélite a aussi eu recours aux figures de *certaines puissances* que les religions païennes regardaient parfois comme des divinités, mais qu'elle a soumises au Dieu d'Abraham pour évoquer sa présence créatrice et salvatrice.

a) L'*Esprit* est une force de Dieu qui a présidé à la création de toutes choses et les renouvelle sans cesse (Ps 104, 29-30). Il est surtout agissant dans l'histoire : en tant que Puissance divine il habilite à certaines missions. C'est lui qui s'empare des Juges pour libérer Israël (Jg 3, 10 ; 6, 34 ; 11, 29) ; il descend sur David (1 S 16, 13), sur le roi idéal (Is 11, 2) et le Serviteur (Is 42, 1-4) pour en faire de vrais médiateurs du règne de Dieu dans le monde. C'est lui aussi qui produit chez le prophète l'intelligence du temps présent (Ez 2, 1-7 ; Mi 3, 8) et l'espérance du salut prochain (Is 61, 1-3). Dans les derniers temps, ce même Esprit créera le peuple nouveau qui resurgira de la mort (Ez 37, 1-14), pour garder les préceptes de Dieu (Ez 36, 26-28). Tout homme enfin sera habité par cet Esprit, qui lui ouvrira l'accès au salut (Jl 3, 1-5).

b) La *Parole de Dieu* n'est pas seulement son message adressé aux hommes (cf. Dt 4, 13 et 10, 4 : les « dix Paroles ») ; elle est aussi et d'abord une puissance active et qui révèle tout. Par sa Parole, « il dit, et tout fut fait » (Ps 33, 6-9 ; cf. Gn 1, 3 ss), et cette création est à la fois l'œuvre de sa Parole et de son Esprit (Ps 33, 6). Les paroles de Dieu, mises dans la bouche des prophètes (Jr 1, 9), deviennent pour eux tantôt une joie (Jr 15, 16), tantôt comme un feu dans leurs os (Jr 20, 9 ; cf. 23, 29). Enfin la Parole, comme l'Esprit, est peu à peu évoquée sous des traits personnels : elle prend place dans la bouche et dans le cœur d'Israël (Dt 30, 14) ; elle « se tient à son poste » dans les cieux (Ps 119, 89) ; elle est envoyée et accomplit des missions (Sg 18, 15-16) dont elle ne revient pas vers lui sans résultat (Is 55, 11). La tradition rabbinique accentuera fortement cette image : alors la Parole du Seigneur *(Memrâ)* manifestera l'action de Dieu lui-même dans ses rapports avec le monde.

c) Sapientia, in libro Proverbiorum, iam non est solummodo nota propria regum vel ars bonum exitum habendi in vita; apparet autem ut Sapientia divina creatrix (Prov. 3, 19-20; cf. 8, 22 ss). Cuius ope reges gubernare possunt (8, 15-16), hominesque Ipsa invitat ut suas vias sequantur, ut ita vitam inveniant (8, 32-35). Cum ante omnia creata sit, Ipsa universae creationi praesidet, atque in deliciis habet esse cum filiis hominum (8, 22-31). Postea declarat « se ex ore Altissimi prodiisse » (Eccli. 24, 3), ita quidem ut deinceps se idem esse affirmet ac Librum Foederis et Legem Moysis (Eccli. 24, 23; Bar. 4.1). In Libro Sapientiae Salomonis ei tribuitur possessio Spiritus qui omnia penetrat (Sap. 7, 22) et nihil aliud est ac « candor lucis aeternae speculumque sine macula Dei maiestatis, et imago bonitatis illius » (7, 26 Vg).

2.1.4. CONCLUSIVA AESTIMATIO RELIGIOSAE ILLIUS EXPERIENTIAE PRORSUS SINGULARIS

2.1.4.1. Libri Prioris Testamenti, quorum assidua lectio atque interpretatio numquam cessaverunt, probata testimonia remanent earum experientiarum eiusque spei, de quibus supra brevis facta est expositio. In Iesu tempore spes Iudaeorum varias sumpserat formas, secundum opiniones praevalentes apud varios coetus politicasque factiones. Quantum certa habebatur eius finalis adimpletio, tantum modi adimpletionis huius indeterminati manebant. Ut exemplum afferatur, Pharisaei ex stirpe David venturum Messiam regem fore credebant; Esseni autem, praeter hunc regem unctione sacratum cuius politica esset potestas, Messiam sacerdotem exspectabant (cf. Zach. 4, 14; cf. Lev. 4, 3), qui priori praeemineret, atque etiam Prophetam qui utrumque praecessurus erat (cf. Deut. 18, 18; I Macch. 4, 46; 14, 41).

2.1.4.2. *Regni Dei exspectatio*, quod salutem afferre cunctis hominibus allaturum esset humanamque condicionem radicaliter immutaturum, apud omnes existit veluti summum caput fidei et spei populi Israel. Adventus autem eius, in quo Boni Nuntii (seu « Evangelii ») materia continebitur, Ierusalem surgere faciet mundumque totum illuminabit (Is. 52, 7-10). Regnum illud, in aequitate et iustitia fundatum, universis hominibus veras rationes manifestabit sanctitatis Dei, qui vult omnes salvos fieri (Ps 93; 96

c) Dans le livre des Proverbes, la *Sagesse* n'est plus seulement
un attribut des rois ou un art de la réussite de la vie, mais elle se
présente comme Sagesse créatrice divine (Pr 3, 19-20 ; 8, 22 ss).
C'est par elle que les rois peuvent gouverner (8, 15-16). Elle
invite les hommes à suivre ses voies ; ils trouveront ainsi la vie
(8, 32-35). Créée avant toutes choses, elle préside à l'apparition
de l'univers, et elle trouve sa joie à habiter parmi les hommes
(8, 22-31). Plus tard, elle se dit « sortie de la bouche du
Très-Haut » (Si 24, 3), pour s'identifier ensuite au livre de
l'Alliance et à la Loi de Moïse (Si 24, 23 ; Ba 4, 1). Le livre de la
Sagesse de Salomon lui attribuera la possession de l'Esprit qui
pénètre tout (Sg 7, 22) et voit en elle un « reflet de la lumière
éternelle, un miroir sans tache de l'activité de Dieu » (7, 26).

2.1.4. Le bilan d'une expérience religieuse privilégiée

2.1.4.1. Les livres de l'Ancien Testament, sans cesse relus et
constamment réinterprétés, restent les témoins autorisés des
expériences et de l'espérance qu'on vient d'évoquer brièvement.
Au temps de Jésus, l'espérance des Juifs avait pris des formes
diversifiées, suivant les opinions qui prévalaient dans les courants
et les partis. Autant sa réalisation finale était regardée comme
certaine, autant les modalités de son accomplissement restaient
indéterminées. Par exemple, tandis que les Pharisiens croyaient à
la venue du Messie davidique, on attendait chez les Esséniens,
outre ce Messie (Oint) royal à qui reviendrait le pouvoir
politique, un Messie sacerdotal (cf. Za 4, 14 ; cf. Lv 4, 3), qui
aurait la prééminence sur lui, et un Prophète qui les précéderait,
tous les deux (cf. Dt 18, 18 ; 1 M 4, 46 ; 14, 41).

2.1.4.2. *L'attente du Règne de Dieu*, porteur de salut pour tous
les hommes et cause de changement radical de la condition
humaine, constitue en tout cas le centre de la foi et de l'espérance
d'Israël. Son avènement, objet d'une Bonne Nouvelle, ressuscitera Jérusalem et illuminera le monde entier (Is 52, 7-10). Fondé
sur le droit et la justice, ce Règne manifestera à tous les hommes
les vraies dimensions de la sainteté de Dieu, qui veut le salut de
tous (Ps 93 ; 96 — 99). Les puissances de ce monde ont usurpé la

— 99). Huius vero mundi potestates, quae regiam Dei dignitatem usurpaverunt, vanis suis titulis privabuntur (Dan. 2, 31-45). Inter magnas Regni Dei manifestationes annumerabitur praesertim eius victoria super mortem hominum, per resurrectionem effecta (Is. 26, 19 ; Dan. 12, 2-3 ; II Macch. 7, 9.14 ; 12, 43-46).

Ioannis Baptistae munus erit imminentem huius definitivi regni adventum annuntiare, ab eo instaurandum « qui fortior ipso erit » (Matth. 3, 11-12 et par.). Tempora iam impleta erunt : omnis homo, qui peccatorum suorum poenitentiam egerit, vera poterit Salute gaudere (Marc. 1, 1-8 ; Matth. 3, 1-12 ; Luc 3, 1-18).

Caput 2. — De adimpletione promissionum salutis in Christo Jesu

2.2.1. DE JESU CHRISTI PERSONA ET MISSIONE

2.2.1.1. De testimonio evangelico

Jesus Nazarenus, « factus ex muliere, factus sub lege » (NVg), advenit « in plenitudine temporis » (Gal. 4, 4), *ut spem Israel adimpleret*. Secundum Ipsius verba, per praedicationem Evangelii ab Eo factam, « impletum est tempus et appropinquavit Regnum Dei » (Marc. 1, 15). In Eius persona, *hoc Regnum iam praesens adest et operatur* (cf. Luc. 17, 21 et parabolas Regni). Miracula et opera potentiae ab Eo patrata per Spiritum Dei demonstrant Regnum Dei advenisse (Matth. 12, 28). Jesus venit « non legem et prophetas solvere sed adimplere » (Matth. 5, 17).

Attamen haec adimpletio *cogitari nequit ei similis, quam homines illius temporis ex lectione Sacrarum Scripturarum eruerant*. Ut differentia inter utramque interpretationem percipiatur, oportet testimonium Evangeliorum accurate perpendatur. Haec ortum duxerunt a discipulis, qui testes verborum et factorum Jesu fuerunt (Act. 1, 1) nobisque eadem tradiderunt Spiritu sancto inspirante (II Tim. 3, 16 ; cf. Joan. 16, 13). Cuius quidem actio non tantummodo vigilavit ut haec transmissio omnino fideliter redderetur. Potius autem effecit ut, labente tempore, per auctorum sacrorum considerationem ab Eo fecundatum, rerum et factorum Jesu traditio *ratione usque uberiore ac magis magisque evoluta* exprimeretur. Exinde

royauté de Dieu. Aussi seront-elles dépouillées de leurs vaines prétentions (Dn 2, 31-45). L'une des grandes manifestations du Règne de Dieu au milieu des hommes sera sa victoire sur la mort par la promesse de la résurrection (Is 26, 19 ; Dn 12, 2-3 ; 2 M 7, 9.24 ; 12, 43-46).

C'est à Jean le Baptiste qu'il reviendra d'annoncer la venue imminente de ce Règne définitif qu'instaurera un « plus fort que lui » (Mt 3, 11-12 et par.). Les temps sont maintenant accomplis : tout homme qui se repent de ses péchés pourra vraiment jouir du Salut (Mc 1, 1-8 ; Mt 3, 1-12 ; Lc 3, 1-18).

Section 2. — *L'accomplissement des promesses de salut en Jésus-Christ*

2.2.1. LA PERSONNE ET LA MISSION DE JÉSUS-CHRIST

2.2.1.1. *Le témoignage évangélique*

Jésus de Nazareth, « né d'une femme, né sous la Loi », est venu « à la plénitude du temps » (Ga 4, 4) pour *accomplir l'espérance d'Israël*. Comme il le disait, par sa prédication de l'Évangile, « le temps est accompli et le Règne de Dieu s'est approché » (Mc 1, 15). En sa personne, *ce Règne est déjà présent et agissant* (cf. Lc 17, 21 et les paraboles du Règne). Les miracles et les œuvres de puissance qu'il opère par l'Esprit de Dieu montrent que le Règne de Dieu est arrivé (Mt 12, 28). Jésus vient, « non pour abolir la Loi et les Prophètes, mais pour les accomplir » (Mt 5, 17).

Toutefois cet « accomplissement » *ne peut être assimilé à ce que ses contemporains déduisaient de leur lecture des Écritures.* Pour savoir comment il en différait, il faut examiner avec soin le témoignage des évangiles. Ceux-ci émanent des disciples qui ont vécu l'expérience de ses paroles et de ses gestes (Ac 1, 1) et qui nous l'ont transmise avec l'autorité de l'Esprit Saint (2 Tm 3, 16 ; cf. Jn 16, 13). L'action de celui-ci n'a certes pas consisté simplement à assurer une transmission matériellement fidèle. Elle a bien plutôt fécondé une réflexion qui a produit, avec le temps, *une expression de plus en plus riche, de plus en plus développée,* de l'histoire et des faits relatifs à Jésus. D'où les différences de ton, de conception, de vocabulaire, qui s'obser-

explicantur varietas ac differentia scribendi indolis, sententiarum et vocabulorum, quae, exempli gratia, animadvertuntur inter Evangelia synoptica et quartum Evangelium. Cum autem apud primaevam apostolicam communitatem, ductore Dei Spiritu, haec Jesu verborum gestorumque memoria et intelligentia ad maturitatem pervenerint, Christiani iure merito varios hos Jesu Eiusque nuntii modos secundum varios gradus huius progressus firma fide accipiunt tamquam authenticum Dei verbum, auctoritate Ecclesiae confirmatum.

2.2.1.2. Quomodo Jesus versus sit ad Prioris Testamenti traditionem

Modus, quo Jesus se habet non solum erga Legem, sed etiam erga titulos qui apud Sacras Scripturas tribuuntur variis mediatoribus salutis, essentialiter pendet a relatione, qua Ipse se habet erga Deum : quae quidem est relatio Filii erga Patrem (*infra* 2.2.1.3).

a) Mirum non est quod Ipse acceptaverit titulos « *Magistri* » (Marc. 1, 38 etc.) et «*prophetae*» (Matth. 16, 14 ; Marc. 6, 15 ; Joan. 4, 19) ; immo etiam hunc ultimum sibi tribuit (Matth. 13, 57 ; Luc. 13, 33). Quamquam autem se esse « regem» et «messiam» sensu mere terrestri recusavit (cf. Luc. 4, 5-7 ; Joan. 6, 15), nihilominus haud respuit nomen « *Filii David* » (v. g. Marc. 10, 47 etc.). Immo vero ut regem Davidicum sese praebuit eo die quo acclamante turba, Ierusalem ingressus est, ut Scripturas adimpleret (Matth. 21, 1-11 ; cf. Zach. 9, 9-10). In templo deinde se gessit «tamquam auctoritatem habens», at sacerdotibus declarare noluit, qua auctoritate haec faceret (Marc. 11, 15-16.28). Revera, hoc loco, Eius missio speciem potius Prophetae, quam Regis, prae se fert (cf. Marc. 11, 17, ubi citantur Is. 65, 7 et Jer. 7, 11).

b) Jesus quidem sinit ut Petrus, in nomine duodecim discipulorum, profiteretur Ipsum esse *Christum* (i.e. *Messiam*) ; sed statim prohibuit quicquam ne de hac re cuique diceretur (Marc. 8, 30 ss), quia huiusmodi fidei professio valde imperfecta erat et Jesus de extremo suo discrimine et morte iam cogitabat (Marc 8, 31 etc.). Modus enim, quo Ipse de Messia filio David cogitabat, ab interpretatione quam Scribi proponebant differebat. Quod quidem tunc patet, cum Ipse eis demonstrat, secundum Psalmum 110, 1, hunc esse Dominum David

vent, par exemple, entre les Synoptiques et le IVᵉ évangile. Mais l'assurance que cette maturation du souvenir et de la réflexion, au sein de la première communauté apostolique, a été conduite par l'Esprit de Dieu, autorise le chrétien, qui reçoit ces présentations de Jésus et de son message à leurs divers niveaux de développement, à les accueillir avec la même foi comme authentique Parole de Dieu garantie par l'Église.

2.2.1.2. Jésus et la tradition de l'Ancien Testament

L'attitude que Jésus adopte, non seulement à l'égard de la Loi, mais aussi à l'égard des titres attribués par les Écritures aux médiateurs de salut, dépend essentiellement de la relation qu'il entretient avec Dieu : celle du Fils avec son Père (*infra*, 2.2.1.3.).

a) Il n'est pas étonnant de le voir accepter les noms de « maître » (Mc 1, 38, etc.) et de « prophète » (Mt 16, 14 ; Mc 6, 15 ; Jn 4, 19), voire même de s'attribuer ce dernier titre (Mt 13, 57 ; Lc 13, 33). Bien qu'il refuse d'être *roi* ou *messie* en un sens purement terrestre (cf. Lc 4, 5-7 ; Jn 6, 15), il ne repousse pourtant pas le nom de *fils de David* (p. ex., Mc 10, 47, etc.). Bien plus, il se comporte en roi davidique, le jour où il entre à Jérusalem sous les acclamations de la foule, « afin d'accomplir l'Écriture » (Mt 21, 1-11 ; cf. Za 9, 9 s.). Il agit ensuite dans le Temple « comme ayant autorité », mais il ne veut pas dire aux prêtres en vertu de quel pouvoir il fait ces choses (Mc 11, 15-16.28). Effectivement, en cet endroit, sa mission a une allure plus prophétique que royale (cf. Mc 11, 17, où sont allégués Is 65, 7 et Jr 7, 11).

b) Jésus laisse Pierre professer, au nom des douze disciples, qu'il est le *Christ* (c'est-à-dire le *Messie*) ; mais il interdit aussitôt d'en rien dire à personne (Mc 8, 30 ss), étant donné que cette profession de foi est encore imparfaite et que Jésus pense déjà lui-même à son échec final et à sa mort (Mc 8, 31, etc.). Sa conception du Messie fils de David diffère en effet de celle des scribes ; on le voit, quand il leur montre que, selon le Psaume 110, 1, celui-ci est le Seigneur de David (Mt 22, 41-47 et par.). Dans les évangiles synoptiques, quand le grand prêtre

(Matth. 22, 41-47 et par.). In Evangeliis synopticis, quando summus sacerdos ab Eo sciscitatur, an sit Christus (Messias) Filius Dei (vel : Benedicti) [cf. II Sam. 7, 14 ; Ps 2, 7], Jesus responsum dat tenore quidem aliquatenus diverso apud singulos evangelistas (Marc. 14, 62 ; Matth. 26, 64 ; Luc. 22, 69-70, ubi quaestio ipsa est in duas partes divisa) ; attamen, in tribus hisce casibus, aperte profitetur amodo Filium hominis (cf. Dan. 7, 13-14) a dextris Dei (vel : Virtutis) sessurum esse tamquam regem in gloria divina. In Evangelio Ioannis, interrogante Pontio Pilato, procuratore, an sit « Rex Iudaeorum », declarat « suum regnum non esse de *(ek)* hoc mundo », se Ipsum vero venisse « ut testimonium perhiberet veritati » (Joan. 18, 36-37). Nunquam revera se gerit ut dominus, sed ut famulus, immo ut homo in servitute constitutus (Marc. 10, 45 ; Luc. 22, 27 ; Joan. 13, 13-16).

c) Titulus « *Filii hominis* », quem Jesus solus sibimetipsi attribuit in textibus evangelicis, magni est momenti ubi Ipsum designat ut salutis mediatorem secundum librum Danielis (cf. Dan. 7, 13). Attamen usque ad Eius Passionem, haec appellatio aliquatenus ambigua remanet, quia interdum, secundum sat frequentem loquendi usum aramaicum, designare posset ipsam personam loquentem. Sic Jesus hoc modo se gerit ac loquitur, quasi videatur numquam se velle arcanum — vel potius mysterium — personae suae revelare, quia homines nondum possent illud intellegere : secundum quartum Evangelium, Jesus ea tantum dicit, quae discipuli « portare possunt » (Joan. 16, 12).

d) Eodem tempore, autem, plura Jesus insinuat, quae postea, auxilio Spiritus Sancti (Joan. 16, 13), clara apparebunt. Ita in ultima Cena, verbis supra calicem prolatis (Marc. 14, 24 et par.), videtur in memorian revocare missionem *Servi patientis*, qui vitam suam ponit pro pluribus (Is. 53, 12), novum Foedus statuens in sanguine suo (cf. Is. 42, 6 ; Jer. 31, 31). Putare sane possumus, eum de hac re iam cogitare, cum asserit Filium hominis non venisse « ministrari sed ministrare ac dare animam suam redemptionem pro multis » (Marc. 10, 45).

e) Alia autem consideranda sunt. Deus enim adventum suum non solum annuntiavit mediantibus quibusdam hominibus, sed etiam divinis attributis, scilicet per suum *Verbum, Spiritum* et *Sapientiam* (cf. supra 2.1.3.3.). Atqui Jesus sese praebuit

l'interroge pour savoir s'il est le Christ (le Messie) fils de Dieu
(ou : du Béni) [cf. 2 S 7, 14 ; Ps 2, 7], il fait une réponse dont la
teneur diffère suivant les évangélistes (Mc 14, 62 ; Mt 26, 34 ;
Lc 22, 69-70, où la question est elle-même coupée en deux).
Mais, dans les trois cas, il professe ouvertement que « désormais
le Fils de l'Homme (cf. Dn 7, 13-14) siégera à la droite de Dieu
(ou : de la Puissance) », comme un roi dans la gloire divine. Dans
l'évangile selon Jean, quand le préfet Pilate l'interroge pour
savoir s'il est « le roi des Juifs », il précise que sa royauté « n'est
pas de *(ek)* ce monde-ci », et qu'il l'exerce en « rendant
témoignage à la Vérité » (Jn 18, 36-37). En fait, Jésus ne se
comporte pas en maître, mais en serviteur et même en esclave
(Mc 10, 45 ; Lc 22, 27 ; Jn 13, 13-16).

c) L'appellation de *« Fils de l'Homme »* que Jésus seul se
donne à lui-même dans les textes évangéliques, est d'une grande
importance quand elle le désigne comme médiateur de salut,
d'après le livre de Daniel (cf. Dn 7, 13). Mais jusqu'à sa Passion,
ou tout au moins jusqu'à sa réponse devant Caïphe, elle
comporte une certaine ambiguïté, car il peut s'agir parfois d'une
façon de parler de soi assez courante en araméen. Bref, Jésus se
comporte et parle d'une telle façon qu'il semble ne jamais
dévoiler explicitement le secret — ou le mystère — de sa
personne, parce que les hommes ne pourraient pas le
comprendre : d'après le IVᵉ évangile, il ne dit que ce que ses
disciples « peuvent porter » (Jn 16, 12).

d) Mais en même temps, il insinue beaucoup de choses qui
s'éclaireront plus tard dans l'Esprit (Jn 16, 13). Ainsi, dans les
paroles qu'il prononce sur la coupe au cours de la dernière Cène
(Mc 14, 24 et par.), il semble faire allusion à la mission du
Serviteur souffrant, qui livre sa vie « pour des multitudes »
(Is 53, 12), scellant dans son sang la nouvelle Alliance (cf.
Is 42, 6 ; Jr 31, 31). On peut croire qu'il y pense déjà, quand il
dit qu'il est venu « non pour être servi mais pour servir et donner
sa vie en rançon pour une multitude » (Mc 10, 45).

e) Il y a plus. Dieu n'a pas seulement annoncé sa venue en des
personnages humains. Il a aussi évoqué la médiation d'attributs
divins : sa *Parole*, son *Esprit*, sa *Sagesse* (cf. *supra*, 2.1.3.3.). En
effet, Jésus se présente comme celui qui *parle* au nom du Père et

loquentem nomine et auctoritate Patris, sive in IV° Evangelio (cf. Joan. 3, 34 ; 7, 16 ; 8, 26 ; 12, 49 ; 14, 24 ; et Prologum ubi *Logos,* «Verbum», appellatur), sive etiam in Synopticis : «Audistis quia dictum est... ; Ego autem dico vobis...» (Matth. 5, 21 ss ; cf. 7, 24.29). Alio declarat se loqui et agere *in Spiritu Dei* (Matth. 12, 28), hanc divinam Virtutem possidere, eamque missurum esse in discipulos suos (Luc. 24, 49 ; Act. 1, 8 ; Joan. 16, 7). Denique insinuat *Sapientiam Dei* adesse et agere in seipso (Matth. 11, 29 ; cf. Luc. 11, 31).

Hoc modo in Christo Jesu duae reperiuntur viae, altera «*ex alto*» atque altera «*ab imo*», quibus Deus in Priore Testamento praeparaverat adventum inter homines (supra 1.1.11.1.) : «ex alto», homines magis magisque propinquius a Verbo, a Spiritu, et a Sapientia Dei vocantur ; «ab imo» autem vultus magis magisque delineati Messiae ut regis iustitiae et pacis, humilis Servi patientis ac mysteriosi Filii hominis, surgunt atque efficiunt ut, cum ipsis, homines ad Deum ascendant. Exinde duo aperiuntur itinera Christologiae, quarum altera Deus in Jesu Christo seipsum revelat inter homines venientem ad eos salvandos per suae vitae communicationem, altera autem genus humanum in Christo, ut novo Adam, primaegeniam invenit vocationem filiorum Dei adoptivorum.

2.2.1.3. *De relatione Jesu ad Deum*

a) Ratio ultima, vel potius mysterium Jesu in *relatione sua filiali ad Deum* essentialiter consistit. In sua enim oratione, Deum vocat ut «Abba» ; quod verbum, in lingua aramaica, significat quidem «Patrem» cum familiaritate quadam (cf. Marc. 11, 36 etc.). Sibimetipsi nomen «*Filii*» attribuit in eodem loco, in quo solum Patrem nosse iudicii ultimi diem asseverat, exclusis angelis atque etiam Filio (Marc. 13, 32). Haec autem ratio sese gerendi ut «Filium» coram «Patre» invenitur pluries, sive in IV° Evangelio (v. g. Joan. 17, 1 : «Pater, venit hora, clarifica Filium tuum, ut Filius clarificet te» ; cf. etiam Joan. 3, 35-36 ; 5, 19-23), sive etiam in «logion» Matthaei et Lucae, quod «ioanneum» dicitur (Matth. 11, 25-27 = Luc. 10, 20-21). Haec familiaris relatio Jesu cum Deo tam intima apparet, ut Ipse asserere possit : «Omnia mihi tradita sunt a Patre meo ; et nemo novit Filium nisi Pater, neque Patrem quis

avec son autorité, tant dans le IVe évangile (cf. Jn 3, 34 ; 7, 16 ;
8, 26 ; 12, 49 ; 14, 24 et le Prologue qui lui donne le titre de
Logos « Parole »), que dans les Synoptiques : « On vous a dit...,
et moi je vous dis... » (Mt 5, 21 ss ; cf. 7, 24.29). Il déclare,
d'autre part, qu'il parle et agit *par l'Esprit Saint* (Mt 12, 28), qu'il
dispose de cette Puissance divine et l'enverra à ses disciples
(Lc 24, 49 ; Ac 1, 8 ; Jn 16, 7). Enfin il laisse entendre que la
Sagesse est présente et agit en sa personne (Mt 11, 29 ; cf.
Lc 11, 31).

Ainsi se rencontrent en Jésus-Christ les deux voies, d'en haut
et d'en bas, que Dieu avait tracées dans l'Ancien Testament pour
préparer sa venue parmi les hommes : d'*en haut* les appels de
plus en plus proches de sa Parole, de son Esprit, de sa Sagesse,
qui descendent dans notre monde ; *d'en bas*, les visages de mieux
en mieux dessinés d'un Messie, roi de justice et de paix, d'un
humble Serviteur souffrant, d'un mystérieux Fils d'homme, qui
montent et, avec eux, font remonter l'humanité vers Dieu. D'où
les deux démarches qui s'offrent à la christologie : découvrir en
Jésus-Christ, d'une part, Dieu qui vient chez les hommes pour les
sauver en leur communiquant sa vie ; d'autre part, l'humanité qui
retrouve dans le nouvel Adam la vocation première des fils
adoptifs de Dieu.

2.2.1.3. *Jésus devant Dieu*

a) Le secret ultime — ou plutôt le mystère — de Jésus consiste
essentiellement dans la *relation filiale* qu'il entretient avec Dieu.
De fait, dans sa prière, il appelle Dieu « Abba » : ce terme, en
araméen, signifie « Père » avec une nuance de familiarité (cf.
Mc 11, 36, etc.). Il se donne à lui-même le nom de « *Fils* », dans
la même phrase où il dit que seul le Père, non seulement à
l'exclusion des anges mais même du Fils, connaît le jour du
Jugement (Mc 13, 32). Cette façon de se présenter comme « le
Fils » devant « le Père » se rencontre aussi bien en plusieurs
endroits du IVe évangile (tels que Jn 17, 1 : « Père, l'heure est
venue, glorifie ton Fils afin que ton Fils te glorifie » ; cf. encore
Jn 3, 35-36 ; 5, 19-23), que dans le « logion » dit « johannique »
de Matthieu et de Luc (Mt 11, 25-27 = Lc 10, 20-21). Ici, la
relation de Jésus à Dieu apparaît tellement intime qu'il peut
dire : « Tout m'a été remis par mon Père, et nul ne connaît le Fils

novit nisi Filius et cui voluerit Filius revelare» (Matth. 11, 27 = Luc. 10, 22).

b) Hoc est intimum secretum a quo originem ducunt tamquam a «suo fonte» omnia Jesu gesta modique agendi vel, ut aliis verbis utamur, *vera «filialitas»* (sive filiaris condicio). Cuius quidem conscius est inde a tenera aetate (Luc. 2, 49), eamque manifestat per suam *perfectam oboedientiam* voluntati Patris (Marc. 14, 36 et par.). Haec autem Filii condicio non impedit, quin perfecte sit homo, qui «proficit sapientia et aetate et gratia apud Deum et apud homines» (Luc. 2, 52). Ita, in conscientia missionis Sibi a Patre concreditae magis magisque crescit ab infantia usque ad mortem crucis. Denique mortem experitur modo crudeli instar cuiusvis hominis (cf. Matth. 26, 39 ; 27, 46 et par.), et quidem, ut ait Epistula ad Hebraeos, «cum sit Filius, discit ex eis, quae patitur, oboedientiam» (Hebr. 5, 8).

2.2.1.4. *Quod persona Jesu in origine sit christologiae*

Itaque omnes titulos, omniaque munia ac mediationes ad salutem spectantia, quae iam in Sacris Scripturis notabantur, in persona Jesu cernimus assumpta atque collecta. At necesse fuit, ut qui in Eum crediderunt, haec omnia novo prorsus modo interpretarentur. Modi inexspectato, contigit ut regnum *Messiae* (i.e. Christi) per scandalum Crucis adveniret, postquam Jesus mortem subiit quatenus *Servus* Dei patiens (I Petr. 2, 21-25, secundum Is. 53) ac per suam resurrectionem intravit in gloriam *Filii Hominis* (Act. 7, 56 ; Apoc. 1, 13 ; cf. Dan. 7, 13 s.). Hic est modus quo fide agnosci potuit ut «*Christus Filius David*» atque etiam «*Filius Dei* in virtute» (Rom. 1, 3-4), «*Dominus*» (Act. 2, 36 ; Phil. 2, 11 etc.) ac Dei *Sapienta* (I Cor. 1, 15 ; cf. Col. 1, 15-16 ; Hebr. 1, 3), Sermo (vel «*Verbum*») Dei (Apoc. 19, 13 ; I. Joan. 1, 1 ; Joan. 1, 1-14), «*Agnus Dei*» immolatus et glorificatus (Apoc. 5, 6 ss ; Joan. 1, 29 ; I Petr. 1, 19), *Testis* fidelis (Apoc. 1, 5) ac verus *Pastor* (Joan. 10, 1 ss ; cf. Ez. 34), *Mediator* Novi Foederis regali *sacerdotio* fungens (Hebr. 8, 1 — 10, 18), denique etiam «*Primus et Novissimus*» (Apoc. 1, 17), qui titulus in Priore Testamento solius Dei erat (Is. 41, 8 ; 44, 6). Sicque Sacrae Scripturae in Jesu sunt adimpletae alio ac meliore modo, quam Israel expectaverat. Sed haec nonnisi per actum fidei agnosci possunt, qua Eum confitemur Messiam, et Dominum, et Filium Dei esse

sinon le Père, ni le Père, sinon le Fils et celui à qui le Fils veut
bien le révéler » (Mt 11, 27 = Lc 10, 22).

b) Tel est le secret intime dans lequel tous les actes et les
comportements de Jésus trouvent leur source, autrement dit, *sa
véritable « filialité ».* Il en a conscience dès son jeune âge
(Lc 2, 49), et il la manifeste par *sa parfaite obéissance* à la
volonté du Père (Mc 14, 36 et par.). Cette qualité de Fils ne
l'empêche pourtant pas d'être parfaitement un homme qui
« grandit en sagesse, en âge et en grâce devant Dieu et devant les
hommes » (Lc 2, 52). Il acquiert ainsi par étapes une conscience
de plus en plus précise de sa mission reçue du Père, depuis sa
jeunesse jusqu'à sa Croix. Finalement, son expérience de la mort
est ressentie par lui aussi cruellement que par tout autre homme
(cf. Mt 26, 39 ; 27, 46, et par.) : « Tout Fils qu'il était, il a appris,
de ce qu'il a souffert, l'obéissance » (He 5, 8).

2.2.1.4. *Jésus aux origines de la christologie*

Ainsi tous les titres, toutes les fonctions et toutes les
médiations de salut, dont il était question dans les saintes
Écritures, sont assumées et réunies dans la personne de Jésus.
Mais il a été nécessaire à ceux qui crurent en lui de les interpréter
d'une manière nouvelle. Paradoxalement, le règne du *Messie*
(*i.e.* du Christ) est advenu par le scandale de la Croix, après que
Jésus eut subi lui-même la mort en tant que *Serviteur* souffrant
(1 P 2, 21-25, reprenant Is 53) et qu'il fut entré, par sa
résurrection, dans la gloire du *Fils de l'Homme* (Ac 7, 56 ;
Ap. 1, 13 ; cf. Dn 7, 13 s.). Il put ainsi être reconnu dans la foi
comme *« Christ, fils de David »* et comme *« Fils de Dieu* en
puissance »* (Rm 1, 3-4), comme *Seigneur* (Ac 2, 36 ; Ph 2, 11,
etc.), comme *Sagesse* de Dieu (1 Co 1, 15 ; cf. Col. 1, 15-16 ;
He 1, 3), comme *Parole* (ou Verbe) de Dieu (Ap 19, 13 ;
1 Jn 1, 1 ; Jn 1, 1-14), comme *Agneau de Dieu* immolé et glorifié
(Ap 5, 6 ss ; Jn 1, 29 ; I P 1, 19), comme *Témoin* fidèle
(Ap 1, 5), comme vrai *Pasteur* (Jn 10, 1 s ; cf. Ez 34), comme
Médiateur de la nouvelle alliance doté du *Sacerdoce* royal
(He 8, 1 — 10, 18) et même comme *« le Premier et le Dernier »*
(Ap 1, 17), titre qui revenait à Dieu seul dans l'Ancien
Testament (Is 41, 8 ; 44, 6). Ainsi les Écritures ont été accom-
plies en Jésus autrement et mieux qu'Israël ne s'y attendait. Mais
ceci ne peut être reconnu que dans l'acte même de la foi en lui,

(Rom. 8, 29 ; Joan. 20, 31).

2.2.2. DE ORIGINE FIDEI IN JESUM CHRISTUM

2.2.2.1. *De lumine Paschali*

a) Fides discipulorum Jesu, quamquam iamdiu «in Eum crediderant» (Joan. 2, 11), nihilominus valde imperfecta permansit, donec Ipse vixit. Immo, propter Eius mortem funditus concussa est, testibus omnibus Evangeliis. Sed plenior clariorque evasit, postquam Deus eum ressuscitavit ac dedit ei discipulis suis manifestum fieri (Act. 10, 41 s. ; cf. 1, 3 ; Joan. 20, 19-29). Apparitiones, quibus Jesus «se praebuit vivum post passionem suam in multis argumentis» (Act. 1, 3), a discipulis minime expectabantur, adeo ut «nonnisi cum quadam haesitatione veritatem suae resurrectionis acceperint» (S. Leo M., *Sermo* 61, 4 ; cf. Matth. 28, 27 ; Luc. 24, 11). Attamen manifestationibus illis potuerunt agnoscere «Dominum vere surrexisse» (Luc. 24, 34).

b) Fulgente lumine Paschali, nonnulla Jesu verba, quae primitus obscuriora visa erant, clara sunt facta (cf. Joan. 2, 22), itemque nonnulla Eius gesta (Joan. 12, 16). Praesertim autem Eius Passionis Eiusque Mortis significatio patefacta est, postquam Ille «aperuit illis sensum, ut intellegerent Scripturas» (Luc. 24, 32.35). Hoc igitur modo constituti sunt testes (Luc. 24, 48 ; Act. 1, 8 ; cf. I Cor. 15, 4-8), quorum verba fundamentum fecerunt, in quo fides communitatis primaevae innita est. Testimonio enim illorum, omnia intellegenda crant, quae de Jesu scripta erant «in Lege Moysis et Prophetis et Psalmis» (Luc. 24, 44), simulque dignosci potuit quomodo Dei promissiones in eo adimpletae essent.

c) Huiusmodi apparitiones (Act. 10, 40 s. ; Marc. 16, 12-14) simul significationem etiam illustraverunt eorum eventuum, qui videbantur ab Eius resurrectione profluere, scilicet : donum Spiritus Sancti iam vespere Paschali datum secundum IV^m Evangelium (Joan. 20, 22), adventusque eiusdem Spiritus in discipulos die Pentecostes (Act. 2, 16-21.33), miracula sanationum «in nomine Jesu» patrata (Act. 3, 6 etc.). Ex illo tempore fidei apostolicae centrum non solum regnum Dei fuit, cuius adventum Jesus nuntiaverat (Marc. 1, 15), sed etiam ipsum Jesum, in quo hoc Regnum exordium sumpserat (cf. Act. 8, 12 ;

confessé comme Messie, Seigneur et Fils de Dieu (Rm 8, 29 ;
Jn 20, 31).

2.2.2. LES ORIGINES DE LA FOI EN JÉSUS-CHRIST

2.2.2.1. *La lumière de Pâques*

a) La foi des disciples de Jésus, bien qu'ils eussent « cru en
lui » depuis longtemps (cf. Jn 2, 11), resta très imparfaite tant
qu'il vécut. Elle fut même ébranlée par sa mort, au témoignage
de tous les évangiles. Mais elle devint plus complète et plus
claire, lorsque Dieu eut donné au Ressuscité de se manifester aux
siens (Ac 10, 41 s ; cf. 1, 3 ; Jn 20, 19-29). Les apparitions par
lesquelles Jésus « se montra vivant avec de nombreuses preuves »
(Ac 1, 3) n'avaient pas été attendues par ses disciples, si bien
qu'« ils n'acceptèrent pas sans hésitation la vérité de sa
résurrection » (saint Léon, *Sermon* 61, 4 ; cf. Mt 28, 27 ;
Lc 24, 11). Mais ces manifestations les amenèrent à reconnaître
que « le Seigneur était vraiment ressuscité » (Lc 24, 34).

b) Dans la lumière de Pâques, certaines paroles de Jésus qui,
de prime abord, avaient semblé plus difficiles, s'éclairèrent (cf.
Jn 2, 22), et de même certains de ses actes (Jn 12, 16). Mais c'est
surtout sa Passion et sa mort qui prirent tout leur sens, quand il
leur eut « ouvert l'esprit à l'intelligence des Écritures »
(Lc 24, 32.45). C'est ainsi que furent constitués les « témoins »
(Lc 24, 48 ; Ac 1, 8 ; cf. 1 Co 15, 4-8) sur la parole desquels s'est
fondée la foi de la communauté primitive. Leur témoignage
conduisit en effet à l'intelligence de tout ce qui était écrit au sujet
de Jésus « dans la Loi de Moïse, les prophètes et les Psaumes »
(Lc 24, 44) et à se rendre ainsi compte de la façon dont les
promesses de Dieu étaient accomplies en lui.

c) Ces « manifestations » (Ac 10, 40 s. ; Mc 16, 12-14) éclai-
raient en même temps le sens des événements qui se présentaient
comme les suites de sa résurrection d'entre les morts : le don de
l'Esprit Saint dès le soir de Pâques (Jn 20, 22), la venue de
l'Esprit Saint sur les disciples lors de la Pentecôte (Ac 2, 16-
21.33), les guérisons opérées « au nom de Jésus » (Ac 3, 6, etc.).
Dès cette époque, la foi apostolique eut pour centre, non
seulement le Règne de Dieu dont Jésus avait annoncé la venue
(Mc 1, 15), mais aussi la personne même de Jésus en qui ce
Règne avait été inauguré (cf. Ac 8, 12 ; 19, 8, etc.) : Jésus, tel

19, 8, etc.), qualem apostoli ante Eius mortem cognoverant, et qui per resurrectionem ex mortuis in Suam gloriam intraverat (Luc. 24 ,26 ; Act. 2, 36).

2.2.2.2. De Christologiae progressione

a) Iuxta promissionem Jesu (Luc. 24, 49 ; Act. 1, 8), discipuli eius « induti sunt virtute superveniente in Eos Spiritu Sancto », postquam « completi sunt dies Pentecostes » (Act. 2, 1-4 ; cf. 10, 44). Quod sane fuit peculiare *Novi Foederis* donum : nam per prius Foedus Lex data fuerat populo Dei, per novum autem Spiritus Domini super omnem carnem effusus est, secundum propheticam promissionem (Act. 2, 16-21 ; cf. Joel. 3, 1-5 LXX). Per hoc baptismum « in Spiritu Sancto » (Act. 11, 16 ; cf. Matth. 3, 11 et par.), apostoli animum fortitudinemque receperunt ut Christo testimonium redderent (Act. 2, 23-26 ; 10, 39 etc.), verbum Dei cum fiducia *(parrhèsia)* annuntiarent (Act. 4, 29.31) ac miracula patrarent in nomine Domini Jesu (Act. 3, 6 etc.). Ita instaurata est communitas credentium in Jesum Christum. Postea Ecclesia, aedificata « in Spiritu Sancto » (Act. 9, 31 ; Rom. 15, 16-19 ; Eph. 2, 20-22) inter Iudaeos et in mediis nationibus ita crevit, ut testimonium Christo redditum sit, Regnumque Dei propagatum « usque ad ultimum terrae » (Act. 1, 8).

b) Traditiones evangelicae collectae sunt ac paulatim scripto mandatae sub hoc lumine paschali, donec tandem fixam suam formam receperunt in quattuor libellis. Qui quidem non simpliciter continent ea « quae coepit Jesus facere et docere » (Act. 1, 1), sed praebent quoque de iisdem theologicas interpretationes (cf. *Instructionem Pontificiae Commissionis Biblicae*, die 14 maii datam *AAS* LVI/III, vol. VI, 1964, p. 712-718). In iis igitur quaerenda est *Christologia uniuscuiusque evangelistae*. Id potissimum valet quoad Ioannem, qui aetate SS. Patrum nomen « theologi » accipiet. Item ceteri auctores, quorum scripta in Novo Testamento servata sunt, diversis modis gesta verbaque Jesu interpretati sunt, ac multo magis eius mortem et resurrectionem. Ita licet loqui de christologia apostoli Pauli, quae evolvitur novamque suscipit formam a primis epistulis usque ad traditionem ab eo manantem. Aliae quoque christologiae inveniuntur in Epistula ad Hebraeos, in Prima Petri, in Apocalypsi Iohannis, in

qu'ils l'avaient connu avant sa mort et tel qu'il était entré dans sa gloire par sa résurrection d'entre les morts (Lc 24, 26 ; Ac 2, 36).

2.2.2.2. *Le développement de la christologie*

a) Selon la promesse de Jésus (Lc 24, 49 ; Ac 1, 8), ses disciples furent « remplis d'une force d'en haut, celle de l'Esprit Saint », quand fut accompli le jour de la Pentecôte (Ac 2, 1-4 ; cf. 10, 44). Tel fut en effet le don particulier de l'*alliance nouvelle* : par la première, la Loi avait été donnée au peuple de Dieu ; par la nouvelle, l'Esprit du Seigneur fut répandu sur toute chair, suivant la promesse prophétique (Ac 2, 16-21 ; cf. Jl 3, 1-5 LXX). Par ce « baptême dans l'Esprit Saint » (Ac 11, 16 ; cf. Mt 3, 11 et par.), les apôtres reçurent courage et force pour rendre témoignage au Christ (Ac 2, 23-26 ; 10, 39, etc.), annoncer la Parole de Dieu avec assurance (*parrhèsia* : Ac 4, 29.31) et accomplir des miracles au nom du Seigneur Jésus (Ac 3, 6, etc.). Ainsi fut instaurée la communauté de ceux qui croient en Jésus-Christ. Ensuite l'Église, édifiée « dans l'Esprit Saint » (Ac 9, 31 ; cf. Rm 15, 16-19 ; Ep. 2, 20-22) s'accrut de telle manière parmi les Juifs et au milieu des nations, que le témoignage fut rendu au Christ et le Règne de Dieu, propagé « jusqu'aux extrémités de la terre » (Ac 1, 8).

b) *Les traditions évangéliques* ont été recueillies et mises peu à peu par écrit dans cette lumière, en attendant d'être enfin fixées dans quatre livrets. Ceux-ci ne sont pas de simples recueils de « ce que Jésus a fait et enseigné » (Ac 1, 1) ; ils en donnent aussi des interprétations théologiques (cf. *Instruction de la Commission Biblique Pontificale* en date du 14 mai 1964, AAS, LVI/III, vol. VI, 1964, p. 712, 718 ; trad. fr., *D.C.*, 7 juin 1964, col. 711-718). On doit donc y chercher la *christologie de chaque évangéliste*. Cela vaut surtout pour Jean qui, à l'époque patristique, recevra le nom de « théologien ». De même, tous les auteurs dont le Nouveau Testament conserve les écrits ont interprété de façons diverses les actes et les paroles de Jésus, et plus encore sa mort et sa résurrection. On peut ainsi parler de la christologie de l'apôtre Paul, qui se développe et se modifie depuis ses premières épîtres jusqu'à la tradition issue de lui. On trouve encore d'autres christologies dans l'épître aux Hébreux, la

epistulis Iacobi et Iudae, in Secunda Petri, quamvis non eundem progressum habuerint in hisce scriptis.

Huiusmodi christologiae non solummodo inter se differunt ob *varium lumen*, quo illustrant personam Christi in se Prius Testamentum adimplentis ; sed alia atque alia *nova etiam afferunt elementa*, praesertim in « evangeliis infantiae » secundum Matthaeum et Lucam quae docent virginalem Jesu conceptionem, cum e contra in scriptis Pauli et Ioannis mysterium eius praeexistentiae evocatur. Attamen nullibi proponitur pertractatio completa de « Christo Domino, mediatore atque redemptore ». Auctores Novi Testamenti, utpote pastores atque doctores, testimonium revera exhibent de eodem Christo, vocibus autem diversis in unici cantici symphonia.

c) Haec omnia testimonia in totum accipienda sunt, ut Christologia, utpote Christi notitia, in fide radicata et fundata, vera atque authentica apud christianos credentes vigere pergat. Licet quidem unicuique ad hoc vel illud inclinare, quippe quod videatur aptius de Christo loqui secundum varias ingenii affinitates atque culturas. At pro fidelibus universa haec testimonia unicum Evangelium constituunt, quod a Christo annuntiatum est et ad Christum spectat. Nullum igitur eorum reici potest, quasi ab evolutione secundaria processerit et *veram* Christi imaginem non exhibeat, vel quasi in se vestigia impressum ab antiquis culturis imbuta, hodie iam nullius esset momenti. Textuum interpretatio, quae necessaria sane est, nullo modo perducere debet ad res quaslibet quas continent, evacuandas.

d) Quod attinet *at dicendi modos ab his scriptoribus adhibitos* ut suam christologiam proponant, attente considerare opus est. Uti iam dictum est (cf. supra 2.2.1.4.), hi modi plerumque a Sacris Scripturis sumpti sunt. Attamen, postquam praedicatio evangelica in contactu fuit cum variis doctrinis, et religionibus hellenisticis, paulatim factum est ut pastores et doctores aetatis apostolicae prudenter vocabula et imagines assumpserint quae ad communem loquendi modum Gentilium pertinebant, dummodo eis novas interpretationes donaverint secundum fidei necessitates. Cuius generis exempla non multa recensentur (v. g. vox *plèroma*, in Col. 1, 9). Quae minime falso syncretismo tribuenda sunt : illo enim modo auctores inspirati eumdem Christum describere volunt, quem alii, ope aliarum dicendi rationum, magis directe a Sacris Scripturis desumptis, describunt. Ita ipsi

1re lettre de Pierre, l'Apocalypse de Jean, les épîtres de Jacques et de Jude, la 2e épître de Pierre, bien qu'elles n'aient pas le même développement dans tous ces écrits.

Non seulement ces christologies se distinguent par *les différents éclairages* qu'elles projettent sur la personne du Christ accomplissant l'Ancien Testament ; mais l'une ou l'autre apporte encore de *nouveaux éléments*, en particulier les « évangiles de l'enfance » de Matthieu et de Luc qui enseignent la conception virginale de Jésus, tandis que les écrits de Paul et de Jean nous dévoilent le mystère de sa préexistence. Un traité complet du « Christ Seigneur, médiateur et rédempteur » n'est présenté nulle part. Le fait est que les auteurs du Nouveau Testament, en tant que pasteurs et docteurs, témoignent du même Christ avec des voix diverses dans la symphonie d'un chant unique.

c) Ces témoignages doivent être reçus dans leur totalité, pour que la christologie, en tant que connaissance du Christ fondée et enracinée dans la foi, soit vraie et authentique chez les croyants chrétiens. Il est assurément permis à chacun d'être plus sensible à telle ou telle d'entre elles, suivant qu'elles semblent mieux parler du Christ selon les affinités des esprits ou des cultures diverses. Mais pour les fidèles, c'est leur ensemble qui constitue l'unique Évangile annoncé par le Christ et relatif au Christ. Aucune ne peut être repoussée comme si, due à une évolution secondaire, elle ne présentait pas le *vrai* visage du Christ, ou comme si, marquée par un contexte culturel ancien, elle avait perdu sa valeur. L'interprétation des textes, qui reste nécessaire, ne doit pas aboutir à les vider de leur contenu.

d) Quant aux expressions dont les auteurs se servent pour présenter diversement leur propre christologie, elles méritent une grande attention. Comme on l'a dit plus haut (cf. *supra* 2.2.1.4.), ces expressions sont empruntées pour la plupart aux Saintes Écritures. Toutefois, à partir du moment où la prédication évangélique entra en contact avec les philosophies et les religions hellénistiques, les pasteurs et les docteurs de l'époque apostolique furent amenés peu à peu à reprendre prudemment des expressions et des images qui avaient cours dans le langage des nations en les réinterprétant selon les exigences de la foi. Des exemples de ce genre sont d'ailleurs peu nombreux (voir le cas du « plérôme » en Col 1, 9). De tels cas ne doivent pas être attribués à un faux syncrétisme : ils veulent dépeindre le même Christ que d'autres désignent à l'aide d'autres expressions, plus directement

viam aperuerunt theologis omnium temporum, qui necessitatem senserunt, et adhuc sentiunt, linguas « auxiliares » inveniendi, quarum ope clarior hominibus suae aetatis redderetur peculiaris ac fundamentalis lingua Sacrarum Scripturarum, ut recta atque integra Evangelii annuntiatio ad omnes homines perveniret et adhuc perveniat.

2.2.3. DE CHRISTO SALUTIS MEDIATORE

2.2.3.1. *De Christo in ecclesia sua praesente*

a) Christus cum suis permanet usque ad consummationem saeculi (Matth. 28, 20). *Ecclesia, cuius vita a Christo Domino tota provenit*, hoc mandatum persolvere debet, ut mysterium Christi scrutetur illudque hominibus innotescat. Quod quidem fieri nequit, nisi in fide et sub ductu Spiritus Sancti (I Cor. 2, 10-11). Ac revera, Ille dona sua unicuique distribuit prout vult (cf. I Cor. 12, 11), « in aedificationem Corporis Christi, donec occurramus omnes in unitatem fidei et agnitionem Filii Dei, in virum perfectum, in mensuram aetatis plenitudinis Christi » (Eph. 4, 12-13). Ita Ecclesia, mundo inserta, per suam fidem Christum praesentem in medio sui ipsius experitur (cf. Matth. 18, 20). Qua de causa spe firma tendit ad gloriosum Domini sui adventum. Illud quidem desiderium exprimit orando, praesertim cum Passionis et Resurrectionis eius memorian celebrat (I Cor. 11, 26), vehementer invocans Eius reditum : « Veni Domine Jesu » (I Cor. 16, 22 ; cf. Apoc. 22, 20).

b) In variis humanarum rerum vicissitudinibus, *proprium Ecclesiae munus est ut Christi praesentiam et actionem modo authentico agnoscat.* Quapropter ipsi cura est « signa temporum » scrutari eaque semper interpretari in lumine Evangelii (cf. *Gaudium et spes*, n° 4). Ad id faciendum Evangelii ministri ac fideles, pro suo quisque munere, *doctrinam Dei*, Salvatoris nostri, *servare* debent (Tit. 2, 10), « depositumque custodire » (I Tim. 6, 20), ne « circumferantur omni vento doctrinae » (Eph. 4, 14). Ideo vera fides in Christum, actio authentica Spiritus Sancti, et recta christifidelium « praxis » semper sunt « discernenda » (I Cor. 12, 10) ac « probanda » (I Joan. 4, 1).

dépendantes de l'Écriture. Ils ouvrent ainsi la voie aux théologiens de tous les temps qui ont dû trouver — et doivent encore trouver — des langages « auxiliaires » pour rendre clair à leurs contemporains le langage particulier et fondamental de l'Écriture sainte, afin d'annoncer correctement à tous l'Évangile dans sa plénitude.

2.2.3. Le Christ, médiateur de salut

2.2.3.1. *Le Christ présent dans son Église*

a) Le Christ demeure avec les siens jusqu'à la fin du monde (Mt 28, 20). L'Église, dont toute la vie provient du Christ Seigneur, a pour mission de scruter son mystère et de le faire connaître aux hommes. Or, cela ne peut se réaliser que dans la foi et sous l'influx de l'Esprit Saint (1 Co 2, 10-11). En effet, celui-ci distribue ses dons à chacun en particulier comme il l'entend (cf. 1 Co 12, 11), « en vue de la construction du Corps du Christ, au terme de laquelle nous devons parvenir tous ensemble à ne plus faire qu'un dans la foi et la connaissance du Fils de Dieu, et à constituer cet Homme parfait, dans la force de l'âge, qui réalise la plénitude du Christ » (Ep 4, 12-13). Ainsi insérée dans le monde, l'Église expérimente dans sa foi la présence du Christ au milieu d'elle (cf. Mt 18, 20). C'est pourquoi elle est tendue avec une ferme espérance vers la venue glorieuse de son Seigneur. C'est ce désir qu'elle exprime dans sa prière, notamment quand elle célèbre le mémorial de sa Passion et de sa résurrection (1 Co 11, 26), en appelant avec force son retour : « Viens, Seigneur Jésus » (1 Co 16, 22 ; cf. Ap 22 20).

b) Dans la diversité des situations historiques, *il incombe à l'Église de reconnaître authentiquement la présence et l'action du Christ*. C'est pourquoi elle se soucie de scruter les « signes des temps » et les interprète toujours à la lumière de l'Évangile (cf. *Gaudium et spes*, n° 4). Pour le faire, les ministres de l'Évangile et les fidèles doivent, chacun selon son rôle propre, *garder la doctrine* de Dieu, notre Sauveur (Tt 2, 10) et « conserver le dépôt » (1 Tm 6, 20), afin de ne pas être « emportés à tout vent de doctrine » (Ep 4, 14). C'est pourquoi la vraie foi au Christ, l'action authentique de l'Esprit Saint et la « praxis » droite des chrétiens fidèles doivent toujours être « discernées » (1 Co 12, 10) et « éprouvées » (1 Jn 4, 1).

Vera fides est fides in Jesum Christum, Filium Dei, qui venit « in carne » (I Joan. 4, 2), qui nomen Patris hominibus revelavit (Joan. 17, 6), qui « dedit semetipsum redemptionem pro omnibus » (I Tim. 2, 6 ; cf. Marc. 10, 45 et par.), qui resurrexit tertia die (I Cor. 15, 4), qui assumptus est in gloriam (I Tim. 3, 16), qui sedet ad dexteram Dei (I Petr. 3, 22), et cuius gloriosus adventus in fine temporum exspectatur (Tit. 2, 13). Christologia, quae haec omnia non confiteretur, deflecteret a testimonio traditionis apostolicae, ultima regula fidei secundum S. Irenaeum (*Demonstratio apostolica*, n° 3), « regula veritatis » scilicet, quae in omnibus ecclesiis custoditur per apostolorum successionem (*Adv. Haer*, III, I, 2), et ab omni christiano in baptismo recipitur (*Ibid.*, I, ix, 4).

c) Pariter *actio Spiritus Sancti* ope signorum certorum discernanda est. Ecclesia revera in suo itinere ducitur a Spiritu Dei sed, sicut quivis fidelis (Rom. 8, 14), « omni spiritui credere » non potest (I Joan. 4, 1). Spiritus Dei etenim non est nisi « Spiritus Jesu » (Act. 16, 7), ille nempe sine quo nemo dicere potest : « Jesus est Dominus » (I Cor. 12, 3). Hic idem Spiritus discipulis suggerit omnia, quae Jesus dixit (Joan. 14, 26) et eos introducit in omnem veritatem (Joan. 16, 13), usquedum in Ecclesia « verba Dei » adimpleantur (*Dei verbum*, n° 8).

Per hunc Spiritum Pater Jesum ressuscitavit a mortuis (Rom. 8, 11), ut in Eo novum hominem crearet « in iustitia et sanctitate veritatis » (Eph. 4, 24) ; per eumden ressuscitabit etiam omnes qui in Christum crediderint (Rom. 8, 11 ; I Cor. 6, 14). Per fidem et baptismum christiani fiunt membra Christi (I Cor. 6, 13), cum Eo coniuncti etiam suis ipsorum corporibus, quae Eius vitam recipiunt et fiunt templum Spiritus Sancti (I Cor. 6, 19). Sic omnes nonnisi unum Corpus efficiunt, quod est ipsius Christi corpus crucifixum et ressuscitatum. Quod corpus, uno Spiritu animatum (I Cor. 12, 12 ss ; Eph. 4, 4), omnes baptizatos assumit tamquam sua membra : sic efficitur Ecclesia (Col. 1, 24 ; Eph. 1, 22). Christus est Caput huius Corporis, quod vivificat et cui « virtute » (Eph. 4, 16) Spiritus sui dat incrementum (Col. 2, 19). Haec est « nova creatura » (II Cor. 5, 17 ; Gal. 6, 15), in qua Christus omnia reconciliat quae peccatum diviserat : nempe homines reconciliat inter se (Eph. 2, 11-18), peccatores autem cum Deo, cuius per inoboedientiam inimici facti erant (II Cor. 5, 18-20 ; Rom. 5, 10 ; Col.

La vraie foi est la foi en Jésus-Christ, Fils de Dieu, qui est venu dans la chair (1 Jn 4, 2), qui a révélé aux hommes le nom du Père (Jn 17, 6), qui s'est livré lui-même en rançon pour tous (1 Tm 2, 6 ; cf. Mc 10, 45 et par.), qui est ressuscité le troisième jour (1 Co 15, 4), qui a été enlevé dans la gloire (1 Tm 3, 16), qui siège à la droite de Dieu (1 P 3, 22) et dont la manifestation glorieuse est attendue à la fin des temps (Tt 2, 13). Une christologie qui ne professerait pas tout cela s'écarterait du témoignage de la tradition apostolique, règle ultime de la foi selon saint Irénée (*Démonstration apostolique*, n° 3), « règle de la vérité », gardée dans toutes les Églises grâce à la succession des apôtres (*Adversus haereses*, III, i, 2), et reçue par tout chrétien lors de son baptême (*Ibid.*, I, ix, 4).

c) De même, l'*action de l'Esprit Saint doit être discernée* à l'aide de signes sûrs. L'Église, sur son chemin, est conduite par l'Esprit de Dieu. Mais, de même que chaque fidèle (Rm 8, 14), elle ne peut « croire à tout esprit » (1 Jn 4, 1). Car il n'y a d'Esprit de Dieu que « l'Esprit de Jésus » (Ac 16, 7), cet Esprit Saint sans lequel personne ne peut dire : « Jésus est Seigneur » (1 Co 12, 3). Ce même Esprit rappelle aux disciples tout ce que Jésus a dit (Jn 14, 26) et les introduit dans la vérité tout entière (Jn 16, 13), jusqu'à ce que, dans l'Église, « les paroles de Dieu soient accomplies » (*Dei verbum*, n° 8).

C'est par cet Esprit que le Père a ressuscité Jésus d'entre les morts (Rm 8, 11), créant en lui l'Homme nouveau « dans la justice et la sainteté de la vérité » (Ep 4, 24). C'est par lui qu'il ressuscitera tous ceux qui croient au Christ (Rm 8, 11 ; 1 Co 6, 14). Par la foi et le baptême, les chrétiens sont faits membres du Christ (1 Co 6, 13), unis à lui jusque dans leur corps qui reçoit sa vie et devient un temple de l'Esprit Saint (1 Co 6, 19). A eux tous, ils ne constituent qu'un seul Corps qui est le corps crucifié et ressuscité du Christ lui-même. Ce Corps, animé par un seul Esprit (1 Co 12, 12 ss ; Ep 4, 4), assume tous les baptisés comme ses membres : c'est l'Église (Col 1, 24 ; Ep 1, 22). Le Christ est la Tête de ce Corps : il le vivifie et le fait grandir (Col 2, 19) par l'énergie (Ep 4, 16) de son Esprit. Telle est la « Création nouvelle » (2 Co 5, 17 ; Ga 6, 15) dans laquelle le Christ reconcilie tout ce que le péché avait divisé : les hommes entre eux (Ep 2, 11-18), les pécheurs avec Dieu dont ils étaient devenus ennemis par leur révolte (2 Co 5, 18-20 ; Rm 5, 10 ; Col 1, 21) et même le monde entier où le Christ a vaincu les

1, 21), atque etiam ipsum universum mundum, in quo Christus potentias Mali devicit, quae humanum genus opprimebant (Col. 1, 20; 2, 15; Eph. 1, 10.20-22).

2.2.3.2. *Quod ad Christum totum omnia vertantur*

a) Salus igitur a Christo allata « totalis » dicenda est; homines enim attingit usque in eorum corpore per gratiam baptismatis (Rom. 6, 3-4; Col. 2, 11-12), eucharistiae (cf. I Cor. 10, 16-17) ceterorunque sacramentorum (cf. Rom. 12, 1). Sanctitas Christi, Ecclesiae communicata, in vitam ipsam christianorum ita diffunditur, ut per eos ad mundum pertineat ubi vitam degunt. Instar sui Fratris « primogeniti » (Rom. 8, 29), ipsi participes fiunt Regni Dei aedificandi, ad quod constituendum Christus inter homines venit, amoris, iustitiae et pacis consilia proponens (Gal. 5, 22-23; Phil. 4, 8; Col. 3, 12-15). Iuxta exemplum a Magistro praebitum, ipsi quoque debent « pro fratribus animas ponere » (I Joan. 3, 16).

Cum Jesus missus sit, ut Evangelium pauperibus afferret, captivos liberaret, et oppressos sublevaret (Luc. 4, 18-21), eius discipulis curae est hoc liberationis opus continuare. Sic eius Ecclesia adventum definitivi Regni Christi praeparat, in quo Ipse, omnibus rebus sibi subiectis, semetipsum subiciet Patri suo, « ut Deus sit omnia in omnibus » (I Cor. 15, 28). Ut hic finis attingatur, iam nunc Ecclesia per sua membra sese inserit in hunc mundum. Nedum iubeat eos ex hoc mundo exire, eorum opera laborat ut spiritus Evangelii in omnes structuras familiares, sociales et politicas penetrare possit. Ita Christus, praesens in rebus mundi huius, in eis effundit gratiam salutis suae : « Qui descendit in inferiores partes terrae » et « elevatus est super omnes coelos », Ipse iam « omnia implet » (Eph. 4, 9-10).

b) Quae omnia fieri nequeunt sine labore et dolore (Matth. 5, 11; Joan. 15, 20; 16, 33; Col. 1, 24). Peccatum, quod in hunc mundum intravit iam ab initio (Rom. 5, 12), malos suos fructus in eo gignere pergit. Regnum Dei, etsi iam sumpsit exordium, nondum plene manifestatum est, sed paulatim progreditur inter dolores quasi parturientis (Matth. 24, 8; Joan. 16, 21-22). Creatura ipsa, vanitati subiecta, liberationem exspectat a servitute corruptionis (Rom. 8, 29-31). Christus autem per mortem et resurrectionem suam de peccato triumphavit, « Principemque huius mundi » devicit (Joan. 12, 31;

puissances du mal qui tyrannisaient l'humanité (Col 1, 20 ; 2, 15 ;
Ep 1, 10.20-22).

2.2.3.2. *Vers le Christ total*

a) Le salut qu'apporte le Christ est donc « total », atteignant les
hommes jusque dans leur corps par la grâce du baptême
(Rm 6, 3-4 ; Col 2, 11-12), de l'eucharistie (cf. 1 Co 10, 16-17)
et des autres sacrements (cf. Rm 12, 1). La sainteté du Christ,
qui se communique à l'Église, rayonne ainsi dans la vie concrète
des chrétiens et, à travers eux, dans le monde où ils vivent. A
l'image de leur Frère « Premier-né » (Rm 8, 29), ils participent à
l'édification du Règne de Dieu qu'il est venu établir parmi les
hommes, avec tout son programme d'amour, de justice et de paix
(Ga 5, 22-23 ; Ph 4, 8 ; Col 3, 12-15). A l'exemple de leur
maître, ils doivent « donner leur vie pour leurs frères »
(1 Jn 3, 16).

Jésus est venu annoncer la Bonne Nouvelle aux pauvres,
délivrer les captifs, libérer les opprimés (Lc 4, 18-21). Ses
disciples ont à cœur de poursuivre cette œuvre de libération. Son
Église prépare l'avènement du Règne final du Christ, lorsque
celui-ci, ayant soumis toutes choses, se soumettra lui-même à son
Père « afin que Dieu soit tout en tous » (1 Co 15, 28). Dès
maintenant, en vue de cet achèvement, l'Église s'insère par ses
membres dans le monde présent. Loin de les en faire sortir, elle
travaille par eux à faire pénétrer l'esprit de l'Évangile dans toutes
ses structures, familiales, sociales et politiques. Ainsi le Christ,
présent au monde, y répand la grâce de son salut : « Descendu
dans les régions inférieures de la terre » et « monté au-dessus des
cieux », il « remplit toutes choses » (Ep 4, 9-10).

b) Cela ne se fait pas sans labeur ni souffrance (Mt 5, 11 ;
Jn 15, 20 ; 16, 33 ; Col 1, 24). Le Péché, entré dans le monde
depuis les origines (Rm 5, 12), continue d'y opérer ses ravages.
Le Règne de Dieu, déjà commencé, n'est pas encore pleinement
manifesté. Il se développe peu à peu dans les douleurs d'un
enfantement (Mt 24, 8 ; Jn 16, 21-22). La création elle-même,
assujettie à la Vanité, aspire à être libérée de la servitude de la
corruption (Rm 8, 29-31). Mais le Christ a triomphé du Péché
par sa mort et sa résurrection. Il a vaincu le « Prince de ce
monde » (Jn 12, 31 ; 16, 11.33). A son exemple et par sa grâce,

16, 11.33). Christiani igitur, ab Eo exemplum capientes atque
Eius gratia suffulti, dimicare ac pati debent, si necesse erit, usque
ad martyrium et mortem (Matth. 24, 9-13 et par. ; Joan. 16, 2 ;
Apoc. 6, 9-11), ut bonum de malo triumphet, donec adveniant
«novi caeli et nova terra in quibus iustitia habitat»
(II Petr. 3, 13).

Tunc Ille, qui prior dilexit nos (I Joan. 4, 19), agnoscetur,
diligetur, adorabitur, famulatumque accipiet ab omnibus hominibus, qui Eius filii adoptionis fient (Eph. 1, 5). Ita in beata
aeternitate opus illud salutis complebitur, quod Ipse misericordia
sua, fidelitate et indefatigabili patienta prosequitur (cf.
Rom. 2, 4-5 ; 3, 25-26 ; 9, 22), a prima vocatione cui genus
humanum se subduxerat, usque ad diem quo omnes felicitate sine
fine perfruentes Ei acclamabunt : «Sedenti super thronum et
Agno, benedictio et honor et gloria et potestas in saecula
saeculorum» (Apoc. 5, 13).

les chrétiens ont donc à lutter et à souffrir, au besoin jusqu'au martyre et à la mort (Mt 24, 9-13 et par. ; Jn 16, 2 ; Ap 6, 9-11), pour que le Bien triomphe du Mal en attendant que viennent « les cieux nouveaux et la terre nouvelle... où la justice habitera» (2 P 3, 13).

Alors Celui qui nous a aimés le premier (1 Jn 4, 19) sera reconnu, aimé, adoré, servi par tous les hommes devenus ses fils d'adoption (Ep 1, 5). Ainsi s'achèvera dans l'éternité bienheureuse l'œuvre de salut que sa fidélité miséricordieuse poursuit avec une inlassable patience (cf. Rm 2, 4-5 ; 3, 25-26 ; 9, 22), depuis son premier appel auquel l'humanité s'est dérobée, jusqu'au jour où tous l'acclameront dans un bonheur sans fin : « A Celui qui siège sur le trône, ainsi qu'à l'Agneau, la louange, l'honneur, la gloire et la puissance dans les siècles des siècles» (Ap 5, 13).

II

COMMENTAIRES

POUR UNE ÉTUDE SCRIPTURAIRE DE LA CHRISTOLOGIE. NOTE MÉTHODOLOGIQUE

par PIERRE GRELOT (Paris)

L'examen des approches qui sont tentées de nos jours pour aborder les problèmes de la christologie invite à poser quelques principes méthodogiques sans lesquels la présentation de la doctrine ne peut être faite d'une façon fructueuse. Il faut en effet que l'étude de la documentation biblique débouche sur une réflexion où la raison critique trouve son compte sans préjudice pour la foi, et où la théologie se déploie sans imposer *a priori* des options critiques qui risqueraient de fausser l'analyse objective des textes.

I. - LES «CONFESSIONS DE FOI» DANS LE NOUVEAU TESTAMENT

1.1. Aucun texte du Nouveau Testament n'est indépendant des «confessions de foi» sur lesquelles repose la vie des Églises dans le christianisme primitif : l'histoire et la phénoménologie religieuse suffisent pour enregistrer ce fait fondamental. Ces confessions de foi sont elles-mêmes en rapport avec l'annonce de l'Évangile : elles sont la *réponse* humaine à la *Parole de Dieu* qui les précède et qui en commande la structure. Il faut partir de cette observation pour lire objectivement toute la littérature «fonctionnelle» de l'Église aux époques apostolique et sub-apostolique, et pour mesurer exactement la portée des textes qui parlent de Jésus «Messie et Fils de Dieu», comme dit le titre de l'évangile selon Marc (Mc 1, 1).

Il y eut jadis une erreur méthodologique dans les enquêtes sur la «vie de Jésus» qui pensaient trouver dans certains textes, estimés «les plus anciens», un «évangile d'avant Pâques» où les faits de cette vie seraient livrés «à l'état brut», avec l'objectivité dont les historiens du XIXᵉ siècle pouvaient rêver. Cette orientation défectueuse conduisait, suivant la disposition personnelle des enquêteurs, à deux résultats opposés, soit que l'on réduisît Jésus aux seuls traits récupérés par une critique minimisante, soit qu'au contraire on postulât l'exactitude des textes dans tous les détails au point de vue de cette histoire soi-disant «objective».

1.2. Tous les textes s'inscrivent à l'intérieur des confessions de foi. Mais celles-ci doivent être appréciées avec justesse pour qu'aucun de leurs éléments constitutifs ne soit perdu de vue.

1.2.1. Les confessions de foi ne disjoignent jamais *deux aspects de Jésus* qui, par leur relation dialectique, définissent l'objet même de la foi.

a) Le premier aspect est *l'existence historique du Juif Jésus de Nazareth*. Enraciné dans le terroir galiléen, celui-ci fut par sa prédication un annonciateur du Règne de Dieu. Thaumaturge et prophète, il fut reconnu par les uns comme Messie d'Israël, mais contesté par les autres pour des raisons légalistes ou cultuelles. Dénoncé finalement au gouverneur romain au terme d'un conflit violent qui l'opposa aux autorités religieuses de son peuple, il fut condamné au supplice de la croix comme agitateur subversif et prétendant royal.

b) A ce premier aspect s'en oppose un second : c'est *l'interprétation posthume de la personne de Jésus*, attestée par ceux qui eurent foi en lui. Ses manifestations en tant que vivant au-delà de la mort, ressuscité par anticipation du «dernier jour», le firent reconnaître par eux comme le Messie d'Israël en un autre sens que celui que l'espérance juive attachait à ce mot : un Messie en gloire, médiateur de rédemption et de salut sur un autre plan que celui que visait l'espérance d'Israël, en raison de sa relation unique avec Dieu en qualité de Fils.

1.2.2. La réflexion critique ne doit donc chercher dans les livres du Nouveau Testament ni *une simple évocation empirique* des faits et gestes de Jésus que n'accompagnerait pas une interprétation au moins implicite qui en dévoile tout le sens, ni *une spéculation sur le mystère de sa personne* qui perdrait le contact avec sa réalité historique. C'est la liaison intime de ces deux points de vue qui fait de Jésus, à la fois, l'*annonciateur* de l'Évangile du Règne de Dieu au service duquel il consacra sa vie *(Evangelium Christi de Regno Dei)* et l'*objet* de ce même Évangile auquel la foi de l'Église s'est attachée après sa résurrection d'entre les morts *(Evangelium de Christo, Regnum Dei condente inter res humanas)*. La séparation des deux points de vue ruinerait la notion même de l'Évangile, telle qu'elle résulte de la totalité du Nouveau Testament. C'est sous cet angle qu'il faut envisager la *continuité* interne de celui-ci, non seulement dans l'Église primitive où la formulation de l'Évangile reçut un développement certain, mais aussi entre le temps où Jésus remplit son ministère et celui où la foi en lui atteignit son plein développement.

1.3. Cette observation fondamentale commande, d'une part, les *enquêtes historiques* sur Jésus et sur les origines chrétiennes, et d'autre part, la compréhension correcte des *christologies diversifiées* qu'on trouve dans les livres du Nouveau Testament. Si on la néglige, on opère automatiquement une coupure radicale entre le «Jésus historique» et le «Christ de la foi». Mais on quitte alors le terrain solide des textes pour projeter sur eux des idées préconçues auxquelles ils ne se prêtent absolument pas. En effet, les confessions de foi ont justement pour objet l'*identité* de Jésus de Nazareth considéré comme personnage historique et du Christ en gloire auquel s'attachent la foi et l'espérance chrétiennes.

Toutefois, par souci de méthode, on peut légitimement faire porter des études particulières sur *deux objets d'enquête différents :* d'une part, la physionomie de Jésus telle qu'elle put apparaître à ses contemporains immédiats et la conscience qu'il put avoir de son mode de relation à Dieu et de sa mission auprès des hommes ; d'autre part, le développement de la christologie comme interprétation théologique de sa personne, depuis les racines qu'elle comportait au sein de son existence même jusqu'aux présentations élaborées dont elle fit l'objet dans la documentation ultérieure. L'essentiel est que ces études, limitées dans leur objet et dans la documentation sur laquelle elles reposent, ne soient pas exclusives les unes des autres. Faute de cela, elles ne seraient pas fidèles aux textes qui les fondent.

II. - POUR UNE CLARIFICATION
DU MOT « HISTOIRE »

2.1. Quand on analyse de près les procédures utilisées pour accéder à Jésus, on constate que le mot français « histoire » (anglais *history*) renferme des équivoques redoutables. Celles-ci sont évitées en partie par l'allemand, qui distingue l'*Historie*, narration historique, de la *Geschichte*, réalité vécue que l'on s'efforce de rapporter pour en saisir le sens et en fournir une interprétation. Toutefois l'allemand *Geschichte* peut prendre lui-même des sens diversifiés. Ce point requiert donc une clarification, si l'on veut éviter toute ambiguïté dans les exposés qui touchent à cette question.

2.1.1. Le latin, quoi qu'on en pense d'ordinaire, était plus clair. A la suite du grec dont il reprenait le vocabulaire, il voyait dans l'*historia* la narration d'événements *(eventus)* advenus dans le passé et évoqués avec tous les moyens que la mémoire humaine peut employer pour en garder un certain souvenir, celui-ci fût-il très imprécis. L'histoire vécue n'était jamais désignée par ce mot : elle était regardée concrètement comme un tissu de réalités *(res)* humaines, réalités advenues *(res gestae)* dans le cours du temps *(cursus rerum)* à un homme ou à un groupe humain. L'aspect *« expérientiel »* de l'histoire était ainsi formellement distingué de l'*art du récit*, auquel l'historien recourait pour en donner quelque connaissance à ses lecteurs.

Le respect de la documentation n'empêchait pas l'historien d'intercaler dans ses narrations des morceaux de son cru, par exemple, des discours qui lui permettaient de faire le point des situations exposées. Il exigeait toutefois une reproduction ou un résumé aussi fidèle que possible des sources qu'il avait à sa disposition, sans qu'un jugement critique intervînt constamment pour dire en quoi leur contenu matériel fournissait une image *exacte* du passé. Respectueux des traditions orales ou écrites qu'il avait reçues, il se contentait d'intercaler au passage des clauses de style comme « on dit que... », « on rapporte que... », pour indiquer qu'il ne prenait pas nécessairement à son compte tout ce qu'il reproduisait dans sa composition. C'est grâce à ce procédé qu'ont été conservés beaucoup de matériaux, légendaires mais précieux, que les modernes auraient éventuellement écartés et laissé perdre (par exemple, la légende des rois de Rome reproduite par Tite Live).

2.1.2. L'introduction des *méthodes critiques* en histoire, à partir du XVIIIᵉ siècle et surtout au XIXᵉ, peut être saluée sous ce rapport comme un progrès incontestable — et certainement irréversible — pour la juste appréciation des documents utilisés. On mesure ainsi ce qu'on peut en attendre pour la reconstruction des « faits » passés et pour l'enchaînement des « événements » (ou expériences humaines) qui se sont alors déroulés. De la simple érudition qui accumulait tous les matériaux accessibles, on a ainsi passé à l'histoire « scientifique ».

Toutefois *la critique de cette « histoire-science »,* faite par les historiens eux-mêmes ou par des philosophes soucieux des problèmes d'épistémologie, a modifié progressivement la notion de l'*objectivité* historique. En effet, elle a mis progressivement en lumière le rôle irremplaçable des *subjectivités* humaines : soit chez les acteurs de l'histoire vécue qui, sans elle, ne serait observée qu'en surface, soit chez les témoins qui en ont gardé la mémoire et l'ont livrée aux générations à venir, soit chez ceux qui l'ont évoquée ensuite à partir des témoignages recueillis, soit finalement chez les savants eux-mêmes qui s'en approchent en pratiquant la critique des sources.

Cet aspect de la méthode concerne moins l'accumulation des détails d'ordre empirique englobés dans l'*évocation* d'un événement, que la *compréhension* de l'expérience humaine restreinte à laquelle il donna lieu. On est ainsi invité à distinguer l'*exactitude* des tableaux tracés par l'historien et l'*interprétation* sous-jacente à son récit : celle-ci fait éventuellement ressortir la valeur latente de détails « factuels » qui purent, sur le moment, paraître insignifiants. Or, la *vérité* du récit historique se situe finalement à ce niveau profond où jouent les subjectivités humaines, quelle que soit l'exactitude des détails narratifs puisés dans une documentation forcément limitée. Ce point fondamental a des répercussions évidentes sur les questions qu'on pose aux textes évangéliques.

2.2. Sous ce rapport, il faut remarquer que le mot « histoire » est employé, à propos des évangiles, pour désigner deux ordres de choses qui ne se situent pas sur le même plan.

2.2.1. Il peut désigner, en premier lieu, une réalité *empirique,* accessible en principe à la perception directe des participants ou des observateurs, dans l'ordre sensoriel quant à son aspect externe, et dans l'ordre rationnel pour ce qui concerne son sens. Par exemple, Jésus de Nazareth est mort en croix au terme d'un procès politique mené par le préfet de Judée Ponce Pilate. Mais le même mot peut désigner aussi, en second lieu, l'événement évoqué comme un chaînon dans la réalisation du *dessein de Dieu* qui se poursuit dans le cours du temps : l'événement relève alors de ce qu'on nomme l'« histoire du salut » (décalque de l'allemand *Heilsgeschichte*), en transposant sous une forme plus vague ce que la théologie patristique appelait « économie du salut » (en latin, *dispensatio salutis*).

Cet aspect mystérieux de l'histoire humaine n'est évidemment déchiffrable que dans la lumière de la foi, grâce à la Parole de Dieu qui le révèle. Échappant radicalement à toute perception empirique, il relève directement de la théologie. Il existe évidemment une certaine relation entre le « mystère » de l'histoire du salut et l'aspect « factuel » du cours des choses où on en décèle la présence : c'est par sa mise en croix que « Christ est mort pour nos péchés conformément aux Écritures » (1 Co 15, 3). Mais les deux ne se confondent pas. Or, à quel point de vue se place-t-on, quand on examine la personne de Jésus « dans l'histoire », et comment faut-il définir la « vérité » des textes qui parlent de lui ? Cette question exige une reponse claire, quand on traite de la christologie.

2.2.2. On peut la clarifier en recourant à la terminologie latine qui vient d'être mentionnée et à une distinction élémentaire de philosophie scolastique, qui n'a pas été élaborée dans ce but mais qui y trouve une excellente application.

a) En effet, pour évoquer et interpréter l'histoire vécue *(res gestae)* dans un récit *(historia)* qui en décrit la surface empirique en même temps qu'il cherche à en faire percevoir le sens, on peut se placer à des points de vue très divers (« objet formel *quo* » des Scolastiques). A un premier point de vue, on peut s'attacher avant tout à l'*exactitude* de cette description de surface, en restant dans un ordre « factuel » qui relève plus de l'érudition que de l'interprétation, sous quelque angle qu'on l'envisage. L'« objet formel *quo* » qui est alors visé par l'enquêteur n'entre pas en profondeur dans le tissu vivant de l'expérience retracée, pour en relever toutes les implications et en viser le sens. Par exemple, en confrontant les indications chronologiques données par les Synoptiques et par Jean au sujet de la Cène et de la Passion, on peut s'interroger sur le jour exact où Jésus est mort sans aller au-delà de cette enquête très matérielle. La « vérité » de la conclusion adoptée, qui est du même ordre que l'objet formel de l'enquête, se confond alors avec son exactitude qui comporte une marge d'approximation ou d'incertitude plus ou moins grande.

b) A un second point de vue, on s'attache à faire ressortir le *sens* de l'événement évoqué. Mais on peut alors se placer à des niveaux d'analyse très différents, quoique imbriqués les uns dans les autres : économique, politique, psychologique, sociologique, culturel, religieux, etc. C'est sous l'angle choisi qu'on examine l'*enchaînement* des causes et des effets, qu'on cherche à *interpréter* les expériences humaines qu'on retrace. Qu'on le dise ou non, on fait nécessairement appel à une *philosophie générale* qui suppose une certaine conception de l'homme, religieuse ou non. La *vérité* — ou l'erreur — du discours tenu dans ces conditions se situe alors dans l'ordre de choses que l'on choisit pour énoncer un enseignement formel à propos de l'événement évoqué. Supposons, par exemple, qu'on présente la mise en croix de Jésus comme la réaction normale d'un administrateur provincial en face d'une agitation politique bien établie : le jugement ainsi porté est-il objectif, impartial et juste ?

2.3. Quand on interprète la tranche d'histoire juive où Jésus à pris place pour « accomplir » les promesses de Dieu, instaurer son Règne parmi les hommes et leur apporter ainsi le salut, on se place à un point de vue très particulier qui suppose admise toute la « théologie de l'histoire » élaborée au cours de l'Ancien Testament. On cherche en effet à repérer les *signes de l'action de Dieu* au sein des choses humaines, pour en faire expressément l'objet d'un enseignement formel. La même tranche d'histoire — celle de Jésus et celle des origines chrétiennes — pourrait être examinée sous des angles plus restreints. Il est vrai que le point de vue adopté englobe, à sa manière, tous les niveaux de l'expérience humaine. Mais il ne les prend en compte que *dans la mesure où ils concernent les relations entre les hommes et Dieu,* en vue du salut qui les réintègre pleinement dans son dessein. Cette mesure qualifie donc le genre de « vérité » qu'il faut y chercher.

2.3.1. Déchiffrer l'histoire humaine, en quelque point du temps que ce soit, comme une *réalisation de l'économie du salut,* ce n'est pas s'évader dans une « spiritualité » abstraite. Tout au contraire, en conjuguant dans la « décision de foi » les rôles respectifs de l'intelligence et de la volonté, on s'attache à une *réalité « expérientielle »* dont la Parole de Dieu peut seule dévoiler le sens. Du même coup, on *interprète* cette réalité. Mais l'interprétation en question se situe sur un autre plan que celui des recherches psychologiques ou sociologiques, économiques ou politiques, culturelles ou même religieuses (au sens où l'entendent la « science des religions » et la phénoménologie).

Or, il faut se placer dans cette perspective pour apprécier d'une façon juste la portée et la fonction des textes qui évoquent la personne de Jésus, soit pour le faire revivre dans le cadre des circonstances historiques *(res gestae)* auxquelles il fut mêlé et des événements dont il fut l'acteur, soit pour mettre en lumière les deux aspects de son existence : d'une part, sa relation à Dieu et aux autres hommes ; d'autre part, son rôle dans le dessein de salut. Il n'y a pas de passage purement logique entre les enquêtes qui seraient menées à son sujet dans d'autres perspectives et la reconnaissance de ce que révèle ainsi à son sujet la « confession de foi » chrétienne.

Les *signes* distinctifs de cet aspect des choses ne peuvent apparaître pleinement qu'à l'intérieur de la « décision de foi » opérée sous la motion de la grâce de Dieu. C'est donc aussi sur ce plan qu'il faut se placer pour comprendre la *vérité* des textes évangéliques, comme de tous ceux du Nouveau Testament. Méconnaître ce fait, ce serait commettre ce que les Scolastiques appelaient une *ignoratio elenchi* (une ignorance de la véritable question posée).

2.3.2. Il s'ensuit une conséquence importante pour l'interprétation des textes évangéliques. Si l'on adopte pleinement ce point de vue, *on laisse ouvertes une foule d'enquêtes critiques* relatives à deux points précis : d'une part, la récupération des détails d'ordre *empirique* qui furent liés d'une façon accessoire à l'existence concrète de Jésus ; d'autre part, la mise en place *historique* des diverses interprétations que les auteurs du

Nouveau Testament en ont données. L'essentiel est que la *vérité* de sa personne et de sa médiation rédemptrice apparaisse clairement, avec le sens fondamental qu'elle eut dans les confessions de foi élaborées par l'Église apostolique.

a) Dans cette perspective strictement délimitée, l'histoire *vraie* et l'histoire *exacte* ne se superposent pas pleinement, car leurs points de vue ne sont pas les mêmes : la *vérité* de l'évocation historique liée à la prédication de l'Évangile et à la foi ne suppose pas la parfaite *exactitude* de tous les matériaux qui lui servent de support concret. Des tableaux approximatifs, précis ou flous suivant les cas, peuvent suffire à constituer ce support : tout dépend des conventions auxquels les évangélistes se sont adaptés pour répondre aux exigences de la culture de leur temps. L'examen de ces conventions est à reprendre dans chaque cas particulier.

On peut donc renvoyer dos à dos ceux qui se laissent prendre au piège de deux sophismes opposés : d'une part, ceux qui attaquent la *vérité* des textes évangéliques, soit à cause de leurs multiples inexactitudes, soit à cause de leurs contradictions de détails, soit à cause des questions « factuelles » qu'ils laissent en suspens au grand dam de notre curiosité, soit à cause des divergences qui existent entre leur façon de rapporter les paroles de Jésus ; d'autre part, ceux qui postulent leur *exactitude* totale au nom de l'inspiration divine qui les rend porteurs de la vérité révélée, en trouvant des stratagèmes pour défendre sur ce point leur parfaite « historicité ».

b) On gagnerait grandement à employer ici un vocabulaire plus précis pour distinguer, dans les textes, ce qui se rapporte à l'*historicité* « factuelle » et empirique, objet d'études critiques multiples et parfois incertaines, et ce qui concerne l'*historialité* religieuse dévoilée par l'annonce de l'Évangile, objet des études théologiques auxquelles le Nouveau Testament sert de base. En employant ces termes à titre de langage technique, on innove plus ou moins dans le vocabulaire français — et probablement dans quelques autres. Mais on dissipe des équivoques dans lesquelles les historiens, les apologistes, les exégètes et les théologiens s'empêtrent tour à tour. En allemand, la distinction entre *Geschichte-geschichtlich-Geschichtlichkeit* et *Historie-historisch* pourrait être employée dans le même but, moyennant quelques affinements qu'elle ne comporte pas toujours.

Ce principe général ne résout aucun problème particulier posé par les textes. Il permet seulement de déterminer la perspective dans laquelle les études critiques et la réflexion théologique peuvent cheminer de concert, puisqu'il découle de la notion même d'Évangile correctement comprise.

III. - RECOURS AU PRINCIPE DE TOTALITÉ

3.1. Pour l'approche historique de Jésus à partir des textes du Nouveau Testament, il existe aussi une autre tentation insidieuse : *c'est d'y opérer un tri et un choix,* en reconstruisant toute la christologie sur la base d'une documentation limitée. Voici les principaux motifs qui sont mis en avant pour justifier cette opération.

3.1.1. La perspective pratique qu'on adopte et le but qu'on poursuit en établissant le dossier nécessaire conduisent à *laisser de côté ce qu'on ne juge pas significatif* pour fournir ce qu'on y cherche : une règle de morale individuelle, un modèle de « praxis » sociale, une présentation « objective » de Jésus comme initiateur et modèle de cette règle et de cette « praxis », ou une voie purement contemplative pour atteindre l'union à Dieu au-delà des apparences sensibles... Des textes ou des livres entiers sont alors privilégiés, en raison de leurs affinités avec les centres d'intérêt du chercheur ou du « lecteur », tandis que d'autres sont laissés dans l'ombre ou même rejetés.

Tous les prétextes sont bons pour faire cette *opération réductrice :* on sait que, dès le IIe siècle, les Gnostiques et Marcion s'y livraient déjà, pour des motifs très différents de ceux que certains modernes mettent en avant. Par exemple, on présente éventuellement les textes tardifs du Nouveau Testament comme des interprétations secondaires et, à la limite, des déformations de la figure authentique de Jésus. L'influence d'idéologies sociales ou de mythologies qui avaient cours dans la culture environnante aurait pesé sur certaines communautés ecclésiales pour produire ce résultat désastreux. La critique permettrait heureusement de revenir à l'« originaire ».

3.1.2. Cette difficulté ouvre une question importante : celle du *développement de la christologie* dans le Nouveau Testament. Sans négliger son point de départ dans l'existence concrète de Jésus de Nazareth, il faut reconnaître qu'elle s'est ensuite déployée dans plusieurs directions. Son histoire doit effectivement être reconstruite avec soin. Il faut, pour cela, examiner attentivement les textes qui s'y rapportent, sans perdre de vue les *fonctions* qu'ils ont jouées dans les diverses communautés chrétiennes. Mais on peut adopter à ce sujet deux attitudes contradictoires qui sont également nocives pour le travail théologique.

a) Ou bien on estime que, dans ce développement historique de la christologie, *les éléments « originaires »* doivent seuls être retenus, parce qu'ils reflètent au mieux la réalité historique de Jésus, unique règle de la foi et de la « praxis » pour ceux qui veulent s'engager à sa suite avec foi. Ou bien on postule que les christologies les plus développées — celles de Paul, de l'épître aux Hébreux, de Jean — relativisent, ou même effacent en quelque sorte, les éléments moins développés qu'on trouve dans les évangiles synoptiques pour évoquer les paroles et les comportements de Jésus.

b) La première attitude constate effectivement l'évolution de la christologie, mais elle voit dans ses développements des éléments secondaires qu'elle laisse éventuellement de côté pour opérer un « retour à l'origine ». La seconde attitude admet pleinement le résultat de ces développements, mais elle se méfie du principe même de l'évolution en christologie, car elle estime que la révélation *explicite* de tout son contenu a dû se trouver déjà *dans les paroles* de Jésus. C'est pourquoi, par exemple, elle conduit à regarder tous les discours de révélation qu'on trouve dans le IVe évangile comme prononcés tels quels par Jésus, sans quoi ils perdraient leur valeur comme « règle de la foi ». Que faut-il faire pour échapper à ces positions contradictoires ?

3.2. C'est ici que s'impose *le principe de totalité* qui régit toute l'interprétation du Nouveau Testament, sans négliger son développement interne, mais en se référant aux « confessions de foi » sur lesquelles tous les textes reposent.

3.2.1. La christologie doit prendre en charge *tous les textes,* pour atteindre Jésus sous les deux aspects complémentaires entre lesquels on discerne, non une contradiction, mais une *compré-*

hension de plus en plus profonde de sa personne et de son rôle dans le dessein de Dieu.

a) Il faut d'abord le comprendre *tel qu'il s'est fait connaître aux témoins directs de sa vie.* L'événement de la Croix dérouta leur foi encore imparfaite en raison de son caractère inattendu, paradoxal, apparemment contraire aux Écritures sur lesquelles reposait l'espérance juive. Dans cette perspective, à partir de ses paroles, de ses comportements, de ses actes, de sa prière, on entrevoit en partie la conscience qu'il avait de lui-même et de sa mission ; mais on n'éclaircit pas d'une façon totale le mystère de sa personne, car il a été assez avare de confidences sur lui-même : le fait de se laisser « deviner » par ses disciples était un aspect essentiel de sa pédagogie.

b) Il faut donc accueillir aussi *la compréhension complète que ses disciples reçurent comme une grâce,* par ses manifestations comme « ressuscité », établi « Christ en gloire » et « Fils de Dieu en puissance » (Rm 1, 4). C'est en effet cette révélation finale qui s'est déployée ensuite dans plusieurs directions au cours de l'annonce de l'Évangile. Elle a reflué sur la présentation des souvenirs de sa vie, conservés par la tradition apostolique. C'est pourquoi on en retrouve les traces dans la présentation de sa personnalité historique, aussi bien pour ses actes et ses comportements que pour ses paroles. Par exemple, tous les récits de sa Croix présentent celle-ci comme une sorte d'intronisation royale ; les traditions de son enfance fournissent à Luc et à Matthieu une excellente occasion pour présenter leur christologie en forme de récits ; dans tous les évangiles, ses discours sont normalement recomposés au plan littéraire, pour fonder plus explicitement la catéchèse chrétienne.

c) L'unité de l'Évangile reste donc sous-jacente à toutes les *explicitations* qui en sont données dans les diverses christologies du Nouveau Testament. C'est pourquoi celles-ci s'éclairent les unes les autres pour fournir une vue juste et profonde du mystère de Jésus, Messie et Fils de Dieu, rédempteur et médiateur du salut promis. La cohérence interne de la christologie ne peut être visée qu'à travers cette diversité de perspectives, le Nouveau Testament étant considéré en bloc comme *le* témoin authentique de la révélation proposée à la foi.

3.2.2. Toutefois, dans la mesure où l'étude historique du

Nouveau Testament le permet, il faut reconnaître qu'un *développement théologique* s'est produit dans l'interprétation de la personne et de la mission de Jésus, au fur et à mesure que l'expérience de l'Église s'enrichissait par sa confrontation avec des milieux et des problèmes nouveaux. L'Évangile fut d'abord annoncé dans le cadre du judaïsme, tant palestinien qu'hellénistique : l'annonce de Jésus-Christ se fit donc à partir de la Bible hébraïque pour les Juifs qui parlaient l'hébreu, et, pour ceux qui parlaient le grec, à partir de la Bible grecque. Puis l'Église aborda des milieux hellénistiques où les cultes les plus diverses canalisaient le sentiment religieux, tandis que la philosophie populaire imprégnait les esprits et fournissait des règles pratiques pour la conduite de la vie : cette rencontre culturelle occasionna une évolution normale dans la formulation de la foi.

A l'intérieur de cette évolution, il importe de distinguer, d'une part, l'élément *dynamique* qui assura la permanence et l'unité de la confession de foi fondamentale, et d'autre part, l'*adaptation* de la prédication à des milieux dont les problèmes pratiques étaient pris en charge au plan éthique, et dont le langage philosophique et religieux pouvait servir occasionnellement à traduire la foi, moyennant les ajustements ou les réinterprétations nécessaires.

3.2.3. Il faut se placer dans cette perspective pour aborder sainement *la question des rapports entre le christianisme primitif et les milieux hellénistiques,* tant sur le plan philosophique que sur le plan religieux. Le comparatisme peut, sur ce point, fournir des données éclairantes pour comprendre certaines formulations de la foi au Christ. Mais celles-ci ne peuvent pas être regardées comme une *hellénisation* inconditionnelle de la foi : elles montrent au contraire une *christianisation* de l'hellénisme lui-même. Par là, l'étude du Nouveau Testament ouvre la voie à celle de la théologie patristique : celle-ci poursuivra ses efforts dans la même direction, en recourant à divers langages « auxiliaires » pour implanter la christologie authentique dans un cadre culturel façonné par l'hellénisme sans perdre de vue la valeur « canonique » (c'est-à-dire « régulatrice ») de la tradition apostolique qu'atteste l'ensemble du Nouveau Testament.

IV. - LE PRINCIPE DE L'UNITÉ
DES DEUX TESTAMENTS

L'Écriture « régulatrice » de la foi et de la « praxis » chrétiennes n'est pas constituée seulement par le Nouveau Testament. Celui-ci n'est compréhensible que si on le relie au « Corpus » qui le précédait et qui, dans l'Église apostolique, fut lu comme « Écriture accomplie ». L'unité des deux Testaments est ainsi essentielle pour qu'on puisse formuler la christologie : d'une part, Jésus a assumé l'Ancien dans son existence de Juif ; d'autre part, l'annonce de l'Évangile a défini son rôle dans l'économie du salut et son statut personnel à l'aide des textes « accomplis » en lui.

4.1. Le premier point est rappelé par saint Paul dans l'épître aux Galates : quand vint « la plénitude du temps » — c'est-à-dire de l'histoire qui préparait la réalisation plénière du salut promis —, « Dieu envoya son Fils, né d'une femme » — ce qui insiste sur son humanité véritable —, « né sous la Loi » — ce qui suppose son statut de Juif pleinement inséré dans la communauté d'Israël et héritier de son histoire (Ga 4, 4). Les récits évangéliques supposent admise la même perspective, quand ils font l'« anamnèse » de son histoire en la conduisant jusqu'à la Croix et en montrant l'extension universelle de sa médiation rédemptrice par sa résurrection d'entre les morts.

4.1.1. Les quatre livrets qui les contiennent n'adoptent pas exactement le même point de vue pour présenter l'histoire *(cursus rerum)* dans laquelle Jésus a accompli sa mission, mais ils ont le même arrière-plan. Le milieu où l'existence de Jésus se déroule serait inintelligible sans les Écritures qui y réglaient la liturgie du Temple et qui étaient lues et expliquées dans la lecture synagogale. Or, il ne constitue pas seulement le cadre externe dans lequel la mission de Jésus s'est déroulée, comme si on pouvait l'en détacher pour mieux souligner l'universalité de cette mission. *La personnalité individuelle de Jésus fut littéralement façonnée par lui :* d'abord au sein de la famille où il était né et où il « grandit en sagesse, en taille et en grâce devant Dieu et devant les hommes » (Lc 2, 52) ; ensuite au sein de l'institution juive dont il assuma le mode de vie réglé par la Tôrah, l'espérance fondée sur les promesses prophétiques, la prière centrée sur les psaumes, la sagesse pratique énoncée par les maîtres plus anciens et conservée dans la tradition juive. Il faut certes respecter les particularités des quatre livrets, quand ils présentent cette « judaïcité » de Jésus ; mais il faut aussi souligner leurs points de recoupement pour comprendre les rapports entre Jésus et la totalité des Écritures.

4.1.2. On constate alors que Jésus a effacé sa personne derrière son *annonce du Règne de Dieu,* objet de l'Évangile. Portant ainsi à son point suprême le thème fondamental autour duquel tournaient la foi et l'espérance d'Israël, il a agi sans définir avec précision sa propre mission en reprenant à son compte un des *titres* employés dans les Écritures. C'est pourquoi ses contemporains se sont posé des questions diverses à son sujet : agissait-il en qualité de docteur, de prophète, de « nouveau Moïse » ou de Messie fils de Dieu (au sens adoptif du mot) ? Faisait-il allusion au Fils d'homme évoqué par le livre de Daniel (Dn 7, 13 s.), quand il parlait de lui-même en employant l'expression « Fils de l'homme » ? Même le modèle du « Serviteur » de Dieu esquissé dans la seconde partie d'Isaïe fait seulement l'objet d'insinuations discrètes, dans les passages où il parle à ses disciples de son échec et de sa mort. Libre à l'égard des idées préconçues qu'on peut se faire de lui, mais vivant intégralement pour ses frères les hommes, il constitue une sorte d'énigme, dont les Écritures ne fournissent la clef que si l'on en réorganise les données en fonction de son existence même.

4.1.3. On est ainsi conduit au seuil d'une personnalité originale dont le secret ultime réside dans *sa « filialité » à l'égard de Dieu.* Tous les autres titres qu'on serait tenté de lui donner concernent en effet ses relations *avec les hommes ;* mais sa *relation avec Dieu* constitue le mystère le plus intime de sa personne. Sous ce rapport, les Écritures attribuaient une « filiation adoptive » à Israël, à tous les hommes fidèles à sa Parole, et plus particulièrement au Messie royal. Mais la « filiation » atteint chez lui un degré inattendu et inexplorable. L'étude historique de Jésus s'arrête nécessairement au seuil de cette conscience qu'il eut de lui-même devant Dieu : la reconnaissance de sa « filiation divine » au sens fort du mot ne peut être faite qu'au sein de la relation personnelle avec lui, qui constitue la « décision de foi ».

4.2. L'enracinement de Jésus dans l'Ancien Testament est souligné dans toutes les formulations de la « confession de foi » comme dans les textes qui en explicitent le contenu.

4.2.1. « Christ est mort pour nos péchés *conformément aux Écritures* et il a été mis au tombeau ; il est ressuscité le troisième jour *conformément aux Écritures* et il s'est fait voir à Pierre, etc. » (1 Co 15, 4). La référence aux Écritures inclut l'*histoire* « sainte » qu'elles évoquent de diverses façons, les *promesses* qu'elles renferment, la *sagesse de vie* qu'elles énoncent. Cette référence est constante chez les écrivains sacrés qui, pour annoncer l'Évangile, présentent de façons diverses le contenu de la christologie. Elle sert aussi bien à expliquer *la médiation de salut* que Jésus a effectuée durant sa vie, qu'il a consommée par l'acte de sa mort, qu'il continue de remplir dans sa seigneurie glorieuse, qu'à élucider *le mystère de sa relation personnelle avec Dieu* qui fonde cette médiation rédemptrice. Sur ces deux points, le langage de la sotériologie et de la christologie est tissé d'emprunts aux Écritures, moyennant un *surcroît de sens* qu'il faut mesurer exactement dans chaque cas particulier. La principe de l'unité des deux Testaments est donc essentiel en christologie, comme il l'est d'ailleurs dans tous les autres secteurs de la réflexion théologique.

4.2.2. Mais il faut remarquer ici que les Écritures utilisées pour fournir le langage fondamental de la théologie chrétienne sont aussi bien tirées de la Bible hébraïque, lue dans la liturgie du Temple comme dans les synagogues de Judée et de Galilée, que de ses adaptations grecques lues dans les synagogues de la Diaspora hellénistique. Ce fait oblige à poser dans une perspective élargie *le problème du « Canon » des Écritures*, c'est-à-dire de la liste et du contenu des livres « normatifs » (grec *kanôn* = « règle ») qui font autorité pour la foi et la vie pratique.

a) On ne peut réduire ni cette liste, ni l'« inspiration » qui fonde le caractère « régulateur » des livres en question (2 Tm 3, 16 ; 2 P 1, 20 s.), aux seuls textes « originaires » dont la littéralité primitive est d'ailleurs difficile à récupérer à l'aide d'une critique textuelle parfois hasardeuse. L'*usage* du Nouveau

Testament, suivi sur ce point par l'Église de l'époque patristique, est le seul critère décisif auquel on puisse se référer pour résoudre cette question.

b) Or, cet usage invite à envisager *un Canon élargi* où les textes hébreux et grecs, recueillis au stade final de leur composition, ont également leur place puisqu'ils ont témoigné par anticipation au sujet du Christ futur. Ce principe, qui ne fonde pas la christologie mais qui résulte de sa formulation dans le Nouveau Testament, laisse ouvertes toutes les recherches sur la formation et la transmission des livres en cause : *l'histoire de cette formation et de cette transmission* au sein d'une communauté qui vivait de la foi à la Parole de Dieu fait partie de l'histoire du « Canon » lui-même, puisqu'elle fait assister à l'élaboration progressive des textes « régulateurs » de la foi et de la vie, en Israël d'abord, puis dans l'Église primitive.

V. - LECTURE CRITIQUE ET
LECTURE « SPIRITUELLE » DE L'ÉCRITURE

5.1. Comme le mot « spirituel » est susceptible d'avoir plusieurs sens, il importe de préciser sa portée dans le contexte présent.

5.1.1. Ce terme se réfère ici au mot « esprit », tel qu'il faut l'entendre dans des textes comme 2 Co 3, 6 (« la lettre tue, mais l'*esprit* vivifie ») ou Jn 6, 63 (« c'est l'esprit qui vivifie, la chair ne sert de rien ; les paroles que je vous ai dites sont *esprit* et sont vie »).

a) Dans ces deux passages, les antithèses « lettre/esprit » et « chair/esprit » sont employées pour distinguer deux façons de lire les Écritures (concrètement : la « lettre de la Tôrah écrite sur des tables de pierre », dans 2 Co 3, 6 s.) et de comprendre les paroles de Jésus (concrètement : la révélation qu'elles apportent au sujet du mystère de sa personne et de son œuvre, dans Jn 6, 60-64). La *littéralité* des textes, prise isolément, peut constituer dans les deux cas un voile impénétrable qui rend leur sens inintelligible, si les cœurs sont fermés à la foi (cf. 2 Co 3, 12-18 : l'allégorie du voile de Moïse). L'*Esprit Saint* peut seul révéler ce sens, qui donne à toute l'Écriture son unité profonde en la reliant à la personne de Jésus, «chemin, vérité et vie» (Jn 14, 6).

b) Deux textes du IVᵉ évangile posent ce principe avec clarté : « L'Esprit Saint que le Père enverra en mon nom vous enseignera tout et vous remémorera tout ce que je vous ai dit» (Jn 14, 6) ; « L'Esprit de vérité vous introduira dans la vérité tout entière» (Jn 16, 13). *La disposition personnelle de chaque lecteur,* en tant qu'ouverture à l'action de l'Esprit Saint et accueil de son témoignage intérieur, joue ainsi un rôle décisif dans la compréhension et l'interprétation des textes qui concernent le mystère intime de Jésus et qui, en conséquence, fondent la christologie et la sotériologie. Cela ne s'applique pas seulement aux textes du Nouveau Testament, mais aussi à ceux de l'Ancien, pour que leur rapport avec la personne de Jésus soit exactement perçu. C'est dans le même sens que, d'après Lc 24, 45, le Christ ressuscité « ouvre les cœurs (de ses disciples) à l'intelligence des Écritures », en leur montrant que « tout ce qui est écrit de (lui) dans la Loi de Moïse, dans les Prophètes et dans les Psaumes » s'est accompli au cours des événements de sa Passion et de sa Résurrection.

5.1.2. Cette *lecture « spirituelle » des textes* ne les détourne pas de leur sens originel, même si elle prend ses distances avec le sens que le judaïsme contemporain de Jésus pouvait leur découvrir en se fiant à leur seule littéralité.

a) Pour ce qui concerne ceux de l'Ancien Testament, elle y dévoile *un second niveau de profondeur* en reliant de diverses façons leurs éléments au mystère total du Christ. Même si les intuitions d'une foi authentique pouvaient pressentir quelque chose de ce sens dans le cadre du judaïsme lui-même, il est clair que l'*Événement eschatologique* advenu dans l'existence de Jésus, crucifié et désormais ressuscité, pouvait seul faire apprraître *la totalité de son contenu,* en bouleversant les idées préconçues de la raison humaine laissée à ses seules forces.

b) Quant au sens de cet Événement lui-même, constitué dans son ensemble par les actes, les paroles et le destin final de Jésus, il n'a pu — et ne peut encore — être aperçu que par ceux qui se mettent à l'écoute du Père (Jn 6, 45) et qui sont dociles au témoignage de l'Esprit (Jn 14, 16 s. ; 16, 13 s.). La «lettre» de l'Ancien Testament et le témoignage apostolique deviennent alors pour eux «esprit et vie» (Jn 6, 53), parce qu'ils ne les interprètent pas seulement «selon la chair».

5.2. *La « lettre » des textes,* tant dans l'Ancien que dans le Nouveau Testament, ne perd pas pour autant sa consistance propre, dans les divers cadres historiques où elle a reçu sa forme littéraire et où elle a rempli diverses fonctions pour l'éducation ou l'expression de la foi : soit dans la vie du peuple d'Israël, soit au temps de la vie de Jésus et des origines chrétiennes.

5.2.1. Toutes les *enquêtes critiques* qui peuvent être entreprises sur ce point gardent donc leur légitimité au niveau où elles se situent. De même que Jésus s'est offert, en quelque sorte, au regard critique de ses contemporains pour qu'ils aperçoivent progressivement, à partir de ses paroles et de ses actes, le mystère de sa personne et de son rôle dans l'économie du salut, de même *les Écritures sont offertes au regard critique de tous les lecteurs,* pour qu'ils se posent, à partir d'elles et à partir de la façon dont l'Église les interprète dans sa foi, la question de Jésus Christ. Ils sont ainsi amenés à prendre personnellement position à son sujet, en exerçant leur liberté par l'engagement de leur conscience selon la mesure de lumière que Dieu leur donne intérieurement.

5.2.2. Si la situation est vue sous cet angle précis, *aucune opposition ne peut être légitimement établie entre l'exégèse critique et l'exégèse théologique,* pas plus qu'on ne peut faire de coupure entre le « Jésus historique » et le « Christ de la foi » dans la confession de foi sur laquelle reposent la christologie et la sotériologie chrétiennes. Ce serait concevoir faussement les « droits de la raison », que de récuser l'étude théologique des textes au nom de la critique biblique, pourvu que la réflexion théologique respecte pleinement le domaine des enquêtes rationnelles. Mais ce serait recourir à une fausse conception de la foi, que de récuser l'étude critique des textes au nom des exigences de la théologie, pourvu que cette étude critique reconnaisse ses limites méthodologiques et observe les règles posées plus haut. Il est toutefois évident que le chemin qui va de l'étude critique à l'acte de foi n'obéit pas aux seules règles de la logique rationnelle, même complétée par le travail de la phénoménologie. La *lecture théologique* échappe nécessairement au lecteur qui n'est pas intérieurement disposé à faire l'acte de foi : « Nul ne peut venir à moi, si le Père qui m'a envoyé ne l'attire » (Jn 6, 44).

DE L'EXODE
AU « NOUVEL EXODE »
DU DEUTÉRO-ISAÏE

Pour un examen critique de la « praxis » comme lieu théologique dans la théologie de la libération

par ANTONIO MORENO CASAMITJANA*, prêtre
(Santiago, Chili)

I. - LE PROBLÈME

1. La théologie de la libération : base et méthode

Le document élaboré par la Commission Biblique Pontificale sur *Bible et Christologie* prend en compte, dans sa première partie (« Perspectives actuelles dans l'approche de Jésus-Christ »), les études christologiques émanant de ce qu'on appelle « la théologie de la libération ». Ces études recherchent dans le « Christ libérateur » le fondement d'une *praxis* et d'une espérance (1. 1.9.2). Le document mentionne G. Gutiérrez, L. Boff et J. Sobrino comme auteurs représentatifs. Dans sa section 2 (« Risques et limites de ces diverses approches »), tout en reconnaissant que le salut apporté par Jésus-Christ « ne se situe pas dans le monde du spirituel désincarné », il met en garde contre un recours exclusif à la « praxis » du « Jésus de l'histoire », « reconstruit plus ou moins arbitrairement avec l'aide d'une méthode de lecture qui fausse en partie les résultats, de telle sorte que le "Christ de la foi" n'est plus vu que comme une

---

* Traduction de Daniel Doré.

interprétation idéologique». Cette «méthode de lecture» n'est rien d'autre que la «méthode de l'analyse des faits sociaux», au plan économique et politique, méthode liée elle-même à une anthropologie philosophique qui, dans sa théorie, inclut un «athéisme fondamental». La conséquence en sera «une réduction anthropologique complète de la christologie» (1.2.9.3).

L'intention de faire de la théologie à partir de la *praxis* est en effet fondamentale à remarquer dans n'importe quelle appréciation qu'on cherche à faire de la «théologie de la libération»[1]. Pour les auteurs cités, cette *praxis* est la praxis historique de libération, et spécialement celle de l'Amérique latine. Elle en vient à constituer le «lieu théologique» privilégié. La libération n'est pas seulement un sujet de réflexion théologique, mais la «situation» à partir de laquelle on réfléchit en vue d'une action pour transformer le présent. Le mouvement de libération est le lieu où Dieu agit. Il convient naturellement de déterminer auparavant quels sont les mouvements authentiquement libérateurs; cela se fait à l'aide des perspectives et des méthodes d'analyse marxistes[2].

Le recours à l'Écriture sainte est secondaire dans ce projet théologique. On cherche à y trouver des textes illustrant un engagement assumé pour d'autres raisons, et c'est effectivement à partir des principes d'interprétation venant des sciences sociales et politiques que se fait la lecture des textes bibliques. C'est de là que vient sûrement le manque d'originalité et de profondeur dans l'étude des thèmes bibliques, fait reconnu par Assmann lui-même[3]. De plus, les théologiens de la libération n'admettent pas

---

1. G. GUTIÉRREZ, *Teología de la liberación*, Lima, Peru, 1971, p. 20-24. En parlant sans plus de la «théologie de la libération», nous nous référons à celle qui est représentée par les auteurs adoptant la méthode définie en premier lieu par G. Gutiérrez (Sobrino, Assman, L. Boff...). C'est elle qui a pu prétendre se qualifier de théologie, avec des traits fondamentaux propres, parce qu'elle cherche à introduire une méthode propre et originale. D'autres auteurs incorporent le thème de la «libération politique, économique et sociale de l'Amérique latine» dans leur travail théologique, sans adopter la «méthode de la praxis», mais cette solution est disqualifiée par G. Gutiérrez. Nous ne nous y référons pas. Au contraire, nous sommes d'accord que le sujet mérite une attention théologique urgente.

2. ID., *ibid.*, p. 99-123. Cf. F. MORENO, *Cristianismo y marxismo en la teologia de la liberación*, Ilades, Santiago, Chili, 1977, p. 62 et 77.

3. H. ASSMANN, *Opresión-Liberación*, Montevideo, 1971, p. 61. Voir aussi H. BOJORGE, *Vispera*, 19/20, 1970, p. 33.

de distinction proprement dite entre l'histoire du salut et l'histoire profane [4]. La Bible cesse alors d'être le point de départ de la réflexion théologique. Son interprétation demeure totalement assujettie à la compréhension du plan de Dieu que nous pouvons tirer de l'histoire présente, dans laquelle la « raison scientifique » nous permettra de reconnaître les événements qui sont vraiment libérateurs, et, de ce fait même, révélateurs du plan de Dieu.

Dans cette voie, on en arrive nécessairement à cette réduction de la christologie (et également de l'ecclésiologie) dont parle le document. Nous ne devons pas chercher en Jésus-Christ, selon J. Sobrino, une révélation spéciale du Père qui résulterait de l'union unique (hypostatique) en lui, de la divinité et de l'humanité. La Croix de Jésus ne serait, selon cet auteur, qu'une invitation « à participer au processus à l'intérieur duquel on peut expérimenter l'histoire comme salut [5] ».

Pour accéder à Dieu, il ne reste rien de plus que l'histoire humaine, dans la mesure où nous sommes capables d'y reconnaître les événements portant le sceau de la libération de l'homme. On nous offre pour cela une analyse de l'histoire sociale, politique et économique de l'Amérique latine, cherchant à démontrer que la libération passe par les mouvements socialistes et révolutionnaires d'inspiration marxiste, mouvements que nous devons accepter de par l'autorité de la « raison scientifique ». C'est en ce sens que les théologiens de la libération entendent offrir au monde une théologie « latino-américaine ».

2. Le recours au thème de l'Exode

L'Exode est le thème biblique favori de la théologie de la libération [6]. On voit dans la sortie d'Égypte effectuée par les Israélites le prototype de la lutte contre un pouvoir politique

---

4. G. Gutiérrez, op. cit., p. 189 ; voir aussi p. 190, n. 14. Sur ce sujet, K. Lehmann, « Problemas metodologicos y hermeneuticos de la teologia de la liberación », Teologia de la liberación, Commission Théologique Internationale, Madrid, BAC, 1978, p. 12-15 ; également p. 186-188 et 200-205.

5. J. Sobrino, S.J., Cristologia desde América latina, Mexico, 1976, p. 178 et 270 ss.

6. Cf. F. Moreno, op. cit., p. 33 s.

oppresseur et la création d'un nouvel homme et d'une nouvelle société. On cherche à trouver dans cette lutte le modèle directement applicable aux luttes qui se livrent en Amérique latine. Israël a vu en réalité, dans les événements de l'Exode, le fondement de sa foi, ce qui fait qu'il a recouru à ces souvenirs de manière constante, et spécialement aux moments critiques de son histoire. Les diverses relectures — représentant autant d'autres interprétations des événements salvifiques originels — viennent de là, et c'est cela que nous avons dans la Bible. Ce sont ces relectures qui nous donnent le sens salvifique de l'Exode.

Nous voulons examiner dans ces pages les moments les plus importants de la tradition de l'Exode dans l'Ancien Testament. D'une part, ils nous donnent la valeur de révélation contenue dans l'événement de l'Exode, c'est-à-dire le sens salvifique que la tradition inspirée d'Israël, contenue dans la Bible, y a perçu. D'autre part, nous pourrons voir, aux divers moments de la relecture de l'Exode, quels furent les principes d'interprétation qui l'ont conditionnée à l'intérieur de la tradition inspirée, pour les confronter au principe de réinterprétation à partir de la « praxis » préconisé par la théologie de la libération.

II. - ENQUÊTE BIBLIQUE
SUR LE THÈME DE L'EXODE

Notre attention portera spécialement sur la prédication prophétique du Deutéro-Isaïe dans laquelle le thème de l'Exode occupe une place importante. Le prophète a recours à cet ancien thème traditionnel d'Israël pour raviver la foi et l'espérance du peuple à un moment déjà éloigné de l'événement originel, mais correspondant sûrement à sa situation en Égypte. Les quelque vingt mille déportés à Babylone se trouvaient loin de leur terre, ils ressentaient le manque de leurs institutions religieuses et politiques ; ils étaient soumis à des travaux agricoles, et sans doute aussi à des travaux de reconstruction de villes anciennes abandonnées. Ils avaient perdu leur autonomie, et se trouvaient dans une situation de « dépendance » très stricte[7]. Cette

---

7. On pourrait penser à la situation de « négativité humaine maximum... qui doit affecter (selon Marx) la classe des prolétaires, pour acquérir d'une certaine

frustration était bien plus radicale quand on pense au sens religieux de la crise. On pouvait en effet interpréter l'exil comme la conséquence de l'abandon de YHWH, ou même comme la manifestation de la faiblesse de YHWH face aux dieux de Babylonie. Et de fait, c'est ainsi que l'exil fut interprété, comme on le voit par les arguments que les réfugiés en Égypte opposaient à Jérémie (Jr 44, 15 ss), par les reproches qu'adressait Ézéchiel aux Juifs de Jérusalem (Ez 8, 7-18 ; 9, 9) et par l'insistance de la prédication contre l'idolâtrie du Deutéro-Isaïe lui-même (Is 44, 6 ; 46, 9).

Devant cette situation de manque de liberté, de crise profonde, le Deutéro-Isaïe retourne aux racines mêmes de l'existence nationale d'Israël. Son message de « libération » s'appuie sur la mémoire d'un fait historique qui a signifié le passage à la liberté ou à l'autonomie politique.

Si Israël a connu YHWH dans l'expérience de la libération d'Égypte, la libération de Babylonie va représenter une nouvelle situation herméneutique conduisant à une connaissance nouvelle de YHWH libérateur. Pour apprécier la méthode proposée par la théologie de la libération, nous pouvons nous demander : Quel rôle joue le politique dans la compréhension que le prophète de l'exil acquiert du mystère de l'action salvifique de Dieu ?

1. Aux origines de la tradition de l'Exode

Il convient de faire l'histoire de la tradition de l'Exode dont le Deutéro-Isaïe est nécessairement tributaire. Il est évident que la tradition remonte, en dernière analyse, à un événement historique qui, dans ses lignes générales, peut être décrit comme un processus de sortie vers le désert du Sinaï, avec le territoire du Canaan comme but plus ou moins explicite, de groupes d'origine semi-nomade qui se trouvaient installés dans le delta égyptien [8]. Le mouvement de migration fut sûrement une réaction devant des conditions de vie qui étaient devenues insupportables pour

---

manière une qualité messianique libératrice et pouvoir accomplir, en conséquence, sa mission historique ». Cf. F. MORENO, op. cit., p. 30 et n. 75.

8. Cf. R. de VAUX, Histoire ancienne d'Israël, Paris, Gabalda, 1971, t. I, p. 349 ss. Sur les difficultés de cette question, voir H. CAZELLES, A la recherche de Moïse, Paris, Cerf, 1979.

ces groupes, et n'a pas dû être possible sans surmonter une certaine opposition égyptienne, d'où le sens de « libération » inhérent à la tradition de l'exode. Il est certain également que la sortie des groupes fut possible grâce à certaines circonstances politiques existant en Égypte et au Proche-Orient. Mais il semble également clair que la décision des clans a eu une motivation religieuse, ce qui confère au thème de l'Exode, de par son origine, le sens d'un acte de foi en YHWH, le Dieu des Pères. C'est ce qui apparaît déjà dans les formes les plus anciennes de la tradition qu'on puisse atteindre. Il est significatif théologiquement que, si l'événement historique de l'Exode (comme tous les événements historiques) est susceptible de diverses interprétations, c'est la tradition biblique qui nous dit comment ce fait historique peut être considéré comme un événement révélateur de YHWH et de sa volonté salvifique.

Nous aurions la forme la plus ancienne de la tradition de l'Exode, selon quelques auteurs, dans la source qu'ils appellent N, L, ou J[19]. Ce récit suppose déjà une interprétation du fait historique, en fonction du thème théologique de la promesse faite aux patriarches d'une descendance nombreuse et d'une terre pour s'établir. Le récit montre en effet, comment la bénédiction divine se traduit par une fécondité extraordinaire des Israélites (cause de la crainte des Égyptiens en Ex 1, 7.9-11 ; cf. au contraire Ex 1, 12, JE) et une vigueur exceptionnelle des femmes, ce qui provoque l'opposition du pouvoir du Pharaon. Ce pouvoir se transforme en une menace pour les enfants mâles, et en obstacle pour le départ vers la Terre promise. La sortie d'Égypte est alors comprise comme une étape fondamentale dans l'accomplissement de la promesse de Dieu, que l'opposition du Pharaon a mise en péril. C'est YHWH qui oblige les Égyptiens à demander aux Israélites de quitter le pays (Ex 12, 33) par son action contre les premiers-nés, et c'est lui qui sauve définitivement les Israélites de leurs poursuivants à la mer des Roseaux. L'intention du récit apparaît clairement dans le cantique final (Ex 15, 21), proclamation de la foi en YHWH qui a manifesté sa

9. Voir : G. Fohrer, *Introduction to the Old Testament* (trad. angl.), Londres, 1968, p. 159 ss ; *Ueberlieferung und Geschichte des Exodus,* BZAW, 91, Berlin, 1964, p. 107-110 ; — O. Eissfeldt, *The Old Testament : An Introduction* (trad. angl.), New York, 1965, p. 194 ss.

gloire en libérant son peuple du pouvoir qui s'opposait à l'accomplissement de la promesse.

Dans ce récit, l'accent est mis sur YHWH, qui accomplit avec efficacité une promesse de vie faite à des groupes semi-nomades. Cet accent se détache par une série d'oppositions : manque de liberté/liberté ; manque de terre propre/Terre promise ; menace d'extinction/fécondité merveilleuse. Le point de départ de la réflexion théologique se trouve dans l'ancienne expérience religieuse, porteuse de la promesse d'une terre et d'une descendance à un groupe de familles semi-nomades.

Le récit le plus ancien (pré-yahviste) proviendrait, selon P. Weimar et E. Zenger [10], de cercles qui critiquaient l'organisation naissante de la monarchie davidique, au nom de la foi en YHWH et de son culte, cercles animés par l'esprit indépendant des tribus. L'autorité monarchique, avec ses structures et son administration centralisée, apparaissait comme une limitation indue de la liberté que Dieu leur avait donnée. Dans cette critique *théologique* du projet davidique, le Pharaon, les scribes (Ex 5, 6-18) et l'armée engloutie dans la mer visaient David, les fonctionnaires du nouvel État, et le premier essai d'armée professionnelle, qui apparaîtraient ainsi comme le résultat d'une méconnaissance pratique de la souveraineté de YHWH, le seul qui puisse sauver et conduire à la liberté, et pour cela, le seul que l'on doive « servir » et « craindre ». Le récit opposait intentionnellement le « service du Pharaon » au « service » qui est rendu à YHWH dans la liberté qu'il accorde lui-même à son peuple. Il est vrai que cette critique théologico-politique s'est vue dépassée par les événements, et la foi yahviste a fini par considérer la monarchie comme une institution voulue de Dieu, et la condition et l'instrument de la liberté du peuple, dans ces circonstances historiques.

2. La tradition de l'Exode sous la monarchie

A) LES TRADITIONS « YAHVISTE » ET « ÉLOHISTE »

Il n'est pas facile de distinguer avec exactitude les sources J et E dans le récit de l'Exode, mais il n'est pas difficile pour autant

---

10. P. WEIMAR, E. ZENGER, *Exodus. Geschichten und Geschichte des Befreiung Israels*, SBS, 75, Stuttgart, 1975.

de voir vers quoi tendent leurs affirmations fondamentales. On
cherche à souligner en premier lieu que le libérateur est YHWH
qui, de sa propre initiative, se révèle à Moïse dans un sanctuaire
du désert (Ex 3, 1-10, JE). C'est Lui qui perçoit l'affliction du
peuple et « descend » (Ex 3, 8, J) pour le libérer *(l^ehaṣṣîlô)*. En
E, Moïse reçoit la charge de faire sortir *(yaṣa', hif.)* Israël
d'Égypte (3, 10, E)[11], mais en qualité d'envoyé de Dieu, qui sera
avec lui en tant que YHWH, c'est-à-dire comme une présence
efficace et salvatrice (Ex 3, 13-15), avec des caractéristiques
proprement créatrices. YHWH est, en effet, celui qui donne la
capacité de voir et de parler (4, 11, E), de telle sorte que la parole
libératrice que Moïse doit adresser au peuple soumis à la
servitude reçoive son efficacité du Dieu qui l'envoie[12]. Cette
même force divine est celle qui se montre dans toute sa puissance
en dominant les forces de la nature sur le territoire même de
l'Égypte, et qui oblige ainsi le Pharaon (le pouvoir de l'État
égyptien) à se soumettre à ses desseins. Elle suppose cependant
une médiation humaine, mais celle-ci (et il y a en cela un
avertissement au pouvoir politique d'Israël), pour être efficace,
doit se garder de se fier à sa propre force (2, 11-15)[13], ou de
s'appuyer sur la cour et la sagesse égyptiennes (2, 10*a*, E).

Le récit JE accepte la monarchie — à la différence du récit
pré-yahviste qui proposait une organisation sociale déterminée,
l'organisation tribale, comme idéale et liée nécessairement à la
foi en YHWH — mais il établit clairement les conditions
religieuses qui la rendent vraiment libératrice afin de permettre
qu'à travers elle agisse le seul libérateur qui est YHWH. Disons
dès maintenant que cette perspective de la révélation biblique est
celle qui fait qu'elle ne semble liée à aucun système politique.
Cette circonstance rendra possible le fait que, plus tard, elle
puisse se passer même de la monarchie, avec tout son poids

---

11. Ex 3, 16-20, J. YHWH envoie Moïse réunir les anciens ; mais c'est lui qui
fera sortir les Israélites, forçant le Pharaon par sa main puissante, chose qui se
réalise finalement à la mer des Roseaux (14, 14. 24 s. 27*b*. 30 s., J).

12. Et il imagine la mission de Moïse comme celle d'un prophète porteur de la
Parole puissante de YHWH.

13. Ces versets appartiennent, selon certains auteurs, à J (*v. g.* Fohrer), selon
d'autres, à E (*v. g.* Ruppert).

d'institution religieuse et de salut, tout comme auparavant elle s'était passée de la structure tribale [14].

B) LA PRÉDICATION PROPHÉTIQUE

Amos, Osée, Isaïe et Michée, avant l'exil à Babylone, ne sont pas restés étrangers au thème de la tradition de l'Exode. Ils en gardent le souvenir, comme le témoignage de ce que YHWH a fait pour son peuple : Il les a « fait monter » (*'âlâh*, hif) du pays d'Égypte, et les « a conduits » (*hālak*, hif) par le désert pour les amener à la possession de la terre des Amorréens (Am 2, 10). L'exode a été une sortie d'Égypte en réponse à un appel paternel de Dieu. Bien plus, il les a pris dans ses bras de père (Os 11, 1 ss). L'expression « faire monter », avec YHWH comme sujet, apparaît aussi en Michée, en lien avec le thème de la servitude dont Dieu a délivré son peuple (6, 3 s.). Moïse, Aaron et Myriam furent « envoyés » (*šālaḥ*) vers le peuple par YHWH. Ainsi ce thème est apte, en premier lieu, à opposer la bonté de Dieu à l'infidélité d'Israël (Am 2, 6-8.12 ; Os 11, 2 s. ; Mi 6, 3.8), et ensuite à leur rappeler le danger menaçant de « retourner en Égypte » (Os 11, 5), expression qui désigne ici la déportation assyrienne. Le thème de l'Exode lie l'existence d'Israël au choix entre « se laisser conduire et sauver par Dieu » ou se résoudre « à retourner en Égypte ». Ce thème sert encore à éveiller la confiance en Dieu qui est capable de libérer « des charges » et « des jougs » imposés par les puissances étrangères (Is 10, 26 s.) [15], et qui peut, « en le conduisant au désert », renouer les liens de l'amour avec son peuple, bien au-delà de son infidélité (Os 2, 16). Cette prédication prophétique, dont on gardait mémoire après la chute de Jérusalem, a dû contribuer à maintenir la foi en YHWH, au moins dans certains groupes. Elle démontrait en effet que la catastrophe annoncée par les anciens prophètes n'était pas attribuable au manque de pouvoir de YHWH, mais à l'infidélité d'Israël à l'alliance.

---

14. Cf. : H. CAZELLES, *Le Messie de la Bible*, Paris, Desclée, 1978, p. 78. ; — A. MORENO, « Fe y cultura en el Antiguo Testamento », dans *Fede e cultura alla luce della Bibbia (Foi et culture à la lumière de la Bible)*, publication de la Commission Biblique, Turin, 1981, p. 70.

15. Se rappelant la libération de l'Égypte, il emploie le terme *sobel* qui rappelle les *sib'lot misrayim*, les durs travaux d'Égypte (Ex 1, 11 ; 2, 11*a* ; 5, 4 s ; 6, 6).

La prédication de Jérémie — dans les années qui précédèrent la première déportation à Babylone — n'invite pas à la résistance et à la lutte contre le pouvoir politique oppresseur ; il contemple l'histoire dans la perspective de l'alliance ; la catastrophe lui apparaît inévitable, en raison de l'attitude religieuse mauvaise du peuple considéré en général. Pour Jérémie, il est clair que YHWH n'est engagé ni dans les structures religieuses (temple, fêtes, sacerdoce), ni dans les structures politiques d'Israël (État, monarchie, indépendance politique même). L'engagement de YHWH est sa promesse de salut, distinguée ainsi clairement des structures (pour autant qu'elles auraient dû être informées par la force divine du salut et être son instrument).

C'est à partir des déportés que la promesse va maintenant s'accomplir (29, 10-13 ; 24). Cette nouvelle mise en marche du plan de salut est annoncée avec les termes de la tradition de l'Exode, qui représentent, pour YHWH, la manière propre de se rendre présent afin de sauver son peuple. Maintenant, dans ces nouvelles circonstances, YHWH conduira *(hîbē'tî)* de nouveau son peuple (Juda et Israël réunis) jusqu'à Sion (Jr 16, 14 s. ; 23, 7 s.). Cela ne signifie pas retourner au passé. La formule consacrée « il fit monter *(heʿelāh)* les fils d'Israël de la terre d'Égypte » est, pour Jérémie, une réalité du passé, on n'en parlera plus désormais, pas plus que de l'ancienne alliance rompue par Israël (31, 31 s.). C'est dans une situation historique nouvelle que le thème de l'Exode doit maintenant être compris : le Dieu vivant *(ḥay YHWH)* renouvelle son engagement avec une génération différente [16]. Cette nouvelle situation implique :

— Que l'Exode n'est plus « de l'Égypte », mais « du pays du Nord et de tous les pays où il les a dispersés », ce qui confère une universalité plus grande à l'action de Dieu ;

— Que le but n'est plus une terre « promise » et encore inconnue, mais « sa terre », ce qui affirme l'unité et la permanence de l'action de salut inaugurée dans le premier Exode ;

— Qu'il y a eu un jugement (« où il les a dispersés »). Ce jugement explique la mauvaise situation présente, établit la

16. Jr 23, 7 s. La formule traditionnelle se référait à la montée des fils d'Israël *(bᵉnê yiśra'el)* d'Égypte ; la nouvelle louera YHWH pour la montée de la « semence de la maison d'Israël » *(zeraᶜ bēt yiśra'el)*.

nécessité de revenir en quelque sorte aux fondements mêmes du salut.

Ces fondements sont dans le pouvoir de YHWH, pouvoir créateur, absolument original et antérieur à quelque pouvoir humain que ce soit (Jr 31, 35-37) [17]. Loin d'affirmer la capacité de salut de quelque institution ou mouvement politique de libération, Jérémie, en recourant au thème de l'Exode, dénonce institutions et mouvements, lorsqu'ils impliquent la méconnaissance théorique ou pratique de la primauté et de l'autonomie de Dieu dans l'histoire du salut [18].

3. La tradition de l'Exode pendant l'exil

A) ÉZÉCHIEL [19]

Le désastre du Peuple de Dieu — avec la fin de ses institutions nationales — doit aussi être compris comme la conséquence inévitable du péché, selon Ézéchiel, prophète de l'exil (Ez 2 — 3). Cela ne veut pas dire la fin de l'espérance d'Israël, car Dieu continue de vouloir la vie de son peuple (37, 1-14). Mais l'espérance est en Lui, comme en sa source première et exclusive : « Je suis YHWH » ('anî YHWH) (36, 21 ss.). Le Temple, dont la prétendue inviolabilité avait déjà été dénoncée par Jérémie (Jr 7), a été abandonné par YHWH (Ez 10, 18 et 11, 22 s.) ; la monarchie n'existe plus (et Ézéchiel ne lui laisse

---

17. La capacité de faire pénétrer la nouvelle alliance dans le cœur de l'homme semble mettre aussi en jeu la capacité créatrice de Dieu.

18. L'épisode de la réunion des ambassadeurs (Jr 27) est significatif sous cet aspect : Jérémie écarte l'idée que le salut (c'est-à-dire le bien d'Israël inséré dans le plan de Dieu) vienne par le chemin de la « libération » politique concrète. Cela dit, on ne veut pas nier que la primauté de Dieu se manifeste normalement dans les institutions politiques et religieuses, dont la fonction est d'actualiser les exigences de l'alliance. Mais dans le moment de crise au sein du peuple de Dieu (crise qui affecte ces institutions), le renouveau n'est pas à chercher dans leur efficacité propre, mais en Dieu lui-même qui les précède et peut se passer d'elles. De fait, la communauté post-exilique ne rééditera pas simplement les anciennes institutions.

19. Sur l'époque d'Ézéchiel, il n'y a aucun doute : c'est celle de l'exil. En ce qui concerne le lieu de son activité, la majorité des auteurs incline pour Babylone. Un état de la question par A. GELIN et L. MONLOUBOU dans Introduction critique à l'Ancien Testament, H. CAZELLES édit., Paris, Desclée, 1973, p. 413-428.

pratiquement pas de place dans le futur peuple de Dieu restauré). L'espérance dans la restauration future repose donc exclusivement sur le pouvoir de YHWH : il interviendra en vertu du serment fait aux Pères, pour la gloire de son Nom devant les nations (20, 9 s.14.22 ; 39, 23, 27)[20]. Il a voulu manifester son indépendance vis-à-vis de toutes les institutions et du pouvoir qu'elles représentent. C'est pourquoi il s'agit du retour à une situation originale qui, comme en Jérémie, met en jeu le pouvoir créateur contenu dans le mystère de l'expression «Je suis YHWH» (*'anî YHWH* : 37, 1-14 ; 39, 28).

Quel sens prend l'Exode dans cette perspective ? La nouvelle «sortie» (*yaṣa'*, hif.) d'Israël sera, pour Ezéchiel, celle d'un peuple rassemblé par YHWH d'entre les peuples où il avait été dispersé (comme châtiment) et où il s'était livré à l'idolâtrie (sans comprendre le sens de ce châtiment) afin qu'il se soumette à un jugement purificateur dans le désert (Ez 20, 30-44). Ceux qui acceptent la souveraineté de YHWH et les exigences de son alliance entreront dans la «terre d'Israël» qu'il avait juré de donner aux Pères (vv. 38 et 42), mais non les rebelles. A ceux-ci, il arrivera ce qui est arrivé aux rebelles du premier Exode qui, bien qu'étant sortis d'Égypte, n'atteignirent pas la Terre promise (v. 38 ; cf. Nb 16, 16 ss). Ainsi le thème de l'Exode devient ici celui du jugement sur Israël, un jugement d'où YHWH tirera une communauté repentie (v. 43), capable de le «servir» dans son nouveau Temple (v. 40). Comme dans les anciennes traditions, l'Exode marque le service de YHWH avec ses connotations liturgiques ; la liberté pour ce service ne s'ensuit pas au moyen d'une geste politique de guerre, mais par la purification que Dieu mène à bien dans son peuple, pour lui permettre d'entrer dans la Terre promise. Sans la purification, la «libération» de la servitude peut se conclure par la mort dans le désert.

B) L'HISTOIRE DEUTÉRONOMISTE [21]

Cette histoire représente la réflexion de groupes qui cherchaient dans la foi traditionnelle le sens d'une histoire qui s'était

---

20. Chez Ézéchiel, le peuple n'implore même pas pour sa libération ; son désir est d'être comme les nations parmi lesquelles il se trouve, «adorateur du bois et de la pierre» (Ez. 20, 32-35).

21. Sa situation à l'époque de l'exil est claire aussi. Bien que certains auteurs lui attribuent une origine palestinienne, elle put très bien être connue par les

terminée par la catastrophe nationale ; elle voulait fonder l'espérance d'une libération future.

Pour les deutéronomistes, d'abord, la catastrophe ne doit pas causer de surprise. La menace de châtiment était un risque pour le peuple d'Israël, en raison de la b⁽ᵉ⁾rît elle-même (Dt 28, 16 — 28, 68 ; Jos 24, 1-28 ; 1 R 8, 46). De plus, elle était annoncée par les prophètes[22] et par les jugements successifs sur la monarchie, qui auraient dû servir d'avertissement. La destruction des sanctuaires apostats (2 R 23, 8 ss), au lieu de donner une fausse sécurité, aurait dû faire comprendre que « le lieu choisi par YHWH... entre toutes les tribus » (Dt 12, 5) pouvait être lui aussi objet de châtiment, d'autant plus qu'il avait fallu le purifier deux fois de l'idolâtrie (2 R 18, 1-4 ; 23, 4-7). En résumé, l'exil ne doit pas être compris comme la conséquence d'un manque d'amour de YHWH pour son peuple, ni comme un manque de pouvoir de sa part (Dt 1, 27 ; 9, 28).

Mais si le rappel de la b⁽ᵉ⁾rît, avec ses exigences et ses menaces, explique la calamité présente, Israël ne doit pas oublier que YHWH est « le Dieu qui *l'a tiré d'Égypte*, et l'a fait monter dans la Terre promise, terre où ruissellent le lait et le miel » (Dt 6, 21 ss ; 26, 5 s. ; Jos 24, 5-13). Cette confession de foi qui domine l'histoire deutéronomiste implique plusieurs choses :

— Une reconnaissance du pouvoir de YHWH, qui le place à la tête de tous les dieux (Dt 4, 34 ; 2 S 7, 22 ss)[23]. Comme conséquence de l'Exode, Israël doit reconnaître YHWH comme son Dieu (Dt 5, 6) et accepter ses commandements.

— L'Exode est avant tout un acte d'amour gratuit de YHWH, une élection sans qu'il y ait aucun mérite de la part d'Israël (Dt 4, 20.34.37 ; 7, 7 s. ; 1 R 8, 53). Si on peut et on doit continuer de croire et d'espérer en lui durant l'exil, c'est parce que, selon le courant deutéronomiste, depuis l'exode d'Égypte, il a montré

---

exilés. Voir J. DELORME et J. BRIEND, dans *Introduction critique à l'Ancien Testament*, H. CAZELLES édit., Paris, Desclée, 1971, p. 247-249.

22. La parole prophétique joue un rôle important dans l'œuvre Dtr., c'est elle qui, par ses avertissements et ses menaces, donne sens à l'histoire des deux royaumes qui avancent vers leur ruine. Cf. : G. von RAD, *Théologie de l'Ancien Testament,* trad. franç., Genève, Labor et Fides, 1971³, p. 290 ss ; — J.-A. SOGGIN, *Introduzione all'Antico Testamento,* Brescia, Paideia, 1974, p. 227-229.

23. C'est lui qui agit dans l'Exode, par « des preuves, des signes, des prodiges, la guerre, à main forte et à bras étendu ».

son pouvoir inégalable mis, par son amour, au service de la libération d'Israël. Cet amour éternel explique toute l'histoire de la monarchie (2 S 7, 12-16) bien au-delà du péché et du châtiment (cf. 2 S 12, 24 s.), mais son objectif final est le don d'une vie qui suppose l'acceptation de la souveraineté de YHWH («Je suis YHWH ton Dieu») et des exigences de son alliance (Dt 30, 15-20 ; cf. 11, 18-32) [24]. La libération d'Égypte est un pas sur le chemin pour obtenir cette vie.

c) La tradition sacerdotale (P)

A l'époque de l'exil, la tradition sacerdotale recourt aussi à la tradition de l'Exode. Sa vision particulière de l'histoire du peuple élu se trouve déjà en synthèse en Lv 26, 14-45, texte dans lequel la perspective de l'exil est manifeste. Pour l'historien sacerdotal, l'histoire s'est conclue par une catastrophe, en raison de l'accumulation des désobéissances à l'alliance : sans doute, le châtiment n'ira pas jusqu'à l'annulation de l'alliance de la part de Dieu, ni jusqu'à l'extermination totale du peuple (v. 44) mais Dieu se souviendra de l'alliance conclue avec les Pères qu'il a «tirés de la terre d'Égypte» (v. 55).

Quelle signification théologique a, dans cette perspective, «l'extraction d'Égypte»?

1° Il faut tenir compte, en premier lieu, du fait que cet acte de YHWH fait partie d'une histoire qui commence avec l'acte créateur [25], et qui culmine dans la construction du sanctuaire du désert, centre de la communauté cultuelle dans sa marche vers la Terre promise [26]. La terre où va Israël est ainsi un pur don, reposant sur le pouvoir absolu du Dieu créateur. Elle est offerte au peuple rassemblé comme communauté qui a son centre en YHWH, à qui on rend un culte dans le Tabernacle. C'est à cela qu'est ordonné l'événement de l'Exode.

2° L'historien sacerdotal accentue fortement le fait que l'Exode est un acte de YHWH. C'est lui qui tire d'Égypte les fils

24. Voir H. Cazelles, *Introduction critique à l'Ancien Testament*, p. 224.
25. La chronologie élaborée par P souligne l'unité de l'histoire du salut avec l'acte créateur de Dieu.
26. Dans le récit P, la révélation de la gloire de YHWH au Sinaï est orientée vers la construction de la «demeure» (*miškan*) et de la «Tente de Réunion» (*'ohel mo^ced*) (Ex 24, 16 s. ; 25 — 31 ; 35 — 40 autour desquelles les tribus en marche dans le désert se réuniront.

d'Israël, pour en faire son peuple (Ex 6, 7) [27]. Moïse et Aaron sont ses envoyés pour une mission qui a quelque chose de prophétique : annoncer, réaliser les signes attestant l'authenticité de ce qu'ils annoncent, s'affronter aux magiciens en montrant le pouvoir de YHWH [28]. Mais tout cela ne conduit qu'à l'endurcissement du Pharaon, et à son affrontement final avec YHWH lui-même, ce qui était d'ailleurs annoncé depuis le début (Ex 7, 5). En réalité, le récit sacerdotal, en Ex 7-14, ne suggère pas tant un combat entre Israël et l'Égypte, ou entre YHWH et Pharaon, qu'un enchaînement d'actions divines prévues et conduites de telle manière qu'Israël comme les Égyptiens n'ont qu'à reconnaître le pouvoir sauveur de YHWH et à proclamer sa gloire [29].

3° Le récit sacerdotal de l'Exode annonce la rédemption *(gā'al)* et la libération *(nṣl)* d'Israël (Ex 6, 6) et cette annonce est sûrement adressée aux déportés. Mais le même récit tient à ce qu'il soit bien clair que seule l'attitude religieuse de fidélité à YHWH, de la part des déportés de Babylone, lui permettra de faire luire à nouveau la force qu'il a déjà montrée contre l'Égypte.

4° Cela signifie : abandonner l'endurcissement (dont le type est le Pharaon) qu'eux-mêmes ont montré face aux prophètes qui leur annonçaient l'exil ; faire confiance à la *bᵉrît* établie pour toujours par YHWH, gratuitement (Gn 17, 7) ; se maintenir unis dans la communauté cultuelle dans la célébration de la gloire de YHWH.

4. *Le nouvel Exode dans le Deutéro-Isaïe*

Nous arrivons ainsi au grand prophète de l'exil, dont les oracles se trouvent dans la seconde partie du livre d'Isaïe [30]. Son

---

27. En J et E, au contraire, Israël est son peuple dès auparavant (Ex 2, 24 ; 3, 7 ; etc.).

28. J.-L. SKA fait remarquer que les magiciens sont un élément propre au récit P, qui fait allusion à la lutte des prophètes contre la sagesse babylonienne : « La sortie d'Égypte (Ex 7 — 14) dans le récit sacerdotal (Pg) et la tradition prophétique », *Biblica*, 1979, p. 191-215.

29. J.-L. SKA, *art. cit.*, p. 203. Le but ultime de l'intervention de Dieu est la reconnaissance du « Je suis YHWH » de la part d'Israël (Ex 6, 7) et de l'Égypte (7, 5 ; 14, 4. 17 s.).

30. Is 40 — 55. Collection d'oracles d'un prophète de l'Exil qu'on appelle aussi « livre de la Consolation d'Israël » (cf. 40, 1 ; 49, 13 ; 51, 3).

activité commence vers l'an 546 avant J.-C., quand, avec la
conquête de la Lydie, Cyrus commence à se profiler comme
figure de première importance dans le monde du Proche-Orient.
Le Deutéro-Isaïe inaugure son activité en étant convaincu que les
événements politiques qui secouent le monde sont l'annonce de
la libération prochaine d'Israël. Son message résonne avec des
accents d'« évangile » dans la communauté des Judéens (Is 40, 9 ;
51, 17 ; 52, 1.7). Bien qu'affectés par une crise profonde, les
déportés conservent les traditions et pratiques religieuses qui
maintiennent, au moins en certains groupes, la conscience d'être
un peuple et la foi religieuse. Il y a des réunions de caractère
religieux dans lesquelles on prie et on médite les textes sacrés ; il
y a une activité prophétique et aussi une réflexion inspirée,
s'exprimant dans des œuvres littéraires d'inspiration authentiquement yahviste, comme nous l'avons vue. Le thème de l'Exode
que le Deutéro-Isaïe reçoit dans ce milieu a déjà été interprété et
actualisé dans des circonstances différentes. Il le réçoit pour
l'actualiser de nouveau en fonction d'un peuple qui ressent
vivement le besoin de « libération ». Quel sens théologique
acquiert alors l'Exode ?

C'est un *nouvel Exode* [31] que le Deutéro-Isaïe annonce pour
Israël. Parce que ce sera un exode, il s'agira d'une intervention
de Dieu en vue de sauver son peuple, c'est-à-dire le « tirer » d'une
situation mauvaise impliquant la perte de son identité nationale,
et dont la manifestation la plus notable est la perte de son
indépendance. Mais il est « nouveau », en tant que la situation
actuelle n'est pas purement et simplement comparable à la
situation mauvaise des fils d'Israël en Égypte ; l'intervention de
Dieu devra donc aussi être différente. Il ne s'agit pas de régresser
à l'attitude mentale et religieuse des clans qui se préparaient à la
liberté du désert, quelque huit siècles auparavant. Le premier
Exode est, en vérité, quelque chose du passé, sans signification
actuelle pour Israël (43, 18).

La libération que le Deutéro-Isaïe annonce est la fin du
châtiment imposé par YHWH (40, 2 ; 42, 23-25 ; 51, 17). A la

---

31. Que le thème du « nouvel Exode » soit important dans la prédication du
Deutéro-Isaïe, on le remarque à la manière dont commence et se termine le
« livre de la Consolation » (40, 3-5 ; 40, 9-11 ; 55, 12-13). Le thème apparaît en
plus avec une fréquence certaine : 41, 17-20 ; 42, 15 s. ; 43, 2. 16-21 ; 48, 20-22 ;
49, 8-13 ; 50, 2-3 ; 51, 9-11 ; 52, 10-12.

différence des Israélites en Égypte, les exilés ont (ou devraient avoir) conscience qu'ils sont à Babylone à cause de leurs péchés, et que c'est YHWH lui-même qui les retient en captivité comme il l'avait annoncé par ses prophètes (48, 3-6) et non pas quelque pouvoir politique indépendant de son pouvoir souverain (42, 24 s. ; 43, 26-28 ; 48, 1-11.18 s.). Maintenant avec la même autorité souveraine, il déclare que le châtiment a été accompli, qu'arrive le moment de la libération (40, 1-11 ; etc.). La conscience de ce que l'exil est un châtiment imposé par YHWH, fait que « sortir de Babylonie », avant même l'obtention de la libération politique, signifie la fin d'une situation de mauvaise relation avec Dieu — produite par le péché — pour donner naissance à une relation nouvelle avec lui [32].

La figure de Moïse disparaît dans ce nouvel Exode, et on ne prévoit aucun chef pour prendre sa place. Le Deutéro-Isaïe veut évidemment souligner par là le rôle de YHWH dans l'acte libérateur : il sera le conducteur du peuple (40, 3.9-11 ; 41, 17, etc.) et la protection qu'il assurera sera parfaite (52, 11 s.) en sorte que, à la différence du premier Exode , ceux qui sortent de Babylone ne devraient craindre aucune persécution de la part de la puissance qui les tenait en esclavage. Cyrus lui-même ne joue aucun rôle dans l'Exode, et il n'apparaît en définitive que comme l'instrument de Dieu qui prépare les conditions (politiques) de la « libération » d'Israël [33]. C'est là, pour le Deutéro-Isaïe une expérience bien plus profonde que la simple récupération d'une certaine indépendance politique.

Le Deutéro-Isaïe ne pense pas à une action militaire en laquelle se manifesterait de quelque manière le pouvoir d'Israël. Le nouvel Exode apparaît bien plus comme la procession d'une communauté religieuse avec YHWH en tête ; la nature même y

---

32. En Is 52, 11, le prophète presse d'abandonner l'état d'« impureté », c'est-à-dire l'existence en Babylonie. « L'Exode » est alors l'abandon de tout ce que signifie la Babylonie. Cela fait que le Deutéro-Isaïe exclut la possibilité de « dépouiller » par vengeance les Babyloniens, comme autrefois les Israélites avaient dépouillé les Égyptiens (cf. Ex 3, 21 s. ; 11, 2 ; 12, 35 s.). Il s'agit donc de laiser derrière une étape qui les a conduits à une existence « impure », et de retrouver la « pureté » d'une existence pleinement engagée avec YHWH.

33. Cf., par exemple, Is 44, 26-28. L'ordre que donne Cyrus (v. 28b : reconstruction de Jérusalem et de son Temple) n'est rien d'autre que l'accomplissement de l'ordre de Dieu (v. 26b).

collabore (40, 4-5.9-11 ; 52, 7 s. ; 41, 18 s. ; 42, 15 s. ; etc.) [34]. Mais si ce nouvel Exode peut se comparer à une procession, il ne s'agit en aucun cas d'une procession dans laquelle YHWH serait conduit comme une idole. Au contraire, c'est lui qui conduit la procession (46, 1-4).

En bref, le nouvel Exode qui mettra fin à l'exil à Babylone sera la révélation de la gloire de YHWH (40, 5), de son pouvoir (40, 10 ; 41, 20 ; 51, 9-11 ; 42, 10) et aussi de sa miséricorde (40, 11 ; 41, 17 ; 49, 13).

Cette manière de comprendre le thème de l'Exode comme acte libérateur de YHWH résulte, c'est évident, d'une théologie déjà présente dans la tradition d'Israël, théologie dont le Deutéro-Isaïe est tributaire. Les caractéristiques qu'il donne au nouvel Exode correspondent en effet à l'action salvifique du Dieu d'Israël (43, 1.3 ; 48, 20 ; 51, 11) qui met en jeu toute sa puissance créatrice (41, 20 ; 43, 7 ; 51, 9b-10) [35]. Israël a appris dans son histoire même que YHWH est le Dieu unique qui, par sa puissance, domine la création et l'histoire. Cette conception de Dieu distingue Israël des nations, selon le Deutéro-Isaïe. Elle vient de l'intelligence et de la sagesse de Dieu, chose que les idoles sont incapables de donner à leurs propres fidèles (44, 18 s.). La mission propre d'Israël se fonde en plus dans cette capacité de comprendre : être témoins de YHWH, dont Israël *seul* peut découvrir la présence dans l'histoire grâce à la parole prophétique (43, 8-12 ; 44, 8). Maintenant, si YHWH a voulu montrer que ses menaces s'accomplissent, c'est afin qu'Israël croie que s'accomplira aussi son annonce du salut, soutenu par la même puissance qui crée et dirige l'histoire. L'histoire change

---

34. Il est possible que la connaissance des processions babyloniennes, comme celle de Bel lors de la fête du Nouvel An, ait influencé l'image de la procession du nouvel Exode (cf. : *ANET*, p. 301 ; J. LINDBLOM, *Prophecy in Ancient Israël*, Oxford, 1967, p. 402, mais voir déjà en P). En tout cas, ce qu'annonce le prophète n'est pas un rite annuel, mais un événement historique, et l'objectif de cette procession n'est pas le renouveau de la nature, mais le salut du peuple conduit par YHWH, y compris sa libération.

35. L'appel au thème de la création, en relation avec l'acte sauveur de Dieu, est caractéristique du Deutéro-Isaïe. La foi dans la puissance créatrice de YHWH est ce qui permet le transfert herméneutique du thème de l'Exode à celui du nouvel Exode. E. HAAG, «Gott als Schöpfer und Erlöser in der Prophetie des Deuterojesaja», *Trier. Th. Z.*, 1976, p. 198 ss ; — Ph.B. HARNER, «Creation Faith in Deutero-Isaiah», *V.T.*, 1967, p. 298-306 ; — G. VON RAD, *Théologie de l'Ancien Testament*, t. 2, trad. franç., p. 212.

ainsi, de même que changent et passent les hommes semblables à l'herbe (40, 6-8) mais la parole de Dieu demeure, parce que Lui est toujours le même.

Et qui est-Il ? YHWH est le créateur et le Seigneur de l'histoire, mais il est aussi l'Époux d'Israël (54, 6-8), selon l'expression traditionnelle qui remonte à Osée. Le Deutéro-Isaïe renforce cette image, en l'unissant à celle du « créateur » (v. 5). L'élection demeure inscrite dans la nature même d'Israël, l'engagement de Dieu avec Israël se fait radical, antérieurement à quelque mérite d'Israël, et il demeure au-delà de son péché et du châtiment. La volonté de YHWH sur Israël est irréversiblement une volonté de salut. YHWH peut être défini comme celui « qui annonce et qui sauve » (43, 12). De là vient que l'ancienne expression guerrière de la confiance : « Ne crains pas » (41, 10-13 ; 43, 5 ; 44, 2.8), continue à être valable et même obligatoire pour Israël, bien que chez le Deutéro-Isaïe elle serve à exprimer une attitude spirituelle de profondeur très différente de celle qui animait les anciennes tribus lors de la conquête. Le fondement de cette confiance est toujours la parole : « Je suis avec toi », la présence au milieu d'Israël de ce « Je » divin, qui est la raison ultime de son histoire [36].

Le Deutéro-Isaïe en appelle continuellement à « l'intelligence », à « comprendre », à « se souvenir » (40, 21.26.28 ; 42, 18.23-25 ; 43, 8.10 ; 44, 21 ; 46, 8 s.) ; mais il est clair qu'il ne s'agit pas d'un appel à l'intelligence naturelle, ou à quelque type de raisonnement scientifique. Il s'agit au fond de comprendre le mystère de Dieu lui-même, qui il est, comment il agit. Le Deutéro-Isaïe sait très bien que le Saint est incomparable (40, 25) que son Esprit est insaisissable (40, 13), qu'il dépasse tout conseil, que la sagesse et la science humaines tombent devant lui (44, 25 ; 47, 10) comme tombent également la divination et les présages tellement en vogue à Babylone (44, 25 ; 47, 13). L'intelligence et la compréhension qu'on attend d'Israël sont telles qu'on ne peut en attendre autant en Babylonie (47, 6-11) ni chez Cyrus (45, 4), bien qu'ils puissent être tous les deux, de manière différente, instruments de Dieu. Elles ne sont possibles qu'en Israël, parce qu'elles sont le résultat de la relation entre

---

36. La formule *kî 'anî hû'* (parce que Je suis) est fréquente chez le Deutéro-Isaïe (41, 4 ; 43, 10. 13. 25 ; 46, 4 ; 48, 12 ; 52, 6) et elle évoque la révélation du Nom de YHWH (comparer Is 43, 11 s. avec Ex 3, 13 ss.).

Israël et YHWH, relation qui s'est établie et se développe au cours de l'histoire [37]. Jusqu'à maintenant, Israël a été « aveugle et sourd » pour entendre son Dieu (42, 23) mais l'assurance du salut qu'annonce le Deutéro-Isaïe est liée (et il ne peut en être autrement) à l'assurance qu'Israël parviendra à la connaissance du Nom de Dieu, à savoir le *kî 'anî hû'* (que Je suis). Cela arrivera quand « il le cherchera » en abandonnant sa conduite mauvaise et ses pensées iniques.

La connaissance de Dieu, permettant de percevoir dans l'histoire son plan de salut, n'en est pas pour autant une connaissance purement naturelle, ni ne pourrait avoir sa source dans quelque connaissance politique fondée sur une analyse « scientifique » des faits (sociaux, économiques, historiques) de l'histoire humaine. Elle est le résultat d'une attitude devant Dieu — qui a ses implications morales — dans l'histoire entre Dieu et son peuple, et elle est promise comme un don eschatologique (*bayyôm hahû'*) « en ce jour-là ».

III. - BILAN D'UNE ENQUÊTE

1. *Interprétation religieuse et interprétation politique du salut*

Nous nous sommes proposé comme champ de notre recherche la tradition d'Israël jusqu'à l'exil — avec le Deutéro-Isaïe comme principal type — sur la réinterprétation et l'actualisation du thème de l'Exode. Nous pouvons résumer maintenant les conclusions que nous estimons pertinentes pour le sujet qui nous occupe.

Tout au long de la tradition d'Israël, l'Exode apparaît comme un thème auquel on recourt fréquemment pour rappeler les attitudes religieuses fondamentales qui correspondent à la relation à Dieu. Ces recours à l'Exode ont normalement lieu dans des situations de crise, qui ont une composante politique

---

37. C'est ici affirmer, contre ce que les auteurs cités de la « théologie de la libération » soutiennent, une « histoire du salut » au sens propre, distincte formellement de l'histoire profane, bien que non indépendante d'elle, et qui donne la clef pour percevoir l'action salvatrice de Dieu dans l'histoire.

importante. C'est comme prophète et aussi comme
« théologien »[38] que le Deutéro-Isaïe s'insère dans cette tradition.
Dans la tradition biblique, l'Exode est présenté comme une
forme de salut qui ne peut venir que de Dieu, affirmation qu'on
ne peut évidemment déduire du seul fait historique considéré
objectivement. Dès la première forme de la tradition biblique de
l'Exode, nous sommes en présence d'une interprétation
croyante. Bien que le sauveur unique soit YHWH, son
intervention peut avoir des effets différents selon l'attitude du
peuple qui a besoin du salut : l'appel à l'attention sur les chemins
qui mènent vraiment au salut ; la menace du jugement,
nécessaire pour l'orienter vers le salut ; l'annonce de ce salut
comme une réalité assurée, contre toute espérance humaine.

Le politique — comme moyen suffisant pour parvenir au salut
— apparaît écarté de manière symptomatique par les diverses
traditions. Il est évident que des circonstances politiques ont joué
dans la solution des différentes crises d'Israël (à commencer par
celles qui ont facilité la sortie d'Égypte des tribus). Mais on
demeure sous l'impression que, chaque fois que la foi yahviste a
cherché le sens de ces libérations, elle l'a trouvé en YHWH, de
sorte qu'elle a dû faire les distinctions nécessaires face au pouvoir
politique comme institution de salut.

Chez le Deutéro-Isaïe, le facteur politique est représenté par
Cyrus, dont le rôle fut effectivement en un certain sens,
« libérateur ». L'attitude du prophète vis-à-vis de Cyrus est
positive, ce qui est à souligner si on considère l'attitude au moins
réticente des anciennes traditions face au roi d'Israël et l'attitude
négative, suppose-t-on, face au Pharaon[39]. Cyrus est « l'instrument » de YHWH, mais la primauté de YHWH est claire et
indiscutable. C'est lui qui est le « conducteur » de l'Exode, de
l'histoire et de Cyrus lui-même. Ce dernier au fond, est chair
(bāśar) (cf. 40, 6-8), un de ces instruments qui ne connaissent pas
YHWH (45, 4 s.) ; cela le place, devant Dieu, sur un plan distinct
de celui d'Israël même.

---

38. Le Deutéro-Isaïe développe une vraie argumentation fondée sur les
expressions traditionnelles de la foi en Israël pour faire comprendre aux exilés qui
est YHWH et quelle est sa façon d'agir. Cf. : O. Steck, « Deuterojesaja als
theologischer Denker », Kerygma und Dogma, 1969, p. 280-293 ; — G. von Rad,
Théologie de l'Ancien Testament, t. 2, p. 213 ss.

39. Cyrus est « suscité » (ᶜûr, hif.) par YHWH (41, 2 ; 45, 13), il est son « oint »
(45, 1), « appelé par son nom » (45, 3).

Ce n'est pas une « analyse » de la situation politique qui est en train de se créer à partir des interventions de Cyrus sur la scène internationale qui conduit le Deutéro-Isaïe à comprendre la libération que Dieu va réaliser en faveur d'Israël. C'est la connaissance que le prophète a de YHWH, de son dessein de salut pour Israël, à partir de sa propre tradition (dans laquelle il est inséré), tradition vécue que, de plus, il vit personnellement dans une expérience prophétique : c'est cela qui lui permet de comprendre vers quelles conséquences de salut et de libération pour Israël vont aller les changements politiques qui se profilent à l'horizon, selon le dessein de Dieu. On peut présumer que l'expérience prophétique du Deutéro-Isaïe a été déclenchée sous l'impression de la figure de Cyrus et de ses premières victoires. Mais sa conviction n'est pas de celles qui résulteraient de la compréhension politique de faits historiques déterminés ; elle est le résultat d'une illumination prophétique. D'abord, sa proclamation de Cyrus comme instrument de Dieu pour la libération d'Israël a eu lieu bien avant que le triomphe final de Cyrus sur Babylone ne soit évident. Ensuite le sens de la libération annoncée par le Deutéro-Isaïe n'est pas réduit au modèle de ce que Cyrus pourrait faire. Il est le résultat de toute la tradition religieuse d'Israël qui, dans cette circonstance critique de son histoire, a conduit le prophète à comprendre plus profondément le caractère sauveur de Dieu. Cette compréhension est, en tout cas, dans la ligne même de la tradition.

Certaines théologies de la libération se présentent parfois comme des théologies à caractère prophétique, mais leur méthode est précisément le contraire du prophétisme. La méthode proposée par une certaine théologie de la libération part à la recherche d'une définition de la « libération » et à la détermination des chemins qui y mènent au moyen d'une analyse « scientifique » déterminée de la réalité sociale, pour procéder ensuite à la découverte du lieu que se donnent ces mouvements de libération en Amérique latine. Étant donné que ces mouvements seraient « libérateurs » par définition, ils seraient révélateurs de la présence du Dieu libérateur dans l'histoire d'aujourd'hui qui serait l'histoire du salut dans son sens fort de lieu théologique. C'est à partir de cette « révélation » du Dieu libérateur qu'ensuite on cherche à comprendre le sens de l'Écriture. Mais le charisme prophétique ne garantit pas l'exactitude des analyses sociologiques qui sont à la base de cette compréhension de la libération. Le point central de l'attention de la conscience prophétique du Deutéro-Isaïe [40] comme de tous les prophètes est dans une compréhension plus profonde du mystère de Dieu lui-même. C'est cette compréhension plus profonde qui ouvre les yeux à la « nouveauté », qui empêche que l'histoire passée puisse être transposée sans plus, comme modèle de ce qui va arriver. L'intervention salvifique attendue ne peut être définie avant qu'elle n'advienne, parce qu'elle repose sur le mystère de Dieu ; mais elle sera dans la ligne de ce qu'une tradition alimentée par le prophétisme et la réflexion inspirée en a tiré comme enseignements. Dans ce salut espéré, la libération politique occupe sûrement une place, mais elle est incluse dans une expérience beaucoup plus profonde, celle d'une nouvelle rencontre avec YHWH pour vivre selon sa volonté. La libération politique ne devient pas une condition, une occasion, une conséquence ou un signe de cette nouvelle rencontre avec YHWH, alors que pour la théologie de la libération, elle est absolument primordiale [41].

Les conclusions réductrices que tire une certaine théologie de la libération pour la christologie (ou pour quelque autre thème central de la foi chrétienne) viennent de cette réduction méthodologique de base, ce qui justifie la réserve que la Commission théologique internationale a faite au sujet du recours à l'Exode dans la théologie de la libération : « ... Mais pour autant, l'Ancien Testament ne fait pas consister toute la

---

40. La dépendance du Deutéro-Isaïe vis-à-vis des traditions de la foi yahviste est totalement claire. Cf. : G. von RAD, *Théologie de l'Ancien Testament*, t. 2, p. 206 ; — W. ZIMMERLI, « Der 'Neue Exodus' in der Verkündigung der beiden grossen Exilspropheten », *Gottes Offenbarung*, Th.B., 19, München, 1963, p. 192-204 ; — O.H. STECK, *art. cit.*, p. 280-282. Comme le rappelle F. DREYFUS, l'actualisation authentique suppose une fidélité par rapport à la réalité-source, « les auteurs d'actualisation (dans la Bible) cherchaient à être fidèles aux intuitions du message primitif » (« L'actualisation à l'intérieur de la Bible », *R.B.*, 1976, p. 195). Ce principe doit être pris en compte, *mutatis mutandis*, dans chaque essai théologique d'application d'un thème biblique à une situation actuelle.

41. E. HAAG fait remarquer la manière modérée avec laquelle le Deutéro-Isaïe se réfère à la chute de Babylone, et au fait même de la libération pour fortifier la foi des exilés. Il cite à ce sujet le cardinal Ratzinger : « ... ein politisch verordnetes Heil kein wirckliches Heil ist » (E. HAAG, « Vorfragen zu einen Theologie der Erlösung », *Erlösung und Emanzipation*, Fribourg-en-Br., 1973, p. 147).

"libération" à tirer le peuple d'Égypte et à le ramener de l'exil...
ce qui prévaut, c'est l'expérience en vertu de laquelle on attend
seulement de Dieu le salut et le remède. On ne peut donc parler
de ce genre de salut, en tant que concernant les droits et le bien
de l'homme, sans faire état en même temps de toute la réflexion
théologique selon laquelle c'est Dieu, et non pas l'homme, qui
change les situations» (traduction de la *D.C.*, 1977, p. 763).

2. *Interprétation de l'Exode en Jésus-Christ*

a) L'EXODE ET LA THÉOLOGIE DE LA RÉDEMPTION LIBÉRATRICE

L'Exode a été finalement relu dans le contexte d'une situation
nouvelle représentée par la conscience de l'irruption du Règne de
Dieu en Jésus-Christ. Pour ceux qui croient en lui, Jésus-Christ
est le prophète de la nouvelle Alliance, qui réinterprète
définitivement l'Ancien Testament, faisant de chacun de ses
thèmes et de chacune de ses expériences salvatrices fondamentales, l'expression de sa propre relation au Père (cf. le document
de la Commission Biblique 2. 2. 1. 3. Tous les éléments de la
geste libératrice se concentrent en lui : l'Agneau pascal (1 Co 5,
7 ; Jn 1, 29 ; Ap 5, 6 ; 1 P 1, 18), les prodiges de l'Exode (1 Co 10,
1-6 ; cf. Jn 3, 14), le pain « descendu du ciel » (Jn 6, 30 ss.) l'eau
(Jn 4, 13 s. ; 7, 37 s.), etc. Il est enfin le nouveau Moïse (Ac 3,
20-22 ; 7, 35 ss.) en sorte que son évangile — accomplissement de
celui qui annonçait en Is 61, 1-2 : la libération aux pauvres, aux
captifs et aux opprimés (Lc 4, 17-21) — peut être introduit par
une voix prophétique qui appelle au nouvel Exode avec les mots
du Deutéro-Isaïe (Mt 3, 3)[42].

Tout au long de l'ancienne Alliance, Alliance de Dieu avec un
peuple organisé en nation, la composante politique a occupé
inévitablement une place très importante dans les aspirations au
salut. De là vient le risque que cette composante étouffe une
autre perception bien plus profonde, propre à la tradition
inspirée et spécialement celle des prophètes, qui a toujours vu
dans les événements libérateurs le mystère de la relation d'Israël
avec son Dieu, relation dont dépend son salut qui, à son tour,

---

42. *Teologia de la liberación*, Madrid, 1978, p. 191 s.

dépend de la pure volonté salvifique de Dieu. La tension sera
constante en Israël, et l'histoire du mouvement maccabéen
montre jusqu'où peut conduire la prétention d'établir le Règne
de Dieu par des moyens politiques, qui cherchent à s'appuyer
normalement sur la force. A cause de cela, les thèmes
vétéro-testamentaires n'ont qu'une valeur « parabolique » par
rapport au Nouveau Testament [43], c'est-à-dire que dans les
réalités concrètes de l'Ancien Testament, il faut savoir découvrir
où agit la force de salut qui se révélera définitivement en Jésus.
Dans le langage de saint Paul, les expériences anciennes dans
lesquelles Israël a reconnu les divers moments de sa rencontre
avec Dieu, furent des « figures » (*typoi*) « mises par écrit pour
notre instruction, à nous qui sommes arrivés à la plénitude des
temps » (1 Co 10, 1-11). Il vaut la peine de faire remarquer que la
valeur de ces figures n'est pas alors dans l'événement historique
lui-même, mais dans ce qui a été « mis par écrit » à son sujet,
c'est-à-dire dans ce qu'a perçu en lui la tradition inspirée d'Israël,
tradition dans laquelle les prophètes occupent une place spéciale.

b) Les exigences morales de la rédemption

Il est évident, et il vaut la peine de le rappeler en arrivant à la
fin de cette enquête, que la tradition de l'Exode, pour être celle
de la libération du peuple de l'Alliance, soutient toutes les
exigences morales, non seulement individuelles mais aussi
sociales, contenues dans la « Loi » de l'Alliance. Dieu se présente
lui-même comme le défenseur des pauvres, des opprimés et des
invalides, faisant référence explicitement en certaines occasions à
cette « option pour les pauvres », dans l'expérience de l'Exode
(Ex 22, 20 ; 23, 9 ; Lv 19, 33-34 ; Dt 10, 18 ss. ; 24, 17-22). S'il a
libéré son peuple d'un joug étranger, c'est afin que tout homme
puisse jouir de la liberté assurée par sa grâce, et Israël a le devoir
impérieux de manifester au monde pécheur un modèle de vie qui
corrige tous les désordres introduits par le péché de l'homme
(oppressions, frustrations et aliénations, aux niveaux politique,
économique et idéologique). Le Nouveau Testament, pour sa
part, ne passe pas au-dessus de ces exigences ; au contraire, Jésus

---

43. H. Schürmann, Salvacion escatologica de Dios y responsabilidad del
hombre », *Teologia de la liberación*, p. 64-67.

mène à son accomplissement toutes les exigences éthiques qui
avaient pris une forme précise dans la Loi, dans les Prophètes et
l'enseignement des Sages. En reprenant les anciens thèmes de
l'Exode, le Nouveau Testament nous conduit à découvrir les
racines plus profondes du mal et le sens plus profond de la
libération que Dieu veut pour l'homme.

Pour cela, dans la nouvelle Alliance devenue réalité en
Jésus-Christ, la vraie Pâque est le passage du Christ de ce monde
à son Père (Jn 13, 1) ; y participer, cela signifie pour le chrétien
«passer» aussi de la mort à la vie (Jn 5, 24), conduit par ce
nouveau «chef» (*archègos*) qui mène à la vie (Ac 3, 15), qui
sauve (v. 31), qui libère (Jn 8, 36). La lutte qu'il faut
nécessairement livrer dans cette nouvelle geste «libératrice» est
la lutte contre le péché (Jn 8, 34. 36 ; Ac 5, 31) et contre le diable
(Jn 12, 31). Cette lutte a déjà été gagnée par Jésus dans le
mystère de sa mort et de sa résurrection. C'est en lui qu'on voit
résumée, de manière éminente, la force salvatrice contenue dans
les figures de l'Agneau pascal et du Serviteur de YHWH. On ne
peut dire plus clairement que ce n'est pas par la force des moyens
politiques ou de quelque autre moyen humain.

Il est indiscutable que la victoire sur le mal, saisie «en figure»
par l'intervention libératrice de Dieu en Égypte, et «en réalité»
par Jésus-Christ dans sa mort et sa résurrection, est destinée à
faire sentir ses effets dans tous les domaines de l'existence
humaine, y compris l'exercice des responsabilités sociales. La
théologie, et spécialement la théologie morale et la théologie
pastorale, a ici une tâche qui est urgente en Amérique latine et en
d'autres parties du monde. Il faudra prendre en compte dans
cette réflexion théologique les circonstances historiques et les
moyens que ces circonstances offrent à l'action salvifique de
Dieu, étant donné qu'il est clair que Dieu n'établit pas sa justice
en direct du ciel, mais qu'il la réalise au moyen d'instruments
humains (Moïse, Cyrus). Mais il semble nécessaire de rappeler,
devant la méthode proposée par la théologie de la libération, que
les moyens humains (politiques, économiques et autres) ne sont
pas ceux qui, en dernière analyse, réalisent la libération intégrale
de l'homme. C'est pourquoi une réflexion théologique sur la
libération ne peut pas partir méthodologiquement d'une analyse
«scientifique» de ces moyens et circonstances. C'est cela que
nous nous sommes proposés de rechercher dans cet article, en
explorant les textes de l'Ancien Testament relatifs à l'Exode. En

chrétien, nous ne comprendrons jamais *en quoi* consiste notre libération, si nous ne comprenons pas *qui* nous a sauvés et *de quoi* Il nous a sauvés. Nous n'atteignons cette compréhension que par la foi en Jésus-Christ.

Mais ici, nous sommes déjà en pleine christologie, et notre propos est beaucoup plus modeste. Arrivant à ce point, il faut affirmer, avec le document de la Commission Biblique Pontificale, que la compréhension chrétienne de la libération doit être fondée sur la *totalité* du témoignage que l'Église donne de Jésus-Christ, témoignage exprimé dans les écrits du Nouveau Testament et qui permet de reconnaître sa présence et son action dans les diverses situations historiques (2. 2. 3).

LA COMPOSANTE SOCIALE
DANS LE MESSAGE MESSIANIQUE
DE L'ANCIEN TESTAMENT

par ALFONS DEISSLER* (Fribourg-en-B.)

I. - SITUATION DU PROBLÈME

Dans l'exégèse d'aujourd'hui, la « messianité » est une notion à plusieurs sens. Autrefois, l'exégèse chrétienne prenait comme point de départ, ouvertement ou tacitement, le Nouveau Testament qui, de son côté, procédait d'une façon analogue à l'exégèse juive de l'époque et interprétait avant tout *per accommodationem* beaucoup de passages de l'Ancien Testament comme annonçant le Christ (Messie) Jésus, ou du moins comme faisant allusion à lui. Certes, dans l'herméneutique biblique, on mit bientôt en relief une différenciation entre les divers « sens » d'un texte de l'Écriture, en regardant le plus souvent comme « fondamental » par rapport aux autres le *sensus litteralis* (cf. les exégètes de l'école d'Antioche). La discussion plus récente autour du « *sens plénier* » montre que l'herméneutique moderne a élevé le sens littéral au rang de seul sens scientifiquement justifiable de l'Écriture. Sur cette base, on constate depuis quelques décennies une forte réduction du nombre des textes qu'il faut interpréter en exégèse comme « messianiques ». En conséquence, on a presque complètement abandonné la distinction, faite de longue date, entre « directement » et « indirectement » messianiques. C'est le cas, par exemple, pour l'interprétation des psaumes qui se rapportent à ce problème : on a mis en

---

* Traduction de Franz Hennès et Pierre Grelot.

jeu à leur sujet une nouvelle façon de voir d'après laquelle, en Israël, le roi, en tant que « oint de Yahwé », est toujours une préfiguration du Roi qui, dans l'avenir, apportera le salut.

Jusqu'à une époque très récente, on s'en est donc tenu généralement aux textes regardés classiquement comme messianiques (Is 7, 14 ; 8, 23 — 9, 6 ; 11, 1-10 ; Mi 5, 1-5 ; Za 9, 9 s)[1]. Mais il y a aussi, depuis peu, d'autres tendances : d'un côté, on voit croître une opinion suivant laquelle les textes messianiques doivent être datés surtout de l'époque qui suivit l'exil (p. ex. G. Fohrer) ; d'un autre côté, des voix s'élèvent pour restreindre leur horizon à la seule restauration de la royauté davidique. Cette dernière tendance est surtout représentée par J. Becker dans son étude sur l'attente messianique dans l'Ancien Testament[2]. D'après lui, si on ne « manipule » pas les faits historiques, il se passe la chose suivante. Les tendances antimonarchiques des temps anciens étaient puissantes et tenaces. Avant l'exil, la royauté davidique n'a pas réussi à avoir une signification salvifique. Is 8, 23 — 9, 6 et 11, 1-5 sont des « compositions pour l'intronisation d'un roi davidique »[3]. Après l'élimination de la royauté empirique, deux courants se sont formés : a) une attente sous la forme exclusive de la restauration royale ; b) une attente exclusivement théocratique. Dans ce dernier cas, l'idéal royal est transféré sur le peuple, conformément au modèle fourni par Is 55, 3-5. La rédaction finale du livre d'Isaïe adopte déjà cette interprétation collective. Ce ne sont pas seulement les Psaumes 2, 45, 72 et 110 qui sont à appliquer collectivement à Israël, mais également Mi 5, 1-5 et Za 9, 9 s. Le Nouveau Testament adopte une nouvelle interprétation des textes appelés « messianiques » : celle-ci est théologiquement valables ; mais, au niveau de l'Ancien Testament, elle n'est pas vérifiable.

Le cadre de la présente étude ne se prête pas à une discussion scientifique ni à une prise de position obtenue à l'aide de

1. Cf. S. Mowinckel, *He That Cometh*, Oxford, 1956 ; — M. Rehm, *Der königliche Messias im Licht der Immanuel-Weissagungen des Buches Jessiah*, Kevelaer, 1968 ; — J. Coppens, *Le messianisme royal : Ses origines, son développement, son accomplissement* (Lectio Divina, 54), Paris, 1968 ; — U. Kellermann, *Messias und Gesetz. Grundlinien einer alttestamentlichen Heilserwartung* (B.St., 61), Neukirchen-Vluyn, 1971.

2. J. Becker, *Messiaserwartung im Alten Testament* (SBS, 83), Fribourg-en-Br., 1977.

3. Id., *Ibid*, p. 40.

l'exégèse historico-critique. Mais celle-ci n'est pas non plus nécessaire. En effet, même en admettant que les vues récentes aient trouvé leur *fundamentum in re* dans l'Ancien Testament, en connexion avec ses diverses époques historiques, on se contentera de poser ici la question suivante à propos de l'interprétation des textes messianiques : Quelle place y occupe *la composante sociale*, et quelle est son importance ?

II. - LA COMPOSANTE SOCIALE DU MESSIANISME ROYAL DANS LA LITTÉRATURE PROPHÉTIQUE

1. *Isaïe 9, 1-6*

Ce texte a pour cadre l'attente d'un règne de paix dont l'artisan sera Yahwé lui-même (cf. 9, 1-4 et 9, 6 *c*). Le tournant que ce texte présente comme dépassant la « jour du Madiân » trouve entièrement son origine en Dieu. Ce qui est accordé par lui a toutefois pour garant un roi davidique auquel, contrairement aux rois de l'histoire, sont accordés des noms divins d'intronisation qui sont comparables aux titres du Pharaon égyptien et peut-être s'en inspirent. Le roi acquiert ainsi le profil d'un souverain universel et se trouve mis en relation très proche avec Dieu lui-même. Le titre suprême, identifié comme tel tant dans les versets 1-4 que par ce qui est dit dans les versets 5-6 (surtout 6 *a*), est « Prince de la paix ».

La plénitude de paix accordée par Yahwé est garantie par le fait que ce descendant de David réalisera enfin l'idéal royal de l'ancien Orient : son règne est qualifié par les termes importants de « droit et justice » (*mišpāṭ* et *ṣᵉdāqāh*). Les noms qualifiant une dignité quasi divine ne mènent pas non plus à « Majesté » et « gloire », mais ils ont d'abord pour fin le « droit divin ». Le même concept double désigne dans Is 5, 7 (chant de la Vigne) ce que Yahwé attendait comme « fruit » essentiel d'Israël, en tant que « peuple de Yahwé » (cf. Is 1, 21). Il s'agit là de cet ordre du droit qui exprime et rend possible l'existence humaine pour tous les membres du peuple. Cet ordre est le « bien », qui signifie ici : « Aidez l'opprimé, faites droit à l'orphelin, prenez la défense de la veuve» (Is 1, 17 ; cf. Am 5, 15). Les imprécations d'Isaïe montrent que l'organisation judiciaire est certes le lieu où s'exercent le «droit» et la justice» ; mais elle figure là du même coup pour désigner, à titre de synecdoque, le sens communautaire et la loyauté envers la société pour tout ce qui concerne la vie en commun. Cette relation «horizontale» se rapporte si étroitement à la figure royale qui apporte le salut en Is 9, que cette figure en est la condition *sine qua non*.

2. Isaïe 11, 1-5

Ce texte se tient à une distance plus grande encore de la maison royale de David, puisqu'il remonte jusqu'à la «racine» de celle-ci, Jessé. La figure royale esquissée ici se distingue surtout par le fait qu'elle est imprégnée en permanence par l'«Esprit de Yahwé : Esprit de sagesse et d'intelligence, Esprit de conseil et de force, Esprit de connaissance et de crainte de Yahwé». Cet Esprit fait du roi idéal celui qui, par excellence, est sage et craint Dieu. Quel est le but de cette participation charismatique extraordinaire à l'Esprit de Yahwé lui-même ? Dieu ne vise pas à autre chose qu'à ceci : «Il (le roi) ne juge pas d'après les apparences, ne se prononce pas d'après des on-dit ; il juge les faibles avec justice, se prononce avec équité en faveur des pauvres du pays ; il frappe le violent avec le bâton de sa parole et fait périr le méchant avec le souffle de sa bouche. La *justice* est la ceinture de ses hanches et la *loyauté* est le baudrier de ses reins» (11, 4-5).

Comme en Is 9, dans la fonction du Roi sauveur de l'avenir, la composante sociale est ainsi mise en relief comme sa composante principale. Sans celle-ci, l'image du Messie présentée ici s'effondre. Le *shalôm* intérieur (paix et bien-être) du peuple de Dieu est l'objectif essentiel dans la mission du Roi sauveur. Ce n'est que dans Mi 4, 14 − 5, 5 que la paix extérieure et la sécurité du peuple de Dieu sont thématisées comme sa tâche propre.

3. Jérémie 23, 1-8

Ce texte relatif au « Germe de David » comporte dans sa forme actuelle, manifestement enrichie, une empreinte postérieure à

Jérémie. On discute même pour savoir si l'expression qui est au cœur du verset fondamental (v. 5) est de Jérémie. Cela n'empêche pas de le considérer comme un témoignage messianique de valeur. Ce document, qui parle de lui-même, est ainsi conçu : « Voici que des jours viennent — oracle de Yahwé ! — où je susciterai pour David un germe juste (cf. Is 11, 1). Il gouvernera en roi et agira sagement. Il exercera le droit et la justice dans le pays. » Cette description est en accord avec Is 9 et 11, dont le parrainage est ici évident. Elle est indubitablement sociale et se passe de commentaire. Ce n'est que dans le v. 6 que le rôle de libérateur politique du Roi sauveur est mis clairement en évidence. Les deux tâches sont symbolisées par son nom : « Yahwé-est-notre-justice ». Comme le montrent les oracles royaux précédents de Jérémie, certainement authentiques, c'est surtout le v. 5 qui correspond à son idéal royal. On lit en 21, 12, adressé à la maison des rois de Juda : « Ainsi parle Yahwé : Rendez chaque matin un juste jugement : libérez l'exploité de la main de l'oppresseur. » En 22, 15, dans un oracle relatif à Yoyaqim, Jérémie fait allusion à son père Josias : « Est-ce parce que tu as la passion du cèdre que tu es devenu roi ? Ton père n'a-t-il pas mangé et bu ? Mais il se souciait du droit et de la justice... Il prenait en main la cause du faible et du pauvre. Me connaître, n'est-ce pas cela ? — oracle de Yahwé. »

Jérémie, en interprétant le droit et la justice comme connaissance de Dieu, c'est-à-dire de Yahwé, se réfère à Osée chez qui cette association de mots — comme le montre particulièrement Os 4, 1 ss — concerne en premier lieu la reconnaissance effective de ce qu'on appelle la « seconde table » du Décalogue (devoirs envers la communauté). En retour, cela projette une lumière sur Is 11, 2, où il est question de l'« Esprit de connaissance (de Yahwé) » comme don distinctif du Roi sauveur.

Les texte messianiques des prophètes postérieurs à Jérémie ne traitent plus à part l'action du Roi futur en faveur de la justice ; mais ils l'incluent implicitement, quand ils font ressortir davantage son rôle en faveur de la paix. Dans Ez 37, 24, le « serviteur David » est le Berger unique d'un Israël à venir qui ne sera plus divisé. Ce Berger est pour tous un exemple stimulant, et il fait en sorte que l'on vive selon les prescriptions de Yahwé, qu'on observe et qu'on accomplisse ses prescriptions. Le Deutéro-Zacharie promet que le « Roi pacifique » appartiendra lui-même à la catégorie des pauvres, opprimés au temps des rois, et que, après la destruction par Yahwé de tous les instruments de guerre, il « annoncera la paix aux nations » (Za 9, 9-10). Cela suppose que le peuple de Dieu sera auparavant pacifié intérieurement, au sens du droit énoncé par Dieu.

III. - LA COMPOSANTE SOCIALE DES PSAUMES ROYAUX

La localisation proposée par G. von Rad s'applique bien au Psautier tout entier : les Psaumes sont la réponse d'Israël aux actions et aux paroles de Yahwé. Une fois que l'institution royale eut acquis le caractère de « porteuse du salut », son inclusion dans le chant des Psaumes allait de soi. Comme le montre le Psautier, il exista sans doute assez tôt le genre littéraire du « chant d'accession au trône », peut-être aussi des chants pour l'anniversaire de l'intronisation, et le genre du chant d'action de grâces après la victoire. Dans les psaumes qui se rapportent au roi, la recherche récente voit le plus souvent des « Psaumes royaux » pré-exiliens, surtout ceux qui ont comme figure de référence le descendant de David régnant. Les Psaumes 2, 18, 20, 21, 45, 72, 89, 101, 132 et 144, 1-11, sont à interpréter de cette façon.

Toutefois certains de ces Psaumes présentent des indices d'origine — ou tout au moins, de « relecture » — post-exilienne. Ce fait est également admis par les chercheurs qui tiennent pour leur datation pré-exilienne. Mais en tout cas, les Psaumes royaux ont été chantés par la communauté post-exilique, même en l'absence d'un roi historique. Que le roi soit alors compris collectivement (Israël, d'après J. Becker) ne peut guère être regardé comme crédible. L'*aura* messianique entourant chaque « davidide » aux yeux des fidèles — chose bien plus facile à comprendre — fit qu'on les chanta tant en se référant au passé que, plus encore, à l'attente du Roi sauveur de l'avenir. Le roi y paraît surtout sous l'aspect de souverain, de libérateur d'Israël victorieux. Pourtant le thème de la libération intérieure n'est pas absent. C'est de cela qu'il s'agit ici.

1. Le Psaume 101

Dans le Psaume 101 nous est parvenu un chant royal pré-exilien qui représente, pour l'essentiel, un «programme d'intronisation» que le roi prononce solennellement dans le Temple. Il s'engage d'abord à avoir le cœur pur, à être intègre et à ne vouloir faire lui-même aucun mal. Puis il se tourne vers sa fonction principale de souverain et il promet de l'accomplir en prononçant les paroles suivantes : «Celui qui dénigre le prochain en secret, je le réduirai au silence ; les yeux hautains et le cœur ambitieux, je ne les tolérerai pas. Mes yeux se porteront sur des hommes fidèles du pays, pour qu'ils demeurent avec moi. Celui qui a une conduite intègre, celui-là sera mon serviteur (ou mon ministre). Aucun homme de tromperie ne demeurera dans ma maison ; aucun menteur ne tiendra devant mes yeux» (v. 5-7). Comme le montrent le début et la fin du Psaume, le roi se comprend lui-même comme représentant et exécuteur de l'administration de la justice et de la fonction de juge de Yahwé. Son principal objectif est d'exécuter le droit divin, celui dont on trouve une présentation dans les Psaumes d'«entrée» et de «Tôrah», Ps 15 et 24, avec leur orientation générale «horizontale».

2. Le Psaume 72

Le Psaume 72, dans sa forme actuelle, est un psaume royal retouché après l'exil et il doit être, par conséquent, considéré comme «messianique». Primitivement, les verbes à l'inaccompli ont pu être prononcés sous forme brève, ce qui correspondait à des vœux adressés au roi. Actuellement, le texte massorétique présente en général des formes longues, qu'il faut considérer avec le grec comme des futurs.

Le Psaume commence par une prière adressée à Yahwé : «Dieu, accorde ton jugement (ton pouvoir de juger) au roi, et ta justice à ce fils de roi, pour qu'il gouverne ton peuple avec justice et tes humbles, selon le droit ! » Le texte désigne comme tâche principale donnée par Yahwé lui-même au Roi sauveur de garder présent dans le peuple de Dieu l'ordre juridique voulu par lui. Cet ordre profite d'abord à ceux qui ont été dépossédés de leurs droits, qui sont privés de protection, qui ont besoin d'aide (cf. Is 9, 1 ss ; 11, 1 ss ; 32, 1 ss ; Jr 25, 5 ss). Ceci est souligné une fois encore dans le v. 4 : « Il fera droit aux humbles du peuple, il viendra en aide aux fils des pauvres, il écrasera l'oppresseur. » Les v. 12 ss sont encore plus énergiques : « Il délivre l'humble qui appelle à l'aide, le pauvre et celui qui est privé d'appui. Il prend souci de l'humble et du faible, il sauve la vie des pauvres ; il les délivre de l'oppression et de la violence, leur sang est précieux à ses yeux. »

Dans ce dernier verset, le mot employé de préférence dans l'Ancien Testament pour désigner le rachat (ga'al) est employé pour désigner son activité de justice. C'est pourquoi G. von Rad note avec raison au sujet de ce texte : « Dans ces mots, c'est peut-être l'image la plus parfaite de l'amour fraternel dans l'Ancien Testament qui se trouve représentée[4]. » Dans le Psaume 72, le droit divin qui crée et apporte le salut est « l'affaire » de toute l'activité royale, de sorte que, tout à la fois, la plénitude de paix ainsi réalisée (cf. v. 3) déborde, couvre toute la terre reçue en héritage, y effectue la fécondité, si bien que le v. 6 va jusqu'à dire : « Il descendra comme la pluie sur les regains, comme la brume qui détrempe la terre. »

Dans le Psaume 72, l'idéal royal commun à l'ancien Orient et à Israël est projeté sur l'horizon de l'avenir, pour évoquer par avance le Sauveur royal de l'eschatologie. Son caractère de « rédempteur » (v. 14) consiste avant tout dans l'actualisation de l'œuvre de justice de Yahwé, surtout à l'égard des gens privés de leurs droits, des petits et des humbles. Celui qui croit en Jésus-Christ en tant que Sauveur reconnaît clairement comment, dans cette attente et cette espérance, se laisse deviner, venant de lui et se référant à lui, quelque chose d'essentiel qui est inséparable de lui, bien que le concept de « rédemption » acquière dans le Nouveau Testament une dimension nouvelle et plus vaste.

---

4. G. von Rad, « Erwägungen zu den Königpsalmen », ZAW, 58 (1940/1941), p. 216 ss.

IV. - LA COMPOSANTE SOCIALE
DANS LES CHANTS
DU SERVITEUR DE YAHWÉ

On peut présupposer ici que les problèmes exégétiques posés par les textes relatifs au Serviteur de Yahwé dans le Deutéro-Isaïe sont connus. Au plan de l'Ancien Testament, on n'a guère en vue pour eux de solutions définitives. Il en va de même pour le problème suivant : Sont-ils à interpréter d'une façon collective ou individuelle ? D'un côté, l'interprétation visant Israël semble gagner du terrain ; mais d'un autre côté, les plaidoyers se multiplient pour présenter le prophète lui-même comme étant le Serviteur. La vérité est probablement entre ces deux positions extrêmes. Le profil individuel étant évident, tant en raison du genre littéraire choisi qu'à cause de quelques expressions essentielles, on n'est pas loin d'une solution qui se rapporterait à un Sauveur individuel, considéré toutefois en même temps comme le représentant d'un Israël idéal. Le fait même que le Nouveau Testament fasse sienne cette interprétation est, pour l'exégète chrétien, une raison de plus de l'adopter. En tout cas, la composante sociale peut, dans ces textes, être placée au-dessus de la problématique générale sans qu'il y ait accord entre les exégètes, et située dans la perspective du Nouveau Testament.

1. Le premier chant

Dans le premier chant du Serviteur (Is 42, 1-4), sa tâche principale est ainsi présentée : « Il apporte le *mišpāṭ* aux nations (v. 1*b*)... Il ne faiblira pas et ne ploiera pas, jusqu'à ce qu'il ait fondé le *mišpāṭ* sur la terre, et les îles sont dans l'attente de sa *tôrāh*. » Mais que veut-on dire par *mišpāṭ* et *tôrāh* ? Ce dernier terme étant accompagné du possessif, ce n'est pas à la Tôrah établie comme instruction par Dieu lui-même qu'il faut songer, mais essentiellement à l'enseignement prophétique (cf. Is 1, 10 ; 2, 3 ; 5, 24), qui englobe toutefois la voie fondamentale indiquée par Yahwé, telle qu'elle a trouvé sa formulation dans le Décalogue. Ce sera également le cas pour la Tôrah de la Sagesse dans Pr 3, 1 ; 4, 2 et 7, 2. Dans ce cas, le mot *mišpāṭ* ne doit-il pas désigner le droit divin en général ? Cette conclusion est soutenue par un certain nombre d'exégètes. D'autres voient dans ce terme la « sentence » (Westermann), la « décision » (Elliger), le « jugement » (*TOB*), et par conséquent la décision historique de Dieu dont le Deutéro-Isaïe est établi comme témoin, à savoir : l'action libératrice de Yahwé en faveur d'Israël, comme manifestation de son unicité en face de tous les dieux des nations. Le mot *mišpāṭ* englobe vraisemblablement les deux. Autrement, le v. 3 serait assez incompréhensible : « Il ne brise pas le roseau ployé, il n'éteint pas la mèche faiblissante, il établit fidèlement le *mišpāṭ*. » Ce mot qui fait image ne comporte pas une signification unique ; mais il ne peut guère signifier autre chose que venir en aide à ce qui « se fane » et « s'éteint », et donc faire parvenir à la nouvelle vie par la parole salvatrice du Serviteur prophétique, rendue divinement efficace. Ce qui « se fane » et « s'éteint », ce n'est pas seulement l'Israël de l'exil : cela englobe tous ceux qui se croient perdus, comme le montrera Is 61, 1-3.

2. *Le quatrième chant*

Le deuxième et le troisième chant du Serviteur (Is 49, 1-6 et 50, 4-9) ne mettent pas en avant la composante sociale de son activité, mais ils préparent le quatrième chant par le thème de la « non-acceptation » du Serviteur de Dieu, voire de la lutte contre lui. Dans le quatrième texte (52, 13 − 53, 12), il s'agit d'un passage tout à fait isolé dans l'Ancien Testament, tant par sa forme que par son contenu. Au point de vue de notre thème, on doit admettre que le texte entier est fortement marqué par l'attestation d'un fait : ce Serviteur de Yahwé a assumé son destin de souffrance et de mort à la place et au profit de multitudes : « Il a porté nos souffrances et s'est chargé de nos douleurs » (53, 4)… « Il a été transpercé à cause de nos crimes, broyé à cause de nos péchés ; la punition est tombée sur lui en vue de notre salut, nous avons été guéris grâce à ses blessures » (v. 5)… « Yahwé a fait retomber sur lui la faute de nous tous » (v. 6*b*)… « Il a été retranché de la terre des vivants, frappé à mort à cause du crime de son peuple » (v. 8*b*)… « Yahwé a sauvé celui qui avait livré sa vie en sacrifice d'expiation » (v. 10)… « Mon

Serviteur le juste en justifie beaucoup il a porté les péchés des multitudes et intercédé pour les pécheurs» (v. 12c).

Sept fois — ce nombre sacré ne peut guère être l'effet du hasard — la référence du Serviteur de Dieu souffrant à la communauté et sa solidarité avec elle sont évoquées et attestées avec solennité. Dans son sens de la fraternité (ḥésed) — formule qu'on peut employer en pensant à Os 6, 6 et Mi 6, 8 — il va si loin qu'il prend sur lui, bien qu'innocent, le sort de souffrance inhumaine et de mort atroce, en tant que sacrifice expiatoire offert par substitution au profit des multitudes. D'après le verset final, c'est la raison pour laquelle Yahwé ne l'abandonne pas dans les profondeurs de la mort, mais l'en relève et le place au sommet de la vie. Le dépassement de son propre « Moi » au profit du « Nous » des multitudes est transformé par Dieu en un passage vers l'exaltation. C'est pourquoi la dimension « horizontale » — et ici le témoignage global de l'Ancien Testament coïncide sans faille avec Isaïe 53 — ne doit jamais être laissée de côté dans la définition du sacrifice personnel de Jésus-Christ, comme cela arrive souvent par sa désignation comme « offrande au Père ». Le terme « pour les frères » est essentiel et inéluctable.

V. - BREF RÉSUMÉ FINAL

L'Ancien Testament, en tant que Bible d'Israël et de Jésus, esquisse par avance dans ses textes diversement messianiques qui se rapportent au Sauveur à venir — et qui ne se laissent pas ramener à une vue d'ensemble homogène —, les traits de Jésus-Christ dans son « abaissement » et dans sa « gloire ». Une caractéristique s'y détache nettement : la solidarité communautaire de Celui qui opérera le salut par sa pensée, sa parole et son activité, présente une dimension « horizontale » qui est inséparablement liée à sa personne et à son œuvre. Que cette dimension « horizontale » soit portée par une dimension « verticale », qui est la relation la plus profonde avec Yahwé, c'est une évidence. Toutefois l'évidence de ce fait ne devrait jamais conduire à préférer d'une façon unilatérale la dimension « verticale ». Au point de vue biblique, la « religion » n'est pas seulement un attachement de l'homme *à Dieu*, mais un rattachement au Dieu *de l'Alliance* qui, par une libre disposition de lui-même, s'est constitué d'éternité en éternité (cf. 1 Co 15, 28) en « Dieu pour le monde et pour l'homme ». Ce fait atteint son point culminant dans le Sauveur humain, qui en est un témoignage évident. Il est, pour ainsi dire, en personne, ce qui, d'après Michée 6, 8, définit la parfaite alliance fraternelle : « pratiquer la justice, aimer la fraternité, aller sa route humblement avec Dieu ».

LE CARACTÈRE UNIQUE
ET SINGULIER DE JÉSUS
COMME FILS DE DIEU

par JOHN GREEHEY (Dublin)
et MATTHEW VELLANICKAL* (Kottayam, Kerala)

I. - INTRODUCTION

1.1. Pour un renouvellement de la christologie

1.1.1. LES MOTIFS DE RENOUVELLEMENT

Le caractère unique et singulier [1] de Jésus est venu au premier plan de la discussion théologique pour diverses raisons, qu'on peut résumer ainsi :

a) La prise en compte positive des autres religions du monde par le Concile Vatican II (*Nostra aetate,* sur l'hindouisme, l'islam, le judaïsme), suivi d'un guide et de suggestions pour compléter *Nostra aetate,* en janvier 1975.

b) La possibilité du salut à l'extérieur — ou du moins, à proximité — de l'Église : ainsi, les « voix de la conscience », dans *Lumen gentium*, 16 ; « les chemins connus de Dieu lui-même », dans *Ad gentes,* 7 ; « la grâce invisible », dans *Gaudium et spes,* 22. On doit ajouter à cela le « médiateur et rançon pour tous », de 1 Tm 2, 3-6 ; « la grâce de Dieu manifestée pour le salut de tous

---

* Traduction de Chantal CRÉTAZ et Pierre GRELOT.

1. Le mot anglais *uniqueness* note à la fois le caractère *unique* en son genre qui appartient en propre à Jésus, et sa *singularité* par rapport aux autres hommes. De là cette paraphrase adoptée pour traduire le mot en français. On la retrouvera à plusieurs reprises dans l'article (N.d.T.).

les hommes», de Tt 2, 11 ; «l'expiation pour les péchés du monde entier», de 1 Jn 2, 2.

c) L'existence de quelque forme de révélation à l'extérieur du christianisme (*Lumen gentium*, 16 ; *Nostra aetate*, 2 ; *Dei verbum*, 3 ; *Gaudium et spes*, 22, à quoi l'on peut ajouter Rm 1, 20 et Ac 14, 17).

d) L'universalité de la grâce de Dieu dans le monde (*Lumen gentium*, 13 ; *Gaudium et spes*, 19 et 22).

e) La condition *de facto* minoritaire de ceux qui, dans le monde, se disent chrétiens.

f) L'existence de grandes civilisations qui ont précédé le christianisme et qui continuent de coexister à ses côtés, sans connaissance formelle de Jésus ou sans adhésion à lui.

g) La prise de conscience nouvelle d'une unité globale au cœur du pluralisme culturel et religieux dans le monde d'aujourd'hui.

Ces développements théologiques ont fait naître une recherche pour trouver de nouveaux fondements en christologie. Ils expliquent l'émergence, durant ces dernières années, de plusieurs christologies différentes parmi les théologiens (*v.g.* Rahner, Kasper, Schillebeeckx, Mackey, Sobrino, Boff, etc.). L'enjeu final de ces diverses christologies est, sous une forme ou sous une autre, la situation unique et singulière *(uniqueness)* de Jésus. Des théologiens qui sont en position minoritaire, spécialement parmi les autres religions du monde, s'efforcent de démontrer le caractère unique et singulier de Jésus, qui le place au-dessus d'autres hommes dotés d'expérience religieuse, de sorte qu'il n'est pas seulement «un parmi beaucoup d'autres». C'est ce point qu'il faut examiner de près.

1.1.2. LE CENTRE DE TOUTE CHRISTOLOGIE

Nous devons déclarer tout d'abord qu'en dernière analyse le caractère unique et singulier de Jésus doit être fondé sur la conscience qu'il avait de lui-même et sur la révélation qu'il en fit par ses paroles et ses actes durant sa carrière terrestre. La foi apostolique en Jésus-Christ ne peut reposer sur l'expérience pascale qu'en ayant pour support le témoignage prépascal de Jésus. Pénétrer dans le mystère de sa conscience ou, en d'autres termes, de son expérience de Dieu, est une tâche indispensable. Sans cela, on ne peut rendre justice au caractère unique et singulier de sa personne telle qu'elle est comprise par la foi chrétienne. L'originalité de sa conscience de Dieu et, par voie de conséquence, de sa propre conscience de soi, demande à être mise en évidence.

Ce travail est particulièrement nécessaire et urgent dans le contexte extrême-oriental de l'Asie, où des comparaisons ont souvent été faites entre l'expérience de Jésus et d'autres expériences de Dieu — comparaisons où de réelles différences risquent d'être trop facilement estompées. Une interprétation de Jésus largement répandue parmi les adeptes du nouvel hindouisme le regarde comme un « Jivan-Mukta » : Jésus est une âme qui a réalisé son Moi de telle manière qu'il est pleinement éveillé à l'identité du « Soi » avec le Brahman. Ses paroles dans Jn 10, 30 (« le Père et moi, nous sommes Un »), bien que relevant d'un cadre mental différent, sont entendues comme disant la même chose que l'expérience décisive de l'*advaïta* : « *Aham brahmasmi* » (« Je suis Brahman »). Même pour certains interprètes chrétiens, entre la conscience intérieure du Christ et l'expérience de l'*advaïta* (non-dualité), la différence peut sembler principalement d'ordre contextuel et linguistique. C'est pourquoi la nature de la conscience de soi qu'avait Jésus nécessite une clarification.

1.2. Une christologie « exclusive » ou « inclusive » ?

1.2.1. L'EXCLUSIVISME EN CHRISTOLOGIE

Nous devons toutefois exprimer ici une mise en garde. La christologie classique a développé une compréhension de Jésus qui était surtout exprimée en termes exclusifs de « nature ». Elle dépendait de l'attribution à Jésus de certaines qualités qui apparaissaient comme lui appartenant en propre. C'est cet « exclusivisme » en christologie qui a donné aujourd'hui naissance à ce que nous appelons la question du « caractère unique et singulier » *(uniqueness))* de Jésus. Ce type de christologie est « ontologique » du commencement à la fin. Il n'accorde aucune attention au développement historique dans la vie de Jésus. Elle est elle-même fondée sur une compréhension littérale des textes néo-testamentaires suivants : «Il n'y a pas sous le ciel d'autre nom donné aux hommes par lequel nous puissions être sauvés» (Ac 4, 12) ; «Celui qui croira et sera baptisé, sera sauvé ; celui qui ne croira pas, sera condamné» (Mc 16, 16) ; «Sans moi vous ne pourrez rien faire» (Jn 15, 5) ; «Je suis la voie, la vérité et la vie. Nul ne va au Père, sinon par moi» (Jn 14, 6).

La théologie contemporaine n'est pas à l'aise avec une christologie qui dépend, pour sa validité, de la catégorie d'«exclusivisme». A la lumière de la méthode historico-critique et de l'étude interculturelle de la religion, il est suggéré que plusieurs des qualités regardées autrefois comme propres à Jésus ont existé dans d'autres religions du monde, y compris le judaïsme. En outre, on note que la tendance à faire de Jésus un être d'exception, et par là même «exclusif», produit un effet contraire à celui qu'elle vise : elle éloigne Jésus de l'expérience de l'humanité ; elle le situe à l'extérieur du flux de l'histoire humaine et elle risque de violer le principe patristique : «Ce qui n'est pas assumé, n'est pas restauré[2].» En outre, cette sorte d'«exclusivisme» en christologie empêche un dialogue authentique entre le christianisme et les autres religions du monde. Si, dans le passé, il a été possible de trouver des traces de la christologie dans l'Ancien Testament pour enrichir notre compréhension de Jésus, de même, il est sûrement possible de découvrir d'autres reflets de la christologie dans d'autres religions du monde : ce serait un enrichissement plutôt qu'une menace pour notre compréhension du mystère de Jésus.

1.2.2. POUR UNE CHRISTOLOGIE «INCLUSIVE»

Par contraste avec la christologie classique, il est maintenant possible de repérer dans la théologie contemporaine un mouvement qui s'écarte de la christologie «exclusiviste» pour tendre à une christologie «inclusive». Ce mouvement est regardé par beaucoup comme tout à fait compatible avec les dogmes centraux de la christologie (c'est-à-dire la résurrection, la divinité, l'incarnation et le salut). En outre, ce mouvement continue d'affirmer que Jésus est le médiateur absolu, final, insurpassable,

---

2. Pour ce mot de saint Grégoire de Nazianze, le texte anglais des auteurs porte «guéri» *(healed)*. On reprend ici d'une façon plus précise la notation de l'original (N.d.T.).

universel et normatif du salut. De plus, on avance qu'une christologie « inclusive » fournit des fondements plus solides pour mettre en relief le caractère unique et singulier *(uniqueness)* de Jésus à l'intérieur de la situation culturelle et religieuse contemporaine. La perspective sous-jacente à cette christologie est historique plutôt qu'ontologique. Les textes de base qui l'inspirent sont les suivants : « Voilà ce qui est bon et qui plaît à Dieu notre sauveur, qui veut que tous les hommes soient sauvés et parviennent à la connaissance de la Vérité ; car Dieu est unique, unique aussi le médiateur entre Dieu et les hommes, l'homme Jésus-Christ, qui s'est livré en rançon pour tous » (1 Tm 2, 3-6) ; ensuite Ac 17, 23, où Paul dit aux Athéniens : « Ce que vous adorez sans le connaître, c'est cela que je vous annonce » dans le Christ Jésus.

Dans une christologie « inclusive », l'accent initial sera placé sur la *continuité* qui existe entre l'action de Dieu dans le monde et son action en Jésus. C'est au sein d'une telle continuité que commence à émerger la discontinuité entre l'Événement du Christ et toute autre chose dans le monde. En conséquence, le point de départ fondamental pour discuter le caractère unique et singulier *(uniqueness)* de Jésus est, en premier lieu, l'unité fondamentale de Jésus avec la création, l'histoire et l'humanité. C'est dans le contexte de cette unité sous-jacente aux rapports de Jésus avec le monde que se situe le plus exactement son caractère unique et singulier, compris en termes d'incarnation, d'eschatologie, de divinité.

1.3. *Deux niveaux dans le caractère unique et singulier de Jésus*

Dans le Nouveau Testament, le caractère unique et singulier *(uniqueness)* de Jésus existe au moins à deux niveaux différents. Il y a chez lui, en premier lieu, le sentiment aigu d'un accomplissement et d'une transformation des espérances des Juifs, de leurs attentes et de leur histoire, provoqué par les événements de la vie, de la mort et de la résurrection de Jésus.

Ce sentiment d'accomplissement et de transformation est particulièrement manifeste dans les différents titres venus de l'Ancien Testament qui sont attribués à la personne de Jésus : Messie, Fils de Dieu, Fils de l'Homme, Serviteur souffrant, Sagesse, Fils de David, Parole (ou Verbe). Ces titres pris ensemble mettent en évidence le caractère unique et singulier de Jésus à l'intérieur du judaïsme. Pour le chrétien, Jésus n'est pas seulement *un* Messie, il est *le* Messie ; il n'est pas seulement *un* Seigneur, il est *le* Seigneur ; il n'est pas seulement *un* fils de Dieu, il est *le* seul Fils engendré de Dieu ; il n'est pas seulement *une* parole de Dieu, il est *la* Parole de Dieu.

En second lieu, intimement lié à ce thème de l'accomplissement, il y a la conscience d'un nouvel universalisme qui surgit de l'événement du Christ, un universalisme fortement « inclusif ». En effet, le caractère unique et singulier de Jésus-Christ dans le Nouveau Testament a pour source la signification universelle de l'Événement du Christ. Cet universalisme peut être constaté particulièrement dans la théologie de saint Paul. D'une part, il y a le parallèle entre Adam et le Christ : « De même que tous les hommes meurent en Adam, de même aussi tous sont ramenés à la vie dans le Christ » (1 Co 15, 22). A cela s'ajoute la présentation d'une compréhension cosmique du salut apporté par Jésus : « Car en lui Dieu s'est plu à faire habiter toute la Plénitude et, par lui, à réconcilier avec lui-même toutes choses, tant sur terre que dans les cieux, en faisant la paix par le sang de sa croix (Col 1, 19-20). En outre, il y a la manifestation spéciale du plan de Dieu dans le Christ : « Car il nous a fait connaître, en toute sagesse et intelligence, le mystère de sa volonté, conformément au dessein bienveillant qu'il avait formé par avance dans le Christ, comme un plan à réaliser lors de la plénitude des temps : récapituler toutes choses dans le Christ, celles du ciel et celles de la terre » (Ep 1, 9-10). En dernier lieu, il y a la Seigneurie de Jésus qui embrasse tout : « ... afin qu'au nom de Jésus tout genou fléchisse, aux cieux, sur terre et sous terre, et que toute langue confesse que Jésus-Christ est Seigneur, à la gloire de Dieu le Père » (Ph 2, 10-11).

Citons une phrase de Dermot Lane dans son livre sur « l'incarnation de Dieu en Jésus » : « Toute la vie de Jésus est centrée sur Dieu et modelée par Dieu à un tel point que la subjectivité humaine de Jésus vit de son contact même avec la subjectivité divine de Dieu qui est constamment présente en Jésus. C'est cette rencontre, historiquement expérimentée, entre le Moi humain de Jésus et le sujet divin du *Logos* éternel de Dieu qui produit la véritable identité personnelle de Jésus en tant que Verbe incarné. L'interaction qui prend place entre la faveur gracieusement accordée par Dieu et la réponse parfaite à cette faveur est telle que Jésus est historiquement constitué comme Dieu fait homme. En conséquence, l'identité personnelle de Jésus peut être dite "coconstituée" par l'action de Dieu descendant vers l'homme et l'homme acceptant pleinement ces appels divins en Jésus. Le mystère de Jésus-Christ est ce qui émerge historiquement de la parfaite union entre Dieu et l'homme. Comme produit de ce lien parfait entre Dieu et l'homme, Jésus est Dieu sous forme humaine [3]. »

Dans la situation contemporaine de pluralisme culturel et religieux, une présentation du caractère unique et singulier de Jésus en contexte de christologie « inclusive » sera centrée autour des points suivants : la foi filiale de Jésus, son identité personnelle, sa mission, la signification de sa mort et de sa résurrection pour le salut, la continuité de son œuvre par l'action de l'Esprit Saint.

II. - LA FOI FILIALE DE JÉSUS : L'EXPÉRIENCE DE JÉSUS DANS LA PRIÈRE EN TANT QUE FILS DE DIEU

La foi d'un homme est perceptible dans et par sa prière, parce que la prière est l'expression de la foi de chacun. Nous pouvons donc dire que la prière de Jésus est le miroir de sa foi. On a aussi dit à juste titre que c'est dans sa prière qu'un homme est vraiment lui-même. C'est pourquoi le meilleur moyen de jeter un coup d'œil sur l'expérience de foi propre à Jésus est d'examiner sa vie de prière.

L'importance de la prière pour Jésus est mise en évidence aussi bien par son enseignement sur ce sujet que par sa propre expérience. La valeur qu'il accorde à la prière est soulignée dans toutes les couches de la tradition synoptique. C'est surtout chez saint Luc que nous trouvons des références à Jésus en train de prier : neuf en tout. Il prie habituellement à la fin d'une journée d'activité : « ... Des foules nombreuses accouraient pour l'entendre et se faire guérir de leurs maladies ; mais lui se retirait

---

3. *Irish Theological Quarterly*, 1980, p. 164 s.

dans les solitudes et il priait» (Lc 5, 15-16). Luc montre aussi Jésus recourant à la prière dans des circonstances importantes et décisives (Lc 3, 21 ; 6, 12 ; 9, 18-28 s. ; 22, 41-45). Nous voyons alors que la prière était pour lui la réponse par excellence à des situations de crise ou de décision.

2.1. L'expérience de filiation de Jésus

Quand nous examinons l'expérience de prière propre à Jésus, nous pouvons voir que c'était essentiellement une expérience de filiation. En priant, Jésus expérimentait Dieu comme Père et, par conséquent, l'approchait avec la confiance et la foi d'un enfant.

2.1.1. L'USAGE DE «ABBA» DANS LES PRIÈRES DE JÉSUS

J. Jeremias dit que toutes les couches de la tradition évangélique s'accordent pour dire que, dans sa prière, Jésus s'adressait à Dieu comme «Père» et qu'il utilisait la forme araméenne *Abba*, telle qu'elle est conservée dans Mc 14, 36. Leur témoignage est unanime pour reconnaître que Jésus recourait à cette formulation dans toutes ses prières. Bien qu'on puisse se demander, pour une partie des matériaux conservés, s'il s'agit des mots mêmes employés par Jésus, le fait demeure que cette formulation apparaît dans chacune des traditions évangéliques et qu'il n'y a pas de témoignage contraire. Le seul passage dans lequel Jésus ne commence pas sa prière par *Abba* est son cri sur la croix : «Mon Dieu, pourquoi m'as-tu abandonné?» (Mc 15, 34 ; Mt 27, 46). Toutefois Jésus a exprimé là ses sentiments avec les mots du Psaume 22, 2. Ainsi, là où Jésus prie avec ses propres mots, le témoignage demeure intact : sa foi a trouvé son expression la plus claire dans le mot *Abba*. Le mot distinctif dans les prières de Jésus, c'est *Abba*.

La prière *Abba* était évidemment caractéristique dans les Églises primitives (Ga 4, 6 ; Rm 8, 15). On pourrait supposer qu'elle a trouvé son origine dans les communautés parlant araméen, comme c'est le cas pour «*Maranatha*». Mais invoquer Dieu en l'appelant *Abba* était très inhabituel dans le judaïsme, puisque *Abba* appartient au langage de l'intimité familiale. Si Jésus n'avait pas franchi le pas en s'adressant à Dieu si intimement, ses disciples n'auraient jamais osé agir ainsi. De plus, Ga 4, 6 et Rm 8, 15 impliquent clairement que l'expérience de la filiation faite par les premiers chrétiens était comprise comme l'écho et la reproduction de l'expérience propre de Jésus. C'est précisément l'Esprit du Fils qui crie dans les croyants : « *Abba !* » Cela renforce le témoignage des traditions évangéliques pour dire que l'invocation « *Abba* » était la caractéristique distinctive de la prière personnelle de Jésus.

2.1.2. LE LANGAGE DE L'EXPÉRIENCE

Dans l'Ancien Testament, nous voyons que le concept hébraïque de paternité implique, d'un côté, une relation d'attention et d'autorité, et de l'autre, une relation d'amour et d'obéissance. « Père », dans la mentalité hébraïque, dénote une autorité et une tendresse absolues. En considérant l'enseignement de Jésus sur Dieu le Père et en examinant le contenu des prières adressées par lui à son Père, en même temps que son attitude plutôt négative à l'égard du culte juif traditionnel, nous sommes obligés de conclure que sa façon d'appeler Dieu *Abba* est le langage d'une expérience plutôt qu'une invocation formelle : c'est son expérience de Dieu qui a trouvé une expression dans la prière : « *Abba !* »

2.1.3. ORIGINALITÉ DE L'EXPÉRIENCE

Nous n'avons pas un seul exemple où Dieu soit appelé *Abba* dans le judaïsme au temps de Jésus. Mais Jésus s'adresse toujours à Dieu de cette façon dans ses prières. A partir de là, nous devons conclure que la prière « *Abba* » de Jésus exprime un sens inhabituel et sans précédent de l'intimité avec Dieu. Dans le Nouveau Testament, les emplois de « *Abba*, Père », tels qu'on les trouve dans Mc 14, 36 ; Mt 11, 25 ss ; Lc 23, 46 ; Ga 4, 6 ; Rm 8, 15, expriment la confiance et l'obéissance d'un enfant. La réalité divine que Jésus expérimentait dans ses moments de prière était si vitale et si créative qu'elle avait à inventer une expression dans son invocation de Dieu qui devait, par sa familiarité, paraître choquante à la majorité de ses contemporains. Ce langage pouvait seul exprimer l'intimité inhabituelle que Jésus a trouvée dans la prière : l'intimité, la confiance et l'obéissance d'un enfant envers son père.

2.1.4. Un sens de la filiation unique en son genre

Si l'on admet que Jésus a encouragé ses disciples à s'adresser à Dieu comme *Abba*, pensait-il qu'ils pouvaient précisément jouir de la même relation avec Dieu que celle qu'il avait lui-même, ou bien considérait-il sa propre relation avec Dieu comme quelque chose d'unique ?

D'une part, nous trouvons de nombreux passages où Jésus dit « Mon Père (qui est aux cieux) » ou « Votre Père (qui est aux cieux) ». Il n'y en a pas un seul où il se joint lui-même aux disciples dans un « Notre Père ». Ce fait est particulièrement accentué dans les écrits johanniques, où le nom de « Père » est utilisé pour Dieu environ 136 fois : l'expression « notre Père » n'y apparaît jamais, et « votre Père », une seule fois, et cela après la résurrection (« mon Père et votre Père », Jn 20, 17). En outre, lorsque Jean parle de la filiation divine de Jésus et des croyants, il prend bien soin d'utiliser le mot *huios* exclusivement pour Jésus, et le mot *tekna* uniquement pour les croyants. Ce n'est que pour Jésus que Jean emploie le mot *monogénès* (« l'unique engendré »), qui met l'accent sur la relation unique qui existe entre la filiation divine et l'engendrement du « Fils de Dieu ». Alors que les hommes doivent « *devenir* » enfants de Dieu (Jn 1, 12) et que leur filiation divine est un don qui provient seulement de l'amour de Dieu envers les hommes (1 Jn 3, 1), Jésus « *était* » l'unique engendré qui a été envoyé dans le monde (Jn 3, 16-18). Si Jésus, dans son existence temporelle, est « l'unique Fils engendré de Dieu » (Jn 1, 14-18) et si son engendrement temporel (Incarnation) est appelé un engendrement venu de Dieu (Jn 1, 13 ; 1 Jn 5, 18), c'est parce que sa filiation temporelle et son engendrement sont une continuation et une manifestation de sa filiation et de son engendrement éternels. Ils sont de nouveau différents de la filiation et de l'engendrement des croyants, que Jean indique à travers un usage différent de son vocabulaire. Si Jésus est *Ho huios tou Theou* et *Ho gennētheis ek tou Theou*, les croyants sont *tekna tou Theou* et chacun d'eux, *ho gegennēmenos ek tou Theou*.

D'autre part, nous savons par Ga 4, 6 et Rm 8, 15 que Jésus n'a pas gardé pour lui-même la forme d'invocation « *Abba* », mais qu'il a plutôt encouragé ses disciples à l'utiliser (cf. Lc 11, 2). En conséquence, nous devons poser la question que voici : Jésus ne s'est-il jamais joint à ses disciples dans une prière commune en utilisant la formule « *Abba* » comme « prière du Seigneur » ? C'est une question à laquelle nos sources ne nous permettent pas de répondre. Mais certaines considérations comme celles qui suivent sont possibles.

a) C'est seulement ses disciples que Jésus a encouragés à prier en disant : « *Abba* ». Cela implique que leur utilisation d'*Abba* était, d'une manière ou d'une autre, dépendante de leur relation avec lui. Cela indique également que leur emploi d'*Abba* était dérivé du sien.

b) Nous ne devons pas affirmer trop vite que la différence fondamentale entre « mon Père » et « votre Père » est une pure affaire de style christologique employé dans la communauté. Car la communauté était tout à fait capable de maintenir la distance christologique entre Jésus et ses disciples sans supprimer de la tradition aucun élément qui mît Jésus et ses disciples au même niveau. On le voit notamment par la tradition dans laquelle Jésus, durant sa vie terrestre, appelle ses disciples ses « frères » (Mc 3, 34 ss) : cette parole ne provoque chez eux ni difficulté ni embarras, même si par ailleurs c'est seulement une fois exalté que Jésus parle ainsi (Mt 25, 40 ; 28, 10 ; Jn 20, 17). D'ailleurs Ga 4, 6 et Rm 8, 15 ont à cet égard un caractère tout à fait provocant. D'un côté, il y a une reconnaissance du fait que la filiation des disciples dépend et dérive de celle de Jésus : c'est « l'Esprit du Fils » envoyé dans nos cœurs qui crie : « *Abba*, Père ! » Mais d'un autre côté, l'Esprit qui crie « *Abba* » fait en même temps du croyant non seulement un fils, mais un cohéritier en Christ (Ga 4, 7 ; Rm 8, 17).

c) Si nous acceptons la tradition selon laquelle Jésus a choisi un cercle plus intime de douze disciples durant son ministère, ce qui semble le plus probable, la signification du fait réside en ce qu'il en a choisi *douze*, et non pas seulement onze. Jésus lui-même n'était pas le douzième : le cercle était complet sans lui. Cela veut dire que l'Israël des derniers temps (cf. Mt 19, 28*b*) était représenté non point par lui plus les onze autres, mais par les douze comme tels. Le rôle propre de Jésus était quelque chose d'autre et de distinctif.

A partir des considérations qui précèdent, nous voyons qu'il y a des motifs pour tenir que Jésus était conscient du caractère unique et singulier, de la particularité de sa relation avec Dieu par rapport à celle des disciples, et que la distinction entre « mon Père » et « votre Père » reflète cette conscience telle qu'elle a trouvé son expression dans l'enseignement de Jésus, plutôt que quelque chose qui aurait été imposé plus tard à la tradition relative à Jésus. Nous pouvons dire que Jésus a expérimenté dans sa prière une relation intime de filiation. D'une façon caractéristique, il a trouvé par là que Dieu était « Père ». Ce sens de Dieu était si réel, si aimant, si irrésistible, que toutes les fois qu'il se tournait vers Dieu, c'était le cri *« Abba »* qui lui venait le plus naturellement aux lèvres. Nous pouvons aussi dire que Jésus était lui-même conscient de sa relation avec Dieu comme de quelque chose d'unique et de distinctif. Le fait qu'il ait encouragé ses disciples à prier de la même façon, montre qu'il pensait que leur relation dépendait de quelque manière de la sienne propre et était la conséquence de la sienne.

2.2. *L'expérience de foi de Jésus : un sentiment de filialité* [4]

2.2.1. LA QUESTION

Qu'y avait-il dans l'expérience de Jésus pour qu'il se référât ainsi à Dieu ? Quelle était la corrélation entre son expérience et sa croyance en Dieu ? Nous pouvons dire que c'était un sentiment de filialité, autrement dit, le sentiment que Dieu s'intéressait à lui en tant qu'individu avec une attention paternelle, le sentiment qu'il avait envers Dieu un devoir filial qu'aucun désir personnel ne pouvait mettre à l'écart, le sentiment de quelque chose de particulier dans cette relation.

Il est tout à fait clair que, pour les auteurs des évangiles, le sentiment de filialité qu'avait Jésus était limpide et unique. Il savait qu'il était lui-même le Fils de Dieu, et la certitude de cette filiation était fondamentale pour sa mission. Le quatrième évangile est très catégorique sur ce point. Il y a plusieurs textes dans lesquels Jésus parle de lui-même ouvertement et sans réserve comme « le Fils ».

Dans le discours apologétique de Jn 5, Jésus revendique pour

---

4. Le mot anglais *Sonship* désigne à la fois la « filiation » objective et le sentiment subjectif de « filialité ». On trouvera ici ces deux mots en alternance d'après le contexte (N.d.T.).

lui-même l'unité et l'égalité en action avec le Père et, en conséquence, demande un honneur égal pour le Père et le Fils : «... Le Fils ne peut rien faire de lui-même qu'il ne voie faire au Père ; ce que le Père fait, le Fils le fait pareillement..., afin que tous honorent le Fils comme ils honorent le Père » (Jn 5, 19-23). Ailleurs, il se présente simplement comme le Fils qui donne la liberté : « Si donc le Fils vous affranchit, vous serez vraiment libres » (Jn 8, 36). En Jn 10, 36, il s'appelle lui-même « le Fils de Dieu ». En 14, 13, Dieu est simplement présenté comme « le Père » et Jésus comme « le Fils ». La même chose peut être constatée aussi dans Jn 17, 1.

La question peut inévitablement surgir : Jésus pensait-il à lui-même comme étant « le Fils » ? Cette conscience était-elle fondamentale pour sa mission ? A-t-il vraiment parlé de lui-même comme « le Fils » ? Le meilleur moyen pour répondre à cette question est d'examiner, dans les Synoptiques, les passages où Jésus parle de lui-même comme Fils de Dieu. Nous concentrons notre attention sur Mt 11, 25-27 (Lc 10, 21-22) ; nous mentionnerons aussi Mc 13, 32, et Lc 22, 29. Nous ne prendrons pas en considération les passages où d'autres se réfèrent à Jésus comme « Fils », car ils sont généralement rédactionnels et, même s'ils étaient originaux, ils ne pourraient rien nous dire sur la compréhension que Jésus avait, pour son propre compte, de sa relation à Dieu.

2.2.2. MATTHIEU 11, 27 (Lc 10, 21-22)

« Tout m'a été remis par mon Père, et nul ne connaît le Fils si ce n'est le Père, et nul ne connaît le Père si ce n'est le Fils et celui à qui le Fils veut bien le révéler. » Ce verset à une importance particulière, parce qu'il est régulièrement posé comme pierre angulaire dans les diverses tentatives faites pour pénétrer jusqu'à la conscience que Jésus avait de lui-même. Sur la question de son authenticité, on peut dire qu'il a dû plus vraisemblablement influencer la tradition johannique que l'inverse. L'accent mis sur l'« inconnaissabilité » du Fils n'a aucun parallèle dans la littérature grecque ou gnostique. Nous notons que Jésus revendique une compréhension de Dieu *par don divin*, non une autorité *absolue*. Finalement, le langage de Mt 11, 27 est directement issu de l'expérience que Jésus a eue de Dieu comme Père.

Une fois faites ces brèves observations, nous posons la

question suivante : Ce texte nous fait-il pénétrer jusqu'à la conscience de soi qu'avait Jésus dans sa relation avec Dieu ? Il semble que la réponse doive être positive. Jésus revendique la *connaissance* de Dieu. Dans la tradition hébraïque, la connaissance, dans le contexte d'une relation personnelle, dénote une perception qui inclut toujours, en même temps, une relation intérieure avec la personne connue. Chez Jésus, elle décrit un amour donné en retour et un abandon confiant qu'éveille l'amour immérité de Dieu. C'est la même relation « Je-Tu » qui est également signifiée par « *Abba* ». Jésus connaît Dieu avec la chaleur et l'intimité d'un fils envers son père.

Cette conscience de soi semble être quelque chose de distinctif et d'unique. Jésus revendique d'avoir été mis par Dieu à part d'une façon si particulière qu'il peut dire que « tout » lui a été remis par Dieu. Il a été constitué comme l'unique bénéficiaire de la relation à Dieu et l'unique voie de la sagesse divine. Sa connaissance de Dieu est unique. Il connaît Dieu comme personne ne l'a jamais connu. La relation mutuelle qu'il expérimente avec Dieu est sans parallèle. En même temps, cette connaissance unique de Dieu peut être partagée par d'autres : « celui à qui le Fils veut bien le révéler » (Mt 11, 27*d*), de même que d'autres peuvent s'adresser à Dieu en tant que « *Abba* ».

2.2.3. LES AUTRES TEXTES SYNOPTIQUES

Nous ferons une brève présentation de chacun. Mc 13, 32 : ce texte donne une indication claire sur la vie de foi vécue par Jésus ; celle-ci implique la nécessité d'une découverte progressive des desseins de Dieu pour ce qui concerne sa mission rédemptrice ; — Mc 12, 6 : il est vraisemblable que Jésus a raconté cette parabole en se référant à sa propre mission sous la figure allégorique du fils du propriétaire de la vigne ; ainsi Mc 12, 6 atteste la façon spontanée dont Jésus pensait à lui-même comme « fils » de Dieu ; — Lc 22, 29-30 : ce texte confirme à nouveau que Jésus pensait à Dieu comme à un Père et parlait de lui comme de son Père ; une fois de plus, l'idée est celle d'une relation distinctive et unique entre Dieu et Jésus, mais aussi d'une relation que Jésus pouvait transmettre à ses disciples.

III. - L'IDENTITÉ DE JÉSUS

3.1. Jésus comme Parole (Verbe) de Dieu

Finalement, ce qui est unique, spécifique, distinctif dans le cas de Jésus, c'est qu'il est personnellement Dieu incarné. L'homme Jésus est la révélation de Dieu au monde. Bien qu'il ne soit pas explicitement indiqué dans le Prologue du quatrième évangile que le Verbe a *révélé* Dieu, l'emploi même du mot *Logos* suggère que Jean veut parler de la fonction révélatrice de Jésus, parce que la Parole (le Verbe, dans l'expression tirée du latin) est ce qui exprime extérieurement ce qu'il y a d'invisible dans l'homme. En conséquence, le fait que Jésus soit présenté comme la Parole (ou le Verbe) de Dieu montre que sa fonction révélatrice est présupposée dans le contexte. C'est en qualité de « Celui qui est avec Dieu » qu'il peut révéler Dieu. Ainsi, la même idée présente dans le v. 18 est exprimée en termes compréhensibles pour les religions et les cultures environnantes. En outre, Jean entre plus profondément dans la compréhension de Jésus-Christ, lorsque ce dernier est vu sous le titre de Verbe (Parole). Il voit là Jésus-Christ comme la Parole qui préexistait avant la création (« Au commencement le Verbe était... »), comme étant distinct de la personne du Père (« ... et le Verbe était avec Dieu... ») et comme étant Dieu lui-même (« ... et le Verbe était Dieu »).

C'est probablement cette attitude de dialogue avec l'Ancien Testament et les religions hellénistiques qui a le plus contribué à une compréhension plus profonde du mystère de Jésus-Christ. Il vaut la peine d'observer ici que les propositions : « Au commencement était le Verbe », « le Verbe était Dieu », « Toutes choses ont été faites par lui », sont telles qu'elles auraient pu être directement intelligibles et acceptables par quiconque appartenait aux religions et aux systèmes de pensée environnants. Ainsi Jean introduit le Christ en faisant usage de leurs termes et de leurs concepts, pour approfondir sa propre expérience de l'Événement du Christ et pour en aider d'autres à faire la même expérience.

Nous appelons tout ce mystère « l'Incarnation ». La doctrine de l'Incarnation éclaire notre compréhension de la présence de Dieu dans le monde. « L'Incarnation apparaît comme l'explicitation de la présence de grâce que Dieu réalise dans la création... L'Incarnation est la démonstration suprême du modèle divin qui est donné dans la création[5].

3.2. *Le sentiment de filialité chez Jésus : une conviction existentielle*

Le sentiment qu'avait Jésus d'être Fils de Dieu était une conviction existentielle, et non simplement une croyance intellectuelle. Jésus a atteint la conscience de sa filiation par l'expérience de sa filialité, plutôt que par raisonnement et inférence. Il a expérimenté une relation de filiation ; il a senti une telle intimité avec Dieu, une telle confiance en Dieu, une telle approbation par Dieu, une telle responsabilité envers Dieu, que les seuls mots adéquats pour l'exprimer étaient « Père » et « Fils ». Le titre de « Fils de Dieu » et, en fin de compte, le dogme d'une filiation en essence et substance, s'est développé à partir de la compréhension propre que Jésus avait de lui-même comme Fils de Dieu. Et le processus a déjà commencé dans les écrits du Nouveau Testament par l'addition du titre complet de la divinité dans plusieurs récits évangéliques (cf. Mt 14, 33 [Mc 6, 51 s.] ; Mt 16, 16 [comparé à Mc 8, 29] ; Mc 15, 39 [Mt 27, 54]). C'est particulièrement le cas dans la présentation johannique de Jésus.

3.3. *La filiation de Jésus et le sens de sa mission*

C'est à partir de sa conscience filiale que Jésus s'est tenu dans une relation particulièrement intime avec Dieu, qui donna naissance au sens de sa mission. « Filiation » signifie, pour Jésus, non une dignité à revendiquer, mais une responsabilité à tenir pleinement. En tant que Fils, selon Mt 11, 27, il était conscient d'être d'une façon unique et singulière le bénéficiaire et le médiateur de la connaissance de Dieu. De la même façon et pour la même raison, le mot *Abba* est devenu l'expression du complet abandon de Jésus, en tant que Fils, à la volonté du Père (cf. Mc 14, 36).

---

5. Dermot LANE, *The Reality of Jesus*, p. 135.

Dans les quelques passages synoptiques où Jésus parle de lui-même comme « Fils de Dieu », ou simplement comme « Fils », deux aspects apparaissent toujours : le premier est l'obéissance du Fils dans l'accomplissement du plan divin ; le second est la conscience et l'expérience constantes de sa relation unique avec Dieu dans la mise en œuvre de cette obéissance. En d'autres termes, la conscience qu'avait Jésus de sa filiation était probablement un élément fondamental de la conscience qu'il avait de lui-même, et c'est de là qu'ont surgi ses autres convictions essentielles au sujet de lui-même et de sa mission.

IV. - LA MISSION DE JÉSUS

4.1. *Le renversement des valeurs*

Comme nous l'avons noté, au cœur de la filiation de Jésus il y avait sa conscience d'être le Fils et de connaître ainsi son Père intimement, de savoir exactement tout ce qu'il voulait et de l'accomplir en chaque détail. La *Praxis* de Jésus est orientée, au nom du Royaume de Dieu, vers les pauvres, les opprimés, les persécutés de ce monde. Cette *Praxis* a une portée et une importance universelles pour l'humanité d'aujourd'hui : c'est une mission vers les plus pauvres, mais elle ne néglige pas les riches (cf. l'histoire, unique en son genre, de Zachée, dans Lc 19). La vision de Jésus relative au Royaume de Dieu suppose un renversement des valeurs de ce monde-ci. Ce sont les pauvres en esprit qui sont riches, les artisans de paix, qui sont appelés fils de Dieu, les humbles qui sont exaltés ; ceux qui servent sont les plus grands, ceux qui pleurent sont bénis. Nous devons aimer non seulement nos amis, mais aussi nos ennemis. Si on nous demande de faire mille pas, nous devons en faire deux mille. Si nous voulons entrer dans le Royaume de Dieu, nous devons alors devenir comme de petits enfants. Si nous avons à sauver nos vies, nous devons les perdre. « *In cruce salus* », tel doit être le plus grand des paradoxes.

On peut citer ici la fin d'un livre de D. Riches : « Alors que Jésus peut être considéré comme un homme de son temps, identifié à un groupe particulier de la paysannerie galiléenne, identifié à la cause des Juifs soumis à la domination et l'oppression étrangères, sa vie et son attitude propres le démarquent de ses contemporains, le mettent à part comme "un prophète et plus qu'un prophète". Ce qui fait en particulier qu'il est original et surprenant, c'est la façon dont il désigne son propre ministère de guérison et de pardon, de fréquentation des pécheurs, comme étant *la voie de la rédemption* pour son peuple. Pour ses contemporains, la voie de la rédemption passait par une destruction des ennemis d'Israël et non par un pardon et une invitation à la fête de ceux qui, sciemment et volontairement, étaient leurs instruments, c'est-à-dire ceux qui collaboraient avec les puissances étrangères ou n'avaient pas d'égard pour les frontières soigneusement établies entre les Juifs et les populations hellénisées. En outre, nous avons signalé que Jésus ne faisait pas mystère du fait que cette voie d'amour compatissant était un chemin de souffrance, profondément coûteux pour ceux qui y marcheraient, et malgré tout, c'était le chemin — étroit — qui conduit à la victoire et à la gloire finales. Bien plus, Jésus, en personnifiant ou en symbolisant ainsi la voie de l'amour compatissant, ne se montrait pas seulement lui-même comme un exemple à suivre, ou comme une source d'inspiration pour eux, mais comme le véritable lieu où l'amour de Dieu les rencontre : "Quiconque a honte de moi et de mes paroles..."

« Ainsi dans cet homme modeste, humble et pauvre, qui proclame la présence et la victoire de Dieu dans son propre ministère de guérison et de pardon, les pauvres de son temps pouvaient trouver un réconfort, une espérance, une perspective d'accomplissement. La puissance et la gloire de Dieu pouvaient être montrées et prendre vie dans cet homme avec sa propre histoire particulière et son propre chemin, et il en irait de même pour ceux qui pourraient et voudraient le suivre. Le fait que, durant sa vie, peu de gens furent finalement prêts à le suivre jusqu'au bout importe moins que le fait que son histoire et sa prédication se gravèrent dans les esprits de ceux qui l'avaient entendu et avaient circulé avec lui, et le fait qu'après sa mort ils trouvèrent la puissance et la force que, de son vivant, il avait seul vraiment connues, et que la communauté de ceux sur qui cette puissance s'abattit furent lancés de cette façon sur le chemin des disciples, chemin sur lequel tous s'efforceraient, par des moyens incroyablement variés, d'être fidèles à cette puissance d'amour. C'est la puissance de cette histoire de Jésus et de sa "voie" qui, soit sous ses diverses formes synoptiques, soit sous la forme plus concise du kérygme dont Paul hérita, a fondé l'Église. Mais c'est Jésus lui-même qui, par sa propre souffrance et son amour, rendit possibles ces histoires[6]. »

4.2. La norme de la vie chrétienne

4.2.1. L'ESPRIT FILIAL

Notre impératif moral est de « croire en Jésus-Christ » — *croire* au plein sens biblique du terme qui comporte une réponse d'amour dans une activité pleine d'espérance. Les observances les plus anciennes qui ont tissé un cocon autour de la Loi, n'ont plus cours. « J'ai été crucifié avec le Christ, écrit saint Paul aux Galates, et ce n'est plus moi qui vis mais le Christ qui vit en moi. La vie que je vis présentement dans la chair, je la vis dans la foi au Fils de Dieu qui m'a aimé et s'est livré pour moi » (Ga 2, 19-20). Notre union avec lui nous donne, par adoption, une relation spéciale de filiation avec le Père, et elle nous libère de la dure tutelle du « Pédagogue », la Loi (Ga 3, 24). « Et parce que vous êtes fils, Dieu a envoyé dans nos cœurs l'Esprit de son Fils qui crie : "*Abba*, Père !" Aussi n'es-tu plus esclave, mais fils, et si tu es fils, tu es alors héritier de par Dieu » (Ga 4, 6 s. ; cf. Rm 8, 9-17).

Il serait stupide de traduire le mot *Abba* au niveau enfantin de notre « Papa ». La liberté ainsi librement donnée par notre Père doit conduire à une croissance continue, à une plus grande maturité d'adulte. Nous avons été libérés de l'esclavage du péché et de l'observance de l'ancienne « disposition légale » pour devenir, par amour, esclaves les uns des autres. Nous devons aimer notre prochain comme nous-mêmes — ce qui est l'accomplissement de la Loi — plutôt que de nous entre-dévorer. Maintenant il est vrai que, tout en énonçant ce principe général de l'amour, Paul ajoute dans Ga 5, 19-23 une liste de péchés et de vertus. Ce qu'il veut dire, c'est ceci : Regardez ! Dans votre situation, la présence ou l'absence de ces actes ou de ces attitudes

---

6. D. RICHES, *Jesus and the Transformation of Judaism*, éd. Darton, Longman & Todd, 1980, p. 188 s.

est un signe de la présence ou de l'absence d'une foi authentique en Jésus-Christ, notre norme absolue. Il reconnaît qu'un tel service est un processus continuel, exigeant, et il nous encourage à ne pas nous lasser de faire le bien, «car la récolte viendra en son temps, si nous ne nous relâchons pas» (Ga 6, 9).

4.2.2. Le véritable «accomplissement» de la Loi

Comme nous le voyons, la différence spécifique entre l'Ancien et le Nouveau Testament ne réside pas tellement dans un commandement que dans la personne de Jésus lui-même. L'amour des ennemis, déjà suggéré dans Ex 23, 4 et Pr 25, 31, posé aussi comme règle dans l'hindouisme de la *bhakti*, devient réel dans la continuité du pardon accordé par Jésus sur la croix (cf. Lc 23, 24). Ici nous avons la «justice débordante», cette réponse totale au Dieu qui a toujours accompli envers nous la «justice» dont parle l'évangile selon Matthieu (Mt 5, 20). «Cette abondance n'est pas un pharisaïsme plus grand et meilleur, une observance plus précise des minuties de la Loi. C'est un don radical de soi à Dieu et au prochain, à la fois en pensées intérieures et en actions extérieures. Cette "justice" suit la Loi jusqu'à son intention finale, même si cela signifie le désaveu de la "lettre". Six fois, nous rencontrons la formule qui fait contraste entre le Sinaï et Jésus : "Il a été dit... mais je vous dis..." L'opposition peut prendre une forme douce d'approfondissement, de spiritualisation, de radicalisation de la Tôrah. C'est le cas avec le meurtre, l'adultère et l'amour du prochain : la modalité est alors un "non seulement..., mais encore...". Mais la radicalisation peut être poussée si loin que la lettre de la Tôrah (commandements, permissions ou institutions importants) est révoquée. C'est le cas pour le divorce, les serments et les vœux, les représailles ; la moralité est alors "non pas ceci..., mais cela". Lorsqu'il y a conflit au sujet de ce qui constitue la volonté authentique de Dieu, les paroles de la Tôrah doivent céder devant la parole de Jésus [7]. »

Avec notre mouvement moderne de libération des femmes, nous avons besoin d'approcher les *Haustafeln* (présentation des devoirs domestiques) dans Tt 2 et 1 P 3, d'une façon plus

---

7. J.P. Meier, *Matthew*, éd. Glazier-Veritas, 1980, p. 46-55.

circonspecte. De même, l'acceptation de l'esclavage dans le billet à Philémon peut choquer. C'est que les circonstances changent, bien sûr, mais le point de départ tient toujours : c'est la *koinônia* (le partage, la communion) des Actes des apôtres (cf. Ac 2, 42 et 4, 32-37) qui conduirait à la liberté politique d'Onésime et à la substitution de l'esprit libéral à l'extravagance de la part des femmes.

4.2.3. JÉSUS ET LE COMMANDEMENT DE L'AMOUR

Si la base entière de l'Ancien Testament réside dans le « passage » primordial de l'Égypte au Sinaï, de la même manière, pour le Nouveau, le fondement se trouve dans la mort et la résurrection salvatrices de Jésus. La façon dont cela fut accompli marque le nouveau commandement : « Je vous donne un commandement nouveau : Aimez-vous les uns les autres » (Jn 13, 34). Jusqu'ici, rien de nouveau dans cet énoncé tiré de l'Ancien Testament. Ce qui suit est nouveau et approfondit le sens de tout amour de cette sorte : « ... comme je vous ai aimés, vous aussi aimez-vous les uns les autres. » Jésus a montré cette sorte d'amour en lavant les pieds de ses disciples, ce qui est le travail d'un esclave. De même, si nous demeurons dans l'amour du Père et du Fils, et si nous vivons remplis de joie dans l'Esprit Saint, nous devons garder son commandement : « Aimez-vous les uns les autres comme je vous ai aimés : personne n'a de plus grand amour que se dépouiller de sa vie pour ses amis » (Jn 15, 12 s.). La tradition johannique expliquera ce que sont ces « amis » en y incluant toute l'humanité. Ce type d'amour suppose qu'on soit prêt à renoncer à sa vie dans l'intérêt de tous les hommes. « Si quelqu'un vient à pécher, nous avons un avocat auprès du Père : Jésus-Christ, le Juste ; c'est lui qui est victime de propitiation pour nos péchés, et non seulement pour les nôtres, mais pour ceux du monde entier » (1 Jn 2, 1-2). Le cœur du christianisme doit résider dans ce moment suprême d'abnégation, d'abandon même, quand nous sommes prêts à mourir pour les autres. D'une autre façon, ce type de mort peut se produire chaque jour. Ainsi, Luc dans sa présentation de la parole relative à la croix : « Si quelqu'un veut venir à ma suite, qu'il se renie lui-même, se charge de sa croix *chaque jour*, et qu'il me suive » (Lc 9, 23). Une telle vie chrétienne menée avec constance naît de

194

notre prière d'espérance : «Viens, Seigneur Jésus!» (Ap 22, 20).

Nous achèverons cette description de la mission de Jésus et de notre réponse par une citation de L.J. Topel. Dans le «Sommaire» d'un chapitre sur la «réponse/responsabilité» chrétienne, on lit ceci : «En dernière analyse, le message éthique du Nouveau Testament (sa "loi", pour ainsi dire) est semblable à celui de l'Ancien Testament : ce que Dieu désire, c'est la "justice" entre les hommes. Le Nouveau Testament progresse par rapport au message de l'Ancien en parlant de l'amour que le Père nous donne en son Fils Jésus, qui nous a donné sa propre mort comme le type d'amour que nous devons avoir les uns pour les autres. Notre réponse à cet amour consiste à être tourné vers le prochain, à commencer par les désirs spontanés de nos cœurs, d'une manière si totale que nous partagions tous les biens de ce monde avec ceux qui sont pauvres. De cette façon, nous incarnons dans notre monde le Serviteur souffrant, et nous entrons réellement dans cette communauté de pauvreté qui nous fait participer à la Béatitude des pauvres et qui apporte la justice à ceux qui sont moins fortunés que nous. Ce message est l'unique salut pour notre monde [8]. »

V. - LA SIGNIFICATION SALVATRICE DE LA MORT ET DE LA RÉSURRECTION DE JÉSUS

La question fondamentale est ici celle du puissant paradoxe de la vie dans la mort, présent dans le mystère pascal de Jésus. Jésus est l'accomplissement des attentes juives, en ce sens que l'avenir promis à Israël a été réalisé dans sa vie personnelle, sa mort et sa résurrection (Ac 13, 33-39). Une alliance nouvelle et éternelle a été établie dans le sang du Christ. Le Royaume de Dieu — Royaume de justice, de paix et l'amour — a été inauguré par la mort et la résurrection salvatrices de Jésus. Une «nouvelle

---

8. L. JOHN TOPEL, *The Way to Peace*, Orbis Books (New York) — Gill & Macmillan, 1980.

création » a été instituée : « ... Si quelqu'un est dans le Christ, c'est une création nouvelle ; l'être ancien a disparu, un être nouveau est là » (2 Co 5, 17). Ainsi saint Paul peut écrire : « Toutes les promesses de Dieu trouvent leur oui en lui ; aussi bien est-ce par lui que nous disons *Amen* pour la gloire de Dieu » (2 Co 1, 20).

Jésus est aussi la transformation des espérances juives, par le fait que celle-ci existent désormais sur un plan nouveau et différent. Parce que le Christ est ressuscité comme « prémices de ceux qui se sont endormis » (1 Co 15, 20), les motifs de l'espérance se sont enrichis et élargis. Un « acompte », si l'on peut dire, a été versé, garantissant l'espérance future de l'humanité, de telle sorte que maintenant nous croyons que « dans le Christ tous revivront » (1 Co 15, 22). A la lumière du Christ qui a vaincu la mort par sa résurrection, les semences d'une nouvelle espérance ont été jetées, qui fleuriront quand le Christ reviendra dans la gloire pour achever ce qu'il a mis en mouvement (1 Co 15, 23 s.) [9].

La résurrection de Jésus le situe à une place unique dans l'humanité. Ce fait a une portée universelle, dans la mesure où il anticipe et annonce la destinée de chaque individu et du monde dans son ensemble. La résurrection de Jésus symbolise la victoire sur le péché, la souffrance et la mort. La résurrection d'entre les morts établit fermement que le mal, la souffrance et la mort n'auront pas le dernier mot. Ainsi saint Paul peut terminer sa grande évocation de ce mystère par une prière d'action de grâces, une exhortation et une affirmation d'espérance : « Grâces soient à Dieu qui nous donne la victoire par notre Seigneur Jésus-Christ. Ainsi donc, mes frères bien-aimés, soyez fermes, inébranlables, toujours en progrès dans l'œuvre du Seigneur, en sachant que votre labeur n'est pas vain dans le Seigneur » (1 Co 15, 57 s.).

---

9. Dermot Lane, de Clonliffe College (Dublin), a coopéré ici à la rédaction du texte.

VI. - LA CONTINUITÉ DE L'ŒUVRE DE JÉSUS GRÂCE À L'ESPRIT SAINT

Nous faisons aujourd'hui l'expérience du caractère unique et singulier de Jésus comme sauveur grâce à l'Esprit Saint. Jésus, par sa résurrection, est devenu « esprit vivifiant ». L'expérience de Jésus se poursuit dans la vie de ses disciples à l'intérieur de l'Église, et elle est particulièrement marquée depuis le jour de la Pentecôte. « Déjà présente en figures au commencement du monde, cette Église était préparée de façon merveilleuse dans l'histoire du peuple d'Israël et dans l'ancienne alliance. Établie en ce dernier âge du monde et manifestée dans l'effusion de l'Esprit Saint, elle sera portée à son achèvement à la fin du temps » (*Lumen gentium*, 2). Ce travail de l'Esprit Saint est récapitulé magnifiquement à la fin du § 3, puis dans le § 4 de *Ad gentes divinitus* : « ... Finalement, en ce jour (de la Pentecôte), l'union de tous les peuples était annoncée dans la catholicité de la foi par l'entremise de l'Église de la nouvelle alliance, une Église qui parle chaque langage, comprend et embrasse toutes les langues en charité, et ainsi triomphe de la dispersion de Babel. »

Nous ajouterons seulement que l'Esprit Saint qui habite dans les croyants, l'Esprit de sainteté et de vie, l'Esprit d'unité et de vérité, ne reste pas inactif : il produit ce que saint Paul appelle « le fruit de l'Esprit » ; « ... mais le fruit *(karpos)* de l'Esprit est amour, joie, paix, longanimité, serviabilité, bonté, confiance dans les autres, douceur, maîtrise de soi » (Ga 5, 22). Tout ce qui, en d'autres termes, élève le chrétien au-dessus de ce qui est charnel, physique, naturel, tout ce qui l'introduit dans une atmosphère divine et le transforme en un être spirituel, tout ce qui fait de l'Église un « signe élevé parmi les Nations » (Is 11, 10), tout ce qui, de ce fait, indique la présence divine en elle, tout cela est le travail de l'Esprit Saint communiqué par le Christ en gloire et atteste, du même coup, le caractère unique et singulier de Jésus dans l'histoire du genre humain.

RÉFLEXIONS D'UN CHRÉTIEN SUR L'IMAGE DE JÉSUS TRACÉE PAR UN CONTEMPORAIN JUIF

par JOACHIM GNILKA* (Munich)

INTRODUCTION

Quand un théologien chrétien entreprend de parler de certains aspects défectueux dans l'image de Jésus, il ne peut le faire sans souligner d'abord et saluer les changements intervenus dans les relations entre chrétiens et Juifs. Cela est nécessaire, parce que, durant des siècles, ces relations ont été compromises, non sans omissions et sans fautes de la part des chrétiens. Ce n'est qu'à une époque récente, depuis un siècle environ, qu'on recommence à parler de Jésus dans le judaïsme, à le redécouvrir. Dès lors, puisqu'un dialogue entre chrétiens et Juifs est devenu maintenant possible et qu'il a effectivement commencé, on peut aussi, du côté chrétien, émettre des critiques au sujet de l'image juive de Jésus, de même qu'inversement l'exégète et le théologien chrétiens peuvent apprendre beaucoup de la recherche et de la réflexion juives sur Jésus.

Dans le *Lexicon des Judentums*, paru en langue allemande en 1967 et publié par John F. Oppenheimer, l'essentiel des points communs entre les positions catholiques *(sic!)* et juives est ainsi énoncé : Tous deux considèrent l'Ancien Testament comme Écriture révélée par Dieu ; tous deux enseignent une foi en Dieu

---

* Traduction de Franz Hennès et Pierre Grelot.

monothéiste ; tous deux enseignent l'unité du genre humain ; tous deux possèdent, à côté de la Bible, la tradition orale. On relève en outre que l'Église catholique a puisé dans l'office de la Synagogue des usages cultuels importants, tels que la division de la journée en heures de prières liturgiques, la célébration anticipée des Vigiles, la liturgie de la Parole, etc. [1]. Celui qui connaît le Nouveau Testament remarquera en outre combien ses divers écrits sont redevables à l'Ancien Testament. Si donc, dès le commencement, un dialogue s'est établi entre la Synagogue et l'Église, malheureusement rompu trop tôt et d'une façon trop abrupte, l'échange qui a repris de nouveau à l'heure actuelle doit s'effectuer de telle manière qu'il comporte, de part et d'autre, un « donné » et un « rendu ». Un endoctrinement unilatéral, de quelque côté qu'il vienne, ferait s'enliser aussitôt le dialogue.

L'exposé qui suit se bornera, pour l'essentiel, au livre de Schalôm Ben Chorin, *Mon frère Jésus* [2]. Un dialogue avec ce livre vaut la peine d'être entrepris. Il faut d'abord en montrer les côtés positifs, puis faire les critiques nécessaires. Toutefois ces deux aspects ne pourront être totalement séparés l'un de l'autre.

I. - PRÉSENTATION DES POINTS POSITIFS

1. La place du livre dans l'histoire du judaïsme

Schalom Ben Chorin occupe une place à part au milieu des écrivains juifs contemporains qui s'occupent de la question de Jésus et d'autres questions relatives au dialogue entre Juifs et chrétiens. On ne peut guère le cataloguer comme « théologien scientifique » ; il serait plutôt un écrivain juif engagé. Il s'est fait remarquer par plusieurs livres en langue allemande qui traitent de problèmes exégétiques et théologiques relatifs au Nouveau

---

1. Gütersloh, 1967, col. 378. Les coéditeurs du *Lexicon des Judentums* sont E.B. GORION, E.G. LÖWENTHAL et H.G. REISSNER.

2. *Bruder Jesus. Der Nazarener in jüdischer Sicht*, Munich, ³1970 (trad. franç. *Mon frère Jésus : Perspectives juives sur le Nazaréen*, Paris, Le Seuil, 1983). [Les transcriptions de l'hébreu et les références aux textes juifs sont particulièrement malmenées dans cette traduction.]

Testament, livres qui ont suscité une grande attention[3]. A plusieurs reprises, il a été invité à donner des conférences dans des conférences dans des universités allemandes. Son influence n'est pas négligeable.

Quelle place donner à son travail sur Jésus dans l'histoire du judaïsme ? Il rend compte lui-même de ce point[4]. Le judaïsme a gardé le silence sur Jésus durant tout le « Moyen Âge » juif qui va de l'époque des *Tannaïm* jusqu'au Siècle des lumières en Europe, de Rabbi Aqiba jusqu'à Moïse Mendelsohn, donc pendant 1 700 ans. Ce fut une sorte de méthode que de laisser planer sur Jésus un silence de mort. Cette méthode était conditionnée pour une large part par la peur extérieure. Au VIIIe siècle apparurent les *Tôledôth Yeshou*, un Anti-Évangile qu'avait dicté la haine de Jésus en tant que Seigneur de l'Église, pratiquement confondue depuis Constantin et surtout Théodose avec la société civile dans la situation politique de « chrétienté » qui, de son côté, avait assez souvent persécuté la Synagogue[5]. Les débuts de l'image juive moderne remontent au XIXe siècle, et d'abord en France (J. Salvador). Au XXe siècle, il s'ensuit quelque chose comme une découverte du Juif Jésus dans le judaïsme. Cette découverte ne s'étendait pas seulement aux productions littéraires d'ordre historique et théologique (Z. Lauterbach, J. Baeck, D. Flusser, entre autres), mais aussi aux Belles-Lettres (romans de Jésus dus à Schalôm Asch, Max Brod, et vraisemblablement plus important, le théâtre avec J. Sinclair, J. Bor)[5bis]. Les Beaux-Arts ont eu leur part (M. Chagall, à qui on doit plusieurs crucifixions). Jésus est reconnu comme une personnalité importante du peuple juif. Le livre de Ben Chorin s'inscrit dans cette tendance, et son titre, *Bruder Jesus (Mon frère Jésus)*, est significatif.

---

3. Citons encore *Jesus im Judentum* (Schriftreihe für christlich-jüdische Begegnung, 4), Wuppertal, 1970.

4. *Jesus im Judentum*, p. 7-46.

5. J. KLAUSNER, *Jésus de Nazareth : Son temps, sa vie, sa doctrine*, trad. franç., Paris, Payot, 1933, p. 55-65. Les *Toledôth Yéschou*, répandues en hébreu et en yiddish, étaient très connues des couches populaires du milieu juif. Elles étaient souvent lues durant la veillée de Noël *(Mittel-Nacht)*.

5 bis. Le lecteur français y ajoutera A. CHOURAQUI.

2. Le principe herméneutique

Ben Chorin ne prétend pas présenter une œuvre de spécialiste,
bien qu'il connaisse et utilise la littérature spécialisée. Il s'adresse
simultanément aux théologiens et aux laïcs. Il se situe entre la
critique historique — tout en indiquant sa façon de relativiser
l'historicité de la tradition — et la présentation poétique — tout
en reléguant les vues de celle-ci dans le domaine de l'imagination. C'est pourquoi il demande : « Alors, que reste-t-il donc
entre, d'une part, une position historique sans sécurité et, d'autre
part, une fantaisie théologico-littéraire ? » Sa réponse est :
« L'intuition. » Celle-ci, qui est fermement démarquée de
l'imagination, est définie comme une intimité acquise à longueur
de vie avec le texte, celui-ci étant interprété d'une façon
subjective mais non sans frein [6]. L'intuition a, comme préalable,
le caractère juif résolument affirmé de la tradition évangélique, y
compris celle du IVᵉ évangile. Elle revendique la prétention de
connaître, grâce à la même tradition, le caractère spécifiquement
juif de ce patrimoine. C'est dans cette reconnaissance du
caractère juif de la tradition relative à Jésus qu'est ancré ce qui a
conduit à la redécouverte du « frère Jésus ». Seule une bonne
connaissance de la foi juive permettait d'ouvrir cette perspective.
Ben Chorin utilise comme principe essentiel d'interprétation la
présentation de parallèles juifs aux déclarations décisives des
évangiles. Mais on a l'impression qu'au-delà de ces parallélismes
aucune innovation n'est liée à l'action de Jésus. Bien plutôt, tout
ce qu'il enseignait, exigeait ou faisait pourrait être ramené à un
modèle existant dans la littérature ou le domaine religieux du
peuple juif. Ce point doit être précisé à l'aide d'exemples qui
permettent peut-être d'illustrer d'une façon particulière ce qui
vient d'être dit.

Ben Chorin voit l'institution de la Cène à la lumière du repas
pascal. Pour interpréter les paroles explicatives prononcées par
Jésus à l'occasion de la Cène — pour lesquelles il préfère la
version de Lc 22, 19 ss — il remonte à l'*Aphikoman*. Ce rite juif,
qui serait encore en vigueur aujourd'hui, est le suivant. Trois
pains azymes *(maççôth)* portant des signes distinctifs sont

---

6. *Jesus im Judentum*, p. 50

recouverts d'une nappe et posés sous la coupe utilisée lors du *Séder*. Le pain inférieur représente Israël, celui du milieu représente Lévi, la caste des prêtres-chantres, et le pain supérieur représente Kohen, la caste sacerdotale. Le pain du milieu, selon le rituel encore en vigueur de nos jours, serait rompu et distribué aux convives par le père de famille. Ben Chorin note qu'à l'occasion de chaque *Séder*, tout Israël serait réellement présent. Jésus serait resté correctement dans les limites du rituel : il aurait seulement voulu exprimer par ses paroles explicatives qu'il était devenu lui-même le représentant de la totalité d'Israël[7].

Un autre exemple est l'idée d'un Messie souffrant. Selon Ben Chorin qui prend ici la suite de S. Hurwitz, cette idée aurait déjà été clairement connue au temps de Jésus et même avant lui[8]. Sous ce rapport, le « Maître de justice » de la communauté essénienne aurait autant d'importance que la tradition du Messie fils de Joseph[9]. Celui-ci, à l'inverse du Messie fils de David, royal et triomphant, serait un Messie persécuté et méprisé. Avec Jésus, qui était « fils de Joseph » et qui était regardé par ses disciples comme le Messie davidique[10], les deux concepts messianiques auraient pu être réunis.

Examinons enfin le chapitre « Jésus et les femmes[11] ». Jésus étant considéré par ses contemporains comme un « Rabbi », il n'y a pas de doute, pour Ben Chorin, qu'il était marié ainsi que chaque Rabbi devait l'être. Le fait que Jésus ait été suivi par des femmes en tant que disciples (cf. Lc 8, 1-3) est considéré comme une innovation par les exégètes chrétiens. Ben Chorin oppose à cela des traditions rabbiniques qui parlent de relations libérales entre des Rabbis juifs et des femmes. Quant à la tradition chrétienne relative à la conception virginale de Jésus, elle est interprétée, à la suite de la polémique juive ancienne, comme

7. *Mon frère Jésus*, p. 161, 166 s. (*Bruder Jesus*, p. 165).
8. S. HURWITZ, *Die Gestalten des sterbenden Messias*, 1958.
9. Au sujet du Maître de justice essénien, cf. G. JEREMIAS, *Der Lehrer der Gechtigkeit* (Studien zur Umwelt des N.T., 2), Göttingen, 1963. Au sujet du Messie fils de Joseph, voir H.L. STRACK - P. BILLERBECK, *Kommentar zum N.T. aus Talmud und Midrash*, t. II, Munich, 1924, p. 292-299. (En français, cf. M.-J. LAGRANGE, *Le Messianisme chez les Juifs*, Paris, Gabalda, 1909, p. 251-256 [N.d.T.].)
10. *Mon frère Jésus*, p. 147 s. (*Bruder Jesus*, p. 158).
11. *Ibid.*, p. 111-120 (éd. all. p. 120 s.).

une filiation illégitime [12]. Les relations de Jésus avec sa mère en auraient été perturbées.

3. Jésus et son temps

Le jugement sur la personnalité de Jésus a pour base la situation du rabbinisme contemporain. Ben Chorin n'arrive guère à découvrir quelque chose de prophétique dans l'activité de Jésus. Assurément, on a rapporté au sujet de Jésus des miracles et des résurrections de morts comme pour les plus anciens prophètes Élie et Élisée, mais les traits spécifiquement prophétiques ne seraient pas attestés dans la vie de Jésus. Le prophète parle à Israël en tant que bouche de la divinité, comme on le voit le plus évidemment chez Balaam. Le discours prophétique commence par ces mots : « Ainsi parle le Seigneur », ou « Écoutez la Parole du Seigneur », ou d'autres expressions du même genre. Des « Prolégomènes » de cette sorte seraient totalement étrangers à la prédication de Jésus. Par contre, Jésus aurait enseigné de deux façons qui sont typiques de son époque : à l'aide d'explications de textes canoniques déjà existants et à l'aide de paraboles (*meshalim*). Jésus relèverait donc de la lignée des Tannaïtes, les docteurs de la Loi de son temps. Il serait exact, certes, qu'il aurait enseigné « avec force » et interprété l'Écriture avec une puissance manifestement plus grande que d'autres ; cependant il n'aurait jamais rompu avec la tradition du judaïsme.

Ben Chorin met Jésus en parallèle avec Hillel et Shammaï, les docteurs pharisiens qui faisaient autorité en son temps. Jésus serait à placer à côté d'eux comme la troisième autorité, quoi qu'il soit difficile de caractériser la façon d'interpréter la Loi qui lui était propre. Jésus interpréterait tantôt avec douceur comme Hillel, tantôt avec rigueur comme Shammaï. Cependant, sa façon d'intérioriser la Loi et de mettre l'accent sur l'amour comme élément décisif et moteur parlerait en faveur d'une plus grande proximité de Hillel. Il est notoire que les hillélites ont surmonté

---

12. Dans le judaïsme, cette conception a mené à l'appellation de *Jesous ben Panthera* (transposition maladroite de *parthenos*). Le document le plus ancien se trouve vraisemblablement dans la *Tosefta,* traité *Ḥullin*, 2, 22-24 ; cette tradition est rapprochée de Rabbi Éliézer (90 apr. J.-C. environ). Dans Strack-Billerbeck, t. I, p. 36.

au mieux la catastrophe de 70 et qu'ils furent dès lors en situation de reconstituer le judaïsme. Par rapport aux partis religieux existants, Jésus serait à mettre au nombre des Pharisiens, et plus précisément, d'une opposition interne au sein de ce groupe[13].

Ben Chorin parle plus longuement d'une tradition rabbinique selon laquelle Jésus aurait été l'élève des docteurs et aurait eu pour maître R. Jehôshua B. Perahya (bT *Sota* 47a). La même tradition rapporte aussi qu'une discorde serait survenue plus tard entre ce dernier et Jésus. Toutefois l'examen de ces indications aboutit au résultat suivant : « Nous ne savons rien sur les maîtres de Jésus ni sur l'enseignement qu'il en a reçu[14]. »

4. *Le déroulement de la vie de Jésus*

Cette partie des thèses de Ben Chorin se cantonne naturellement dans l'espace de temps où s'est déroulée l'activité publique de Jésus. Pour celle-ci, il croit pouvoir reconstituer d'après les textes une sorte de développement biographique qui comporte trois phases. La première est une phase d'*eschatologie* intensive. La vie de Jésus est alors placée entièrement sous le signe d'une attente immédiate du Royaume de Dieu. Le point d'accrochage pour cette vue est constitué par les paroles prononcées par Jésus lors de l'envoi des apôtres : « Quand on vous pourchassera dans une ville, fuyez dans une autre ; car en vérité je vous le déclare, vous n'aurez pas achevé le tour des villes d'Israël avant que ne vienne le Fils de l'Homme » (Mt 10, 23). Les apôtres seraient revenus de cette activité « probatoire » sans que rien ait changé. C'est pourquoi Jésus aurait été obligé d'opérer une révision de son message. Ben Chorin donne à la deuxième phase le nom d'*intériorisation*. Ce qui était d'abord attendu comme un commencement dans l'histoire, plus exactement : comme le début d'un nouvel âge, serait interprété désormais comme un fait de réalisation spirituelle. C'est ici que Ben Chorin situe Lc 17, 20 s. : « Le Royaume de Dieu ne vient pas comme un fait observable. On ne dira pas : "Le voici" ou : "Le voilà". Car voici

13. Cf. également A. FINKEL, *The Pharisees and the Teacher of Nazareth* (Arbeiten zur Geschichte des Spätjudentums und Urchristentums, 4), Leyde-Cologne, 1964.
14. *Jesus im Judentum*, p. 56.

204   BIBLE ET CHRISTOLOGIE

que le Royaume de Dieu est au-dedans de vous. » Le présupposé
de cette vue des choses est cependant la signification attachée à la
traduction : « au-dedans de vous », au lieu de « parmi vous »[15].
Cette interprétation vise à donner une compréhension intériorisée du Royaume de Dieu.

Toutefois, le Royaume de Dieu intériorisé n'aurait pas été
suffisant, car la communauté du Royaume de Dieu déjà établie
parmi les disciples n'aurait pas été capable de surmonter les
tribulations extérieures. Aussi Jésus aurait-il dû se préparer à
affronter l'épreuve suprême, la voie du sacrifice librement choisi
et provoqué par les autorités juives et romaines. La troisième
phase est la Passion. Cette voie du sacrifice se termine par la
mort sur la croix et le cri de désespoir : « *Éli, éli, lama ᶜazabtani*
(ou *sabachthani*) » (Mt 27, 46). Pour Ben Chorin, c'est la
dernière parole assurée de Jésus. L'homme martyrisé aurait
expiré avec le sentiment terrible d'avoir été abandonné par Dieu
durant la dernière phase de sa marche épineuse vers le Royaume
de Dieu.

D'un point de vue historique juif, Jésus a fini par échouer
tragiquement. Sa grandeur n'est toutefois aucunement diminuée.
Ben Chorin place la mort de Jésus au même niveau que celle de
Rabbi Aqiba, qui avait regardé Bar-Kokeba comme le Messie et
qui mourut dans son erreur tragique en donnant par sa foi le
témoignage du sang. La tradition hassidique éclaire une telle
erreur par le motif suivant : « Pour l'amour d'Israël, Dieu
aveugle parfois les yeux des sages. » Jésus aussi aurait fait une
erreur tragique, lui dont les yeux auraient été aveuglés pour
l'amour d'Israël. En outre, c'est justement ce Jésus mourant que
Ben Chorin revendique pour Israël : il incorpore dans son échec
et dans son désespoir le martyre qui a été imposé au peuple
d'Israël à travers les siècles.

5. La mort et le procès de Jésus

Dans le dialogue judéo-chrétien, la question relative aux
causes historiques de la condamnation à mort de Jésus constitue

---

15. A propos du « logion » de Lc 17, 20 s., cf. R. SCHNACKENBURG, *Gottes
Herrschaft und Reich*, Fribourg-en-Br., ³1963, p. 92-94 (trad. franç. : *Règne et
Royaume de Dieu*, Paris, L'Orante, 1965, p. 71, 113 s.).

un point difficile. L'interprétation juive habituelle, telle qu'elle a été soutenue récemment par Paul Winter [16], tient le récit du procès devant le Sanhédrin pour secondaire, et elle nie toute participation de l'instance juive à la condamnation de Jésus. Ben Chorin s'engage ici sur une voie très personnelle en pensant que le procès de Jésus trouverait surtout son éclairage dans l'évangile de Jean. Pour lui, la parole de Caïphe est importante : « ... il est meilleur pour nous qu'un seul homme meure pour le peuple, plutôt que toute la nation ne périsse » (Jn 11, 50). Cette parole ouvre un aperçu sur la situation du peuple juif d'alors, qui était caractérisée par l'oppression romaine. Dans cette situation, il serait compréhensible que les cercles responsables aient tout mis en œuvre pour éliminer un fauteur de troubles comme Jésus, qui allait attirer les foules et aussi, parmi elles, des activistes politiques.

La reconstitution du procès reste liée aux données évangéliques en recourant à une certaine harmonisation des textes. C'est ainsi que Ben Chorin débouche presque nécessairement sur un procès qui se déroule à trois niveaux : *a)* Une enquête préliminaire menée par Hanne ; *b)* un procès devant Caïphe pendant la nuit ; *c)* une séance plénière du Sanhédrin dans les premières heures de la matinée, avec participation des Pharisiens. Les points de l'accusation contre Jésus auraient été : la profanation du Temple, le refus de payer l'impôt dû au gouvernement impérial et la prétention d'être le Messie. D'après Ben Chorin, le procès n'entre dans sa phase décisive que lorsque la conduite de l'affaire passe aux mains du Romain Pilate [17]. Mais Ben Chorin tient la responsabilité des Juifs pour engagée, en raison de la séance plénière du Sanhédrin composé de 71 juges. A cette occasion toutefois, aucune condamnation à mort n'aurait été portée contre Jésus, mais seulement la décision de le livrer à Pilate. Ce n'est pas un égard quelconque pour Jésus qui se serait opposé au jugement, mais l'interdiction, faite par la *Mishna*, d'une condamnation portée pendant la nuit. Il est dit textuellement : « Il va sans dire qu'à une telle clique — dont le seul souci était de garder le pouvoir à tout prix — toutes les

---

16. *On the Trial of Jesus* (Studia Judaica, 1), Berlin, 1961.
17. *Mon frère Jésus*, p. 181 ss. (*Bruder Jesus*, p. 194).

finesses du code de procédure importaient peu, quand il s'agissait seulement d'être influents ou de n'être plus rien[18]. »

Quand au jugement historique sur le « cri du sang » (Mt 27, 25) que, dans l'exégèse chrétienne de nos jours, la plupart attribuent à la rédaction matthéenne et qui constitue une des difficultés les plus importantes dans la discussion avec les Juifs, Ben Chorin ne partage pas la critique sans réserves : « On ne peut plus prouver d'une manière péremptoire que ce cri a été effectivement poussé. Pour ma part, je crois qu'il le fut, bien que la formulation en soit inhabituelle[19]. » A côté de cette disposition étonnante qui l'amène à traiter de propos de l'évangile aussi défavorables aux Juifs, Ben Chorin trouve cependant des mots qui exigent du lecteur chrétien une attention accrue. Ces mots mettent en garde contre une sur-interprétation du « cri du sang », à laquelle on se serait livré durant des siècles. Même si des « créatures » en état de dépendance avaient poussé le « cri du sang » devant Pilate, l'expression de la colère populaire organisée ne pourrait même pas être imputée *in toto* à la population de Jérusalem à cette époque, voire aux communautés dispersées d'Alexandrie à Rome, et encore moins aux générations juives postérieures. Voici encore une citation : « Et pourtant l'Église a forgé à partir de là une faute collective et s'est octroyé pour les siècles un droit à la discrimination des Juifs, allant même jusqu'à leur expulsion et, de loin en loin, à leur extermination[20]. » Il ne serait plus possible d'établir aujourd'hui si cette automalédiction a jamais été prononcée. Mais qu'elle ait été efficace, il serait par contre possible de le montrer.

---

18. *Ibid.*, p. 186 (éd. all., p. 198).
19. *Ibid.*, p. 195 (éd. all., p. 208). Sur Mt 27, 25, cf. K.H. SCHELKLE, « Die Selbstverfluchung Israëls nach Matthaüs... », dans W. ECKERT - N.P. LEVINSON - M. STÖHR, *Antijudaïsmus im N.T. ?*, Munich, 1967, p. 148-156 et 209 s.
20. *Mon frère Jésus*, p. 195 s. (*Bruder Jesus*, p. 209).

II. - APPRÉCIATION CRITIQUE

1. L'approche du Juif Jésus

Il faut tenter maintenant de juger, du point de vue chrétien, l'œuvre de Ben Chorin pour esquisser les possibilités et les limites du dialogue entre Juifs et chrétiens. Du point de vue chrétien, on doit saluer avec vigueur le fait que le judaïsme moderne ait trouvé une nouvelle approche de Jésus et, par là aussi, une façon d'aborder indirectement le christianisme. En principe, l'ère terrible d'un silence séculaire est venue à sa fin. Le judaïsme peut nous aider, d'une part, à ouvrir vers Jésus des voies trop négligées jusqu'ici et, d'autre part, nous faire accéder indirectement au judaïsme. La découverte de « Jésus le Juif » en est une étape importante. Le christianisme est beaucoup plus profondément enraciné dans l'Ancien Testament et, par là, dans le judaïsme, qu'une grande partie du peuple chrétien n'en a conscience. Il n'y a pas seulement une unité du Nouveau Testament, il y a aussi une unité de la Bible entière vers laquelle il faut au moins tendre. Si l'on voit et si l'on veut cela, on se sent provoqué à un dialogue avec le judaïsme, auquel nous lie également la patrimoine commun de l'Ancien Testament. Ce serait une folie que de revendiquer l'Ancien Testament comme livre chrétien. Au point de vue exégétique, les discussions qui, depuis des générations, cherchent à établir si le christianisme est davantage héritier de l'hellénisme ou du judaïsme, reviennent toujours vers ce dernier comme base de départ du mouvement issu de Jésus et devenu le mouvement chrétien. Toutefois, il faut aussi savoir que cette intuition a des limites. Ben Chorin exige trop d'elle et n'arrive pas à percevoir les impulsions originales du mouvement issu de Jésus.

Les évangiles ne montrent pas seulement avec toute la précision désirable que Jésus s'adressait au peuple d'Israël dans sa prédication, mais ils montrent aussi qu'il critiquait Israël. Dans sa critique, il se rattachait au discours de Jean-Baptiste qui disait que Dieu pourrait susciter de ces pierres des enfants à Abraham (Mt 3, 9). La critique la plus dure de la religiosité et de la mentalité juives se trouve dans les invectives contre les Pharisiens

et les scribes (Mt 23)[21]. On admet communément que, dans la
composition de ce discours, surtout sous sa forme matthéenne,
les discussions de la communauté postpascale avec la Synagogue
sont entrées pour une part; mais l'essentiel de la critique
remonte certainement à Jésus. Elle a pour cible une religion figée
dans des formalités, suspendue à la Loi prise dans sa seule
« lettre ». La prise de position de Jésus par rapport à la Loi est
inspirée par cette pensée : dépasser la « lettre » de la Loi et
pénétrer jusqu'à son contenu le plus profond, qu'il appelle la
volonté du Père. Finalement, la discussion de Jésus avec ses
interlocuteurs juifs touche à une représentation divergente de
Dieu. Évidemment, Jésus annonce Yahwé, le Dieu de la Bible.
Mais il en a une vision autre que ses contemporains juifs. Il a
explicité cela dans diverses paraboles. Même si la forme de ces
paraboles peut renvoyer à des modèles existant dans son temps,
leur fraîcheur incomparable et leur vivacité représentent une
nouveauté. Ainsi, la parabole du Pharisien et du Publicain
(Lc 18, 9-14) éclaire la différence entre l'image que Jésus se fait
de Dieu et celle que s'en font les Pharisiens. Au Dieu qui
comptabilise la Loi est opposé ici le Dieu qui pardonne aux
pécheurs. Jésus peut annoncer ce Dieu de bonté, parce que cette
bonté est devenue présente dans sa propre activité. De la même
façon, la parabole du Fils prodigue (Lc 15, 11-32) permet de
découvrir le Dieu d'amour qui s'est manifesté dans la personne et
la vie de Jésus.

Une voie particulière et sûre qui conduit aux innovations
venues de Jésus est ouverte par ce qu'on appelle les rejudaïsa-
tions, que nous trouvons surtout dans l'évangile de Matthieu. On
appelle ainsi les textes qui paraissent plus juifs chez Matthieu que
dans les références parallèles de Luc ou d'un autre. On s'est
rendu compte que ce n'est pas la forme la plus juive du texte qui
est la plus primitive, mais qu'il s'agit d'une retraduction dans un
contexte juif, d'une rejudaïsation. Matthieu est tributaire d'une
tradition judéo-chrétienne. Des exemples marquants peuvent
être remis en mémoire.

— Chez Matthieu, dans la « prière du Seigneur », l'invocation
de Dieu est la suivante : « Notre Père qui es aux cieux »

---

21. Cf. E. HAENCHEN, « Matthäus 23 », dans *Gott und Mensch. Gesammelte
Studien*, Tübingen, 1965, p. 29-54.

(Mt 6, 9), alors que chez Luc, c'est « Père » (Lc 11, 2). La forme brève de Luc rend bien la façon de prier, directe et personnelle, de Jésus : elle peut être ramenée à l'araméen *Abba*, tandis que la forme longue de Matthieu correspond davantage à la mentalité juive. Jésus, le Fils, a parlé à Dieu comme *Abba* d'une façon libre et unique. Le Juif aurait eu peur de s'adresser à Dieu sous le vocable de Père ; quand il le faisait, il choisissait des formulations qui excluaient aussi clairement que possible toute confusion avec un père terrestre : « Notre Père, notre Roi », ou « Notre Père qui es aux cieux ».

— Jésus a exprimé sans équivoque possible l'exigence d'indis-solubilité attachée au mariage : « Quiconque répudie sa femme et en épouse une autre est adultère, et celui qui épouse une femme répudiée par son mari est adultère » (Lc 16, 18). Par contre, quand il est dit chez Matthieu (Mt 5, 32) : « Quiconque répudie sa femme — sauf en cas de *porneia* — la pousse à l'adultère, etc. », nous avons affaire à une initiative remarquable. Quelle que soit la signification du mot énigmatique *porneia*, il se rapporte vraisemblablement à l'adultère de la femme : il s'agit encore d'une rejudaïsation, cette fois sous la forme d'une règle qui annonce déjà les débuts du droit canonique[22].

— La quatrième antithèse du Sermon sur la montagne (Mt 5, 33-37) nous est aussi parvenue dans une rédaction rejudaïsée. Lorsque Jésus exige : « Quand vous parlez, dites : "Oui ? oui", "Non ? non" ; tout le reste vient du Mauvais », cela est contraire à l'interdiction générale du serment qui figure au v. 34, interdiction qui peut être considérée comme une directive claire de Jésus. Or, c'est encore la formule de serment juive, avec le double oui et non, qui est réintroduite, quoique sous une forme affaiblie. Jacques a cette fois (Jc 5, 12) conservé la rédaction authentique : « Avant tout, mes frères, ne jurez pas, ne jurez ni par le ciel, ni par la terre, ni d'aucune autre manière. Que votre oui soit oui, et votre non, non, afin que vous ne tombiez pas sous le Jugement. »

---

22. Le travail le plus récent sur ce problème est celui de C. MARUCCI, *Parole di Gesù sul divorzio* (Aloisiana, 16), Naples, 1982. Cf. H. BALTENSWEILER, *Die Ehe im N.T.* (Abhandlungen zur Theologie des AT und NT, 52), Zurich-Stuttgart, 1967, notamment p. 78-119.

2. Deux manières de croire

C'est en ce point que viennent à la fois au jour ce qui unit et ce qui sépare Juifs et chrétiens. L'expression des deux manières de croire, forgée par M. Buber[23], se présente chez Ben Chorin comme ceci : Jésus est le « grand frère », non seulement le frère des hommes, mais particulièrement le frère juif. Ce n'est pas la main du Fils de Dieu, ni non plus la main du Messie, mais seulement une main d'homme, dans les lignes de laquelle est gravée la souffrance la plus profonde. C'est la main d'un grand témoin de la foi en Israël. Et maintenant, Ben Chorin oriente son intérêt vers la foi de Jésus : une foi inconditionnelle, une confiance en Dieu sans réserve, englobant la disponibilité à s'en remettre totalement à la volonté de Dieu. Cette attitude de Jésus, qu'il nous a donnée en exemple vécu, serait ce qui peut nous unir nous autres, Juifs et chrétiens. Suit alors la phrase de la différence : « La foi *de* Jésus nous unit, mais la foi *en* Jésus nous sépare[24] ».

On peut légitimement parler d'une foi de Jésus. Du côté chrétien, G. Ebeling[25] a récemment mis l'accent sur cet aspect. Il se laisse aussi prouver d'une façon très claire dans le récit de la guérison du jeune épileptique[26]. Au père de l'enfant malade qui implore miséricorde et secours pour lui, Jésus donne cette réponse : « Tout est possible pour celui qui croit. » Le père comprend cette exigence de Jésus, qui lui demande avec insistance de participer à sa foi, qui peut tout. Il doit cependant avouer la faiblesse de sa propre foi : « Je crois ! Viens au secours de mon peu de foi » (Mc 9, 23 s). C'est par la confrontation de la foi de Jésus avec l'insuffisance de la foi du père de l'enfant que le dialogue prend son relief particulier. Finalement, si Jésus était quelqu'un qui prie, il devait aussi être quelqu'un qui croit. Si la foi biblique en Yahwé peut être regardée comme un point commun important entre chrétiens et Juifs, il faut toutefois

---

23. *Zwei Glaubensweisen*, Zurich, 1950.
24. *Mon frère Jésus*, p. 12 (*Bruder Jesus*, p. 51).
25. « Jesus und Glaube », *Zeitschrift für Theologie und Kirche*, 55, 1958, p. 104-110.
26. Cf. J. GNILKA, *Das Evangelium nach Markus* (Evangelisch-Katholischer Kommentar zum N.T.), t. II, Zurich-Neukirchen, 1979, p. 43-52.

remarquer la particularité de la foi de Jésus : elle est celle de quelqu'un qui peut tout, de même que sa prière était particulière en tant qu'expression de sa relation filiale avec Dieu.

Mais si l'on adressait à la foi chrétienne en Jésus, ou à la foi en lui comme « Fils de Dieu » ou comme « Fils », le reproche de « dithéisme », on passerait à côté de la question. La foi chrétienne est aussi radicalement monothéiste que la foi biblique et juive. Le chrétien voit simplement dans le Christ la révélation de Dieu et, pour lui, le Christ est le chemin qui mène vers Dieu. Le Nouveau Testament, en appelant le Christ « Parole de Dieu » (Ap 19, 13 ; Jn 1, 1 ss) et « Image de Dieu » (Col 1, 15), fait ainsi connaître que, selon la foi chrétienne, Dieu s'est exprimé et manifesté par cette Parole et cette Image que le Christ constitue. En même temps, dans le « Verbe incarné », Dieu a de nouveau adopté l'homme et avec lui la création. Dans le cadre du dialogue judéo-chrétien, une question mériterait d'être à nouveau prise en considération : celle qui concerne la « clôture » de la Bible. Par Bible, on entend ici l'Ancien Testament — une notion qui est regardée comme importune par l'interlocuteur juif[27]. C'est un autre point frontière qui est marqué par là, car le Nouveau Testament part, comme d'un présupposé essentiel, du caractère inachevé de l'Ancien, et l'*Évangelion* (Évangile) repose sur le caractère d'*epangellia* (promesse) qui s'attache à l'Écriture de l'ancien Livre saint.

En cet endroit aussi, c'est une appréciation différente des évangiles qui se montre. Ben Chorin les apprécie comme documents purement *historiques*, et il le fait de telle façon qu'il pourrait impressionner beaucoup de chrétiens. Or, les évangiles sont bien plus que cela. Ils sont également des documents *de la foi*, une expression de la foi en Jésus des « témoins » du temps des apôtres. Ils veulent justement éveiller cette foi, et c'est dans ce but qu'ils ont été écrits. On ne peut comprendre pleinement leur intention, si on ne partage pas la foi pascale à la résurrection, dans la lumière de laquelle le « Jésus » terrestre est désormais connu. On en vient alors à la Croix, qui reste une zone de ténèbres absolues. Les évangiles évoquent l'histoire de Jésus de

---

27. Parler de l'A.T. en tant que Bible des Juifs, et du N.T. en tant que Bible des chrétiens, comme on en a l'habitude dans plus d'un dialogue entre Juifs et chrétiens, est une convention, car le Dieu de la Bible est le Dieu universel qui veut le salut universel.

Nazareth, mais ils la comprennent comme «l'histoire d'un vivant»[28]. La complexité du dialogue judéo-chrétien s'élargit en ce point pour devenir une controverse entre chrétiens. Ben Chorin se réclame ici d'un exégète qui représente le Protestantisme libéral : «Je me contenterai de citer Herbert Braun, cet exégète de Mayence, spécialiste du Nouveau Testament, qui considère que "suivre le Christ" doit être une recherche en vue de croire *avec* Jésus et *comme* lui, et non pas d'abord de croire *en* lui[29]». Cette position du problème ne peut qu'être mentionnée en passant.

3. L'héritage de l'«eschatologisme»

Comme on vient de le dire, Ben Chorin, tout en étant un interlocuteur juif, ne se trouve pas isolé dans sa position exégétique et théologique. Au point de vue exégétique, il se rattache à des conceptions d'école bien définies. D'une part, il le fait consciemment. Mais d'autre part, on a l'impression qu'il n'a pas conscience de sa dépendance à l'égard d'opinions déjà exprimées dans les recherches sur Jésus. La théorie des trois phases de la vie de Jésus — eschatologie intensive, intériorisation et passion — correspond exactement au point de vue défendu par A. Schweitzer vers le début du xxᵉ siècle[30]. Cette théorie signifie du même coup une reprise du point de vue de l'«eschatologisme». Que veut dire le fait que Ben Chorin ne mentionne même pas le nom de Schweitzer à propos du concept visé ici, bien qu'il suive le jugement de celui-ci jusque dans les idées et le choix des paroles de Jésus ? L'eschatologie «conséquente» néglige un

---

28. Cf. le titre du livre de E. SCHILLEBEECKX, *Jesus : Die Geschichte von einem Lebenden*, trad. all., Fribourg, 1975.

29. *Mon frère Jésus*, p. 12 s. (*Bruder Jesus*, p. 52). A propos de la position théologique de H. BRAUN, cf. ses publications : *Jesus. Der Mann aus Nazareth und seine Zeit* (Themen der Theologie, 1), Stuttgart-Berlin, ²1969 ; «Der Sinn der neutestamentlichen Christologie», dans *Gesammelte Studien zum N.T. und seiner Umwelt*, Tübingen, 1962, p. 243-282 ; H. SYMANOWSKI éd., *Post Bultmann Locutum*. I. Ein Discussion zwischen H. Gollwitzer und H. Braun am 13. Februar 1964 in der Universität Mainz (Theologische Forschung, 37), Hambourg-Bergstedt, 1965.

30. *Geschichte der Leben-Jesu-Forchung*, Tübingen, ⁶1951 (surtout aux p. 390-443).

facteur décisif dans l'annonce du Royaume de Dieu faite par Jésus, à savoir : que la *Basileia* n'est pas seulement un événement *futur* qu'on attend, mais que ses forces guérissantes, secourables, salvatrices, sont *déjà présentes et agissantes* par les actes et la prédication de Jésus, et qu'elles peuvent être expérimentées par les hommes. Le rapport de tension ainsi établi entre un salut déjà présent et un salut encore à venir est *nouveau* et n'a pas de parallèle dans le judaïsme. Jésus n'annonce pas seulement la *Basileia* : il l'apporte aussi. C'est pourquoi lui seul pouvait faire une telle annonce.

Ce rapport de tension positif est aussi la raison pour laquelle les communautés chrétiennes primitives ont pu surmonter sans crise considérable le problème qui se posait à elles : retard de la Parousie ou attente proche[31] ? Assurément, ce problème a été parfois exagéré. Les forces déjà en acte de la *Basileia* future sont déjà attestées de multiples façons dans les actes de Jésus. Il faut rappeler surtout ses miracles de guérison et ses exorcismes. Ceux-ci ont pour but essentiel de montrer que le « futur » a déjà commencé : « Si c'est par le doigt de Dieu que je chasse les démons, c'est donc que le Royaume de Dieu est venu jusqu'à vous » (Lc 11, 20 et par.). Le petit secret de la victoire de l'Homme fort (Mc 3, 27 et par.) dit à peu près la même chose. Les paraboles qu'on appelle « paraboles de la croissance », auxquelles appartiennent celles de la semence qui pousse toute seule, du grain de sénevé et de la pâte dans le levain (Mc 4, 26-32 ; Mt 13, 31-33) ont exactement le même objectif, à savoir : de montrer que le Règne de Dieu attendu dans l'avenir et définitif a déjà commencé et est en action. Son commencement dans le temps présent, par rapport à son accomplissement final, peut sembler inaperçu et n'être pas reconnu par les foules. Il garantit pourtant l'arrivée certaine de l'objectif final qui surviendra d'une façon aussi irrésistible que l'arbuste du sénevé surgit de la petite graine et que la poignée de levain fait lever la pâte entière.

Il est regrettable qu'ailleurs aussi on puisse parfois reprocher à Ben Chorin son manque de sens critique dans le traitement de la tradition historique. Les parallèles rabbiniques ne peuvent être pris au sérieux en tant que tels que lorsque leur âge est assuré de

---

31. Quant à la problématique, cf. E. GRÄSSER, *Die Naherwartung Jesu* (Stuttgarter Biblische Studien, 61), Stuttgart, 1973.

quelque façon. Dire qu'une tradition rabbinique tardive *peut* traduire une opinion ancienne est trop vague et engendre des représentations fausses. Un seul exemple suffira : le rite de l'*Aphikoman* n'est attesté qu'au Moyen Âge, ou même plus tardivement. Il ne peut donc servir de référence pour expliquer la façon de comprendre la Cène[32].

4. Le salut à venir

Ce qu'il faut dire ici se rattache à ce qui a été exposé dans le § 1. 3. La judaïsme est encore dans l'attente du salut eschatologique, dans l'attente du Messie. A partie de cette attente juive du Messie, quelle que soit la place à lui attribuer dans les divers courants du judaïsme contemporain de Jésus, la question de sa messianité acquiert une valeur significative. En partant de l'attente d'un Messie souffrant fils de Joseph, qui doit elle-même être attribuée au point de vue historique à une phase relativement tardive du messianisme juif, Ben Chorin en arrive, d'une certaine façon, à l'idée d'un Messie qui meurt dans la honte. C'est en cet endroit qu'il se trouve peut-être dans la proximité relativement la plus grande du christianisme : « Nous (le Juif et le chrétien), nous sommes certainement interpellés tous deux par Jésus au sujet de la signification du Christ. Que nous disions "oui" ou "non" est secondaire. Il importe surtout que nous ressentions cette question comme question réelle, avec toute notre existence, et que nous y répondions avec notre vie et, si Dieu le permet, avec notre foi. A la question : "Jésus était-il le Christ ?", le Juif répondra de façon négative ; le chrétien

---

32. Cf. H.-J. KLAUCK, *Herrenmahl und hellenistischer Kult* (Neutestamentliche Abhandlungen, 15), Münster, 1982, p. 24-26. La thèse relative à l'*Aphikoman* remonte à R. Eisler. Elle a été ensuite réfutée à plusieurs reprises d'une façon convaincante. « On pourrait étendre là-dessus le voile du silence, si l'on ne s'y référait pas toujours jusqu'à une époque récente, dans des publications sérieuses et populaires, comme à une connaissance révolutionnaire. Pourtant il serait temps que le fantôme de l'*Aphikoman* disparaisse définitivement de la discussion autour de la Cène » (KLAUCK, p. 26). Il est regrettable que même R. PESCH fasse ressortir de nouveau la thèse de l'*Aphikoman* dans ses articles : « Wie Jesus das Abendmahl hielt. Der Grund der Eucharistie », Fribourg-en-Br., 1977, p. 74 s., et « Das Abendmahl und Jesu Todesverständnis » (Quaestiones disputatae, 80), Fribourg, 1978, p. 86-88.

répondra par l'affirmative. Mais tous deux pèchent contre l'Esprit Saint, s'ils n'ont pas examiné à fond la question, cherché à fond, prié à fond[33]. » D'une certaine façon, Ben Chorin voit le christianisme attendre le salut de concert avec le judaïsme. Le Juif serait en état de prier le « Notre Père », au centre duquel se trouve la demande de la venue du Règne de Dieu, du salut définitif à la fin des temps. Dans la mesure où le chrétien prie ainsi, il confirmerait lui aussi qu'il vit dans l'attente du salut. Il y a ici, sans aucun doute, un point de communion important, car où trouverait-on une communion plus authentique que là où des hommes peuvent prier ensemble ? Toutefois, tandis que le Juif se tient entre la promesse et l'accomplissement, le chrétien se tient entre la promesse accomplie et la plénitude du salut.

La question de Jésus Fils de Dieu n'est même pas posée par Ben Chorin. Critiquement, il faut surtout objecter qu'en classant Jésus parmi les docteurs de la Loi et en estimant qu'on perçoit ainsi d'une façon adéquate ce que sa personnalité a en propre, on n'est pas en règle avec la situation. L'élément prophétique et messianique ne doit pas être omis dans la vie de Jésus. Il faut rappeler une nouvelle fois sa façon particulière d'enseigner en paraboles et le caractère fondamental qui est lié à cette façon d'enseigner. Les prises de position de Jésus à l'égard de la Loi entrent dans une autre catégorie que celles des maîtres contemporains de la Tôrah[34]. Les antithèses du Sermon sur la montagne, là où elles s'opposent aux commandements du Décalogue par leur confrontation entre « Vous avez appris qu'il a été dit — Et moi je vous dis », traduisent une autorité qui ne dépasse pas seulement celle des interprètes de la Loi, mais encore celle de Moïse lui-même. Or, Moïse était l'autorité suprême en Israël[35].

Il faut remarquer en outre que les antithèses 1, 2 et 4 ainsi visées, pour lesquelles il n'y a pas de parallèle chez Luc, doivent

---

33. *Bruder Jesus*, p. 68 (nous ne suivons pas la version française).

34. Cf. H. Braun, *Spätjüdisch-häretischer und frühchristlicher Radikalismus. Jesus von Nazareth und die essenische Qumransekte*, I. *Das Spätjudentum*. II. *Die Synoptiker* (Beiträge zur Historischen Theologie, 24), Tübingen, ²1969.

35. Cf. E. Käsemann, « Das Problem des historischen Jesus », dans *Exegetische Versuche und Besinnungen*, I. Göttingen 1960, p. 187-214, notamment p. 206 (« Le problème du Jésus historique », dans *Essais théologiques* ; Genève, 1972, p. 145-173, cf. p. 165).

vraisemblablement être tenues pour originales. Mais il faut encore ajouter autre chose. Jésus n'a pas simplement — comme c'était coutumier chez les rabbins — interprété une parole de la Loi de telle façon qu'elle prît sens à la lumière d'une autre parole de la Loi. Bien plutôt, il pouvait, de son propre chef, et dans une libre formulation, critiquer ou même abroger la Loi. Un des propos les plus nets à ce sujet est celui de Mc 7, 15 : « Il n'y a rien, venant à l'homme de l'extérieur, qui le rende impur ; mais ce qui sort de l'homme, voilà ce qui rend l'homme impur. » Cette phrase signifie en dernier ressort que Jésus tient pour dénuées de sens les lois alimentaires de l'Ancien Testament et qu'il invalide ainsi une partie de la Tôrah. Aux yeux du Juif, cette déclaration doit être blasphématoire. Le conflit qui le conduit à la mort provient, en dernier ressort, de sa critique de la Tôrah. Ce n'est pas le fait du hasard que l'écriteau de la croix mette au pilori le « Roi des Juifs » et qu'il témoigne de la revendication messianique grâce à laquelle Jésus s'exprimait de façon souveraine et proclamait la volonté suprême de Dieu.

5. *La provocation*

La provocation la plus grave qui se présente constamment au chrétien dans son dialogue avec les Juifs et qui se rencontre également dans le dialogue avec Ben Chorin est le « compte débiteur » d'une histoire commune. Les mots frappent dur. Ben Chorin aussi les prononce. Qui pourrait lui en vouloir ? L'Église aurait « forgé une culpabilité collective (à cause du « déicide ») et se serait octroyé pendant des siècles le droit à la discrimination des Juifs, allant même jusqu'à leur expulsion et, de loin en loin, à leur extermination... Ce qui apparaît dès l'abord, c'est que l'Église du Christ n'a jamais réellement compris qu'on exigeait d'elle l'amour des ennemis[36] ». La critique du judaïsme, qui remonte à Jésus et a été accentuée dans certains écrits du Nouveau Testament, résulte finalement des efforts entrepris pour gagner Israël à l'Évangile. L'Église du Nouveau Testament est parfaitement au clair en ce qui concerne la signification d'Israël dans l'histoire du salut. Dieu est fidèle et ne revient pas

---

36. *Mon frère Jésus*, p. 195 s. (*Bruder Jesus*, p. 209).

sur ses promesses. Cela vaut pour Paul (cf. Rm 9 − 11), mais également pour Matthieu chez qui les tonalités critiques ont peut-être été le plus fortement frappées. Le texte de Mt 23, 39 est-il à interpréter au sens d'un Dieu qui porterait un regard neuf, positif, sur le peuple d'Israël endurci ? Il faut remarquer avant tout que justement, chez Matthieu, un équilibre intervient entre la critique à l'égard d'Israël et la mise en garde de l'Église dans laquelle il y a des mauvais et des bons (Mt 13, 27.38 ; 22, 10) [37]. Face à l'histoire, le chrétien doit confesser sa faute et se rappeler non seulement le commandement de l'amour des ennemis, mais encore les paroles de Jésus exigeant une réconciliation radicale. A cet égard, Vatican II a ouvert de nouvelles perspectives.

6. La frontière ouverte

La dialogue entre Juifs et chrétiens arrive à une frontière. Ce point est également devenu évident en lisant Ben Chorin. Mais la frontière doit rester ouverte ou, du moins, le redevenir. Dans le passé, cette ouverture de la frontière commune a existé, sans aucun doute. Nous avons un passé commun. Abraham est notre père à tous deux. Pour dire cela avec Ben Chorin, on peut reprendre les paroles par lesquelles il termine son livret : « Puisse le chrétien, qui descend aux sources du judaïsme, y reconnaître les eaux vives auxquelles Jésus de Nazareth a puisé [38]. » Le passé commun peut également ouvrir des perspectives d'avenir communes. Le pape Jean XXIII accueillait une délégation juive qui était venue le voir avec ces mots : « Je suis Joseph, votre frère. » L'inspiration est nécessaire pour que le chrétien, dans sa rencontre avec le Juif et, inversement, le Juif dans sa rencontre avec le chrétien éprouvent la surprise d'une mutuelle reconnaissance.

---

37. Sur la théologie du premier évangile, cf. H. FRANKEMÖLLE, *Jahwebund und Kirche Christi. Studien zur Form- und Traditionsgeschichte des « Evangeliums » nach Matthäus* (Neutestamentliche Abhandlungen, 10), Münster, 1974.
38. *Mon frère Jésus*, p. 219 (*Bruder Jesus*, p. 234).

LE POINT DE DÉPART
DE L'AFFIRMATION
CHRISTOLOGIQUE
DANS LES DISCOURS
DES ACTES DES APÔTRES

par JACQUES DUPONT, O.S.B. (Louvain-la-Neuve)

Dans l'important discours qu'il a adressé aux biblistes italiens le 25 septembre 1970, le pape Paul VI exprimait avec bonheur la double fidélité que réclame une interprétation adéquate de l'Écriture. Il s'agit, d'une part, de respecter intégralement la Parole incarnée, l'événement d'autrefois dont témoignent et que constituent les Écritures dans lesquelles la foi chrétienne rejoint son objet. Mais, d'autre part, il n'est pas moins important que ce message soit présenté, non pas à l'homme en général, mais à l'homme d'aujourd'hui, appelé à vivre sa foi dans des situations concrètes différentes de celles en fonction desquelles le message a d'abord été exprimé.

Devant cet enseignement, la question ne peut manquer de se poser : Comment assurer en pratique cette double fidélité ? Suffira-t-il de juxtaposer à une exégèse historique strictement objective des considérations actualisantes ? Le même discours met en garde contre pareille illusion : « Dans tout travail d'interprétation, et à plus forte raison lorsqu'il s'agit de la parole de Dieu, *la personne de l'interprète n'est pas étrangère à son travail*, elle y est associée, impliquée avec tout son être. » La réflexion herméneutique de ces dernières années a permis de mieux mesurer l'importance de cette remarque. Le « lieu » où se situe l'exégète ne peut pas ne pas influencer sa compréhension des textes qu'il étudie. C'est avec raison que, toujours dans le même discours, Paul VI insistait sur « la nécessité de rechercher une certaine "connaturalité" d'intérêts, de problèmes, avec le thème du texte, afin de pouvoir s'ouvrir à son écoute ».

Le discours de Paul VI fait bien ressortir le caractère « dialectique » du processus de l'interprétation considéré dans sa totalité : le souci de comprendre la signification du message pour les hommes d'aujourd'hui, dans les situations concrètes où ils ont à le vivre, ne saurait faire négliger le privilège qui s'attache à l'événement salvifique dans sa réalisation historique et à la compréhension qu'en ont eue ses témoins attitrés. On se doute que, dans la pratique, l'équilibre entre les deux pôles de ce mouvement dialectique est délicat et qu'il ne sera pas toujours facile de le conserver.

A cet égard, le point de départ qui aura été choisi tendra naturellement à jouer un rôle prépondérant. Celui qui part de la signification des textes dans leur situation originelle ne rejoindra pas sans peine la situation actuelle, et celui qui part des requêtes de la situation actuelle échappera difficilement au risque d'appauvrir le message des textes, peut-être même de le fausser.

C'est en fonction de cette problématique qu'il nous a été proposé de reconsidérer les modèles de la prédication apostolique qui nous sont offerts dans le livre des Actes. Ces discours sont tous centrés sur l'affirmation christologique, plus précisément sans doute sur la signification christologique de l'événement pascal. Mais ils ne présentent pas ce message sans se référer aux Écritures, c'est-à-dire ici l'Ancien Testament et ses annonces prophétiques. On constate en même temps que la proclamation du message christologique prend le plus souvent son point de départ dans un donné qui, pour les auditeurs, fait l'objet d'une expérience immédiate : il s'agit alors de leur dévoiler le sens de ce qu'ils vivent dans leur situation concrète.

Les discours des Actes nous mettent en présence de deux modèles différents. Ils partent habituellement d'un fait concret qui doit inviter les auditeurs à la réflexion ; une relation est alors établie entre ce « vécu » actuel et l'affirmation de l'événement pascal, dont les Écritures manifestent la portée christologique. Tous les discours de Pierre relèvent de ce modèle, qui inspirait déjà le programme du message christologique présenté en Lc 24. Moins fréquent, l'autre modèle part directement de l'Écriture pour éclairer à sa lumière l'événement pascal. C'est ainsi que Paul procède dans son discours inaugural à la synagogue d'Antioche de Pisidie (chap. 13) ; cette démarche est celle qu'évoquait déjà la scène de la synagogue de Nazareth qui inaugurait le ministère de Jésus (Lc 4, 16-30), celle aussi que suggère l'épisode de l'eunuque éthiopien (Ac 8, 26-40).

I. - A PARTIR DE LA SITUATION

1. Le discours de la Pentecôte

Quatre versets ont suffi pour décrire l'événement de la venue de l'Esprit et ses effets sur le groupe apostolique (Ac 2, 1-4). On n'en est que frappé davantage par l'ampleur avec laquelle le récit s'étend sur la multitude qui se rassemble alors et sur toutes les questions que les gens se posent (v. 5-13). L'importance de l'auditoire qui se forme ainsi est manifestement proportionnée à l'importance du discours que Pierre va lui adresser. Le texte s'intéresse aux sentiments de tout ce monde : c'est l'étonnement et la stupeur (v. 6-7a et 12a). L'ébahissement se traduit en questions : « Tous ces gens qui parlent ne sont-ils donc pas des Galiléens ? Comment alors les entendons-nous chacun dans notre propre langue maternelle ? » (v. 7b-8). La longue liste qui suit ne fait que souligner la portée de ce motif de stupéfaction (v. 9-11). Une dernière question pour terminer : « Qu'est-ce que cela peut bien être ? » (v. 12b).

Entre cette question et la réponse que Pierre va lui donner, Luc a ménagé habilement une sorte d'intermède plaisant qui assure en même temps une heureuse transition avant de passer aux considérations théologiques : certains des assistants proposent une explication bouffonne (v. 13 : « Ils sont pleins de vin doux »), que Pierre commencera par écarter (v. 15). Il peut alors aborder la vraie question, celle du v. 12b : « Qu'est-ce que cela peut bien être ? » (ti thelei toûto eînai), en lui faisant écho : « Mais cela est (toûto estin) ce qui a été dit par le prophète » (v. 16). La grande citation de Joël 3, 1-5a (Ac 2, 17-21) se présente ainsi comme l'explication adéquate des phénomènes qui provoquent l'étonnement des assistants.

Il est bien clair ici que la situation immédiate est première. Les auditeurs de Pierre se sont d'abord interrogés, se demandent quel sens donner à des faits qui les surprenaient. Ayant affaire à des Juifs (v. 5, 14, 22, 36), Pierre les invite à reconnaître dans ces faits la réalisation de ce que le prophète Joël avait annoncé. La citation ne va pas sans quelques retouches qui sont destinées à en faciliter l'application : au début, l'indication temporelle «après cela» est remplacée par «dans les derniers jours», qui souligne le caractère eschatologique du moment présent ; dans la suite immédiate, la promesse «ils prophétiseront» est répétée une seconde fois, interprétant le discours des apôtres comme un discours prophétique inspiré par l'Esprit de Dieu. Il est plus significatif encore que la citation, dont seuls les deux premiers versets s'appliquent à l'événement de la Pentecôte, ait été prolongée jusqu'aux mots : «Et alors quiconque aura invoqué le nom du Seigneur sera sauvé.» L'intention évidente est de préparer ainsi la suite christologique du discours.

Le développement christologique commence au v. 22 d'une manière abrupte, sans aucun lien visible avec le thème de l'effusion de l'Esprit. Le lien n'apparaîtra que dans la suite. La première partie du développement (v. 22-31) consiste essentielle-ment en une proclamation de la résurrection de Jésus considérée, à la lumière du Psaume 15 (LXX), comme une sortie du tombeau : David l'avait annoncée en parlant du Messie. La deuxième partie s'appuie sur le Psaume 109, 1 pour présenter la résurrection comme une élévation céleste à la droite de Dieu de celui qui se voit ainsi attribuer le titre de Seigneur (v. 32-36). C'est ici qu'on revient à la situation concrète. Pierre interpelle ses auditeurs : «Ce que vous-mêmes voyez et entendez» (v. 33) est l'effet de «l'effusion» (cf. v. 17 et 18) de l'Esprit sur les disciples de Jésus, et ainsi la preuve que Jésus est bien monté à la droite de Dieu pour recevoir l'Esprit et être en mesure de le répandre sur les siens. Les effets visibles de l'Esprit attestent donc que Jésus est bien le Seigneur dont David parlait dans le psaume. Et on pressent déjà qu'il faut lui appliquer aussi l'affirmation sur laquelle se terminait la citation de Joël au v. 21 : «Quiconque aura invoqué le nom du Seigneur sera sauvé.»

Avant de rendre la parole à Pierre pour lui permettre de revenir sur le texte de Joël, le récit ramène l'attention sur les auditeurs. Le discours qu'ils viennent d'entendre a transformé leur stupeur initiale en componction. Ce sentiment lui aussi se traduit dans une question. Non plus celle du début : «Qu'est-ce que cela peut bien être ?» (v. 12), mais celle qu'entraîne la juste intelligence de la situation : «Qu'allons-nous faire ?» (v. 37).

Les auditeurs ont compris, grâce aux explications de Pierre, que ce qui se passe les concerne et appelle de leur part un « faire ». En cela encore le récit se veut exemplaire.

Les dispositions nouvelles manifestées par ses auditeurs permettent à Pierre un changement de ton. Jusqu'à présent, il avait fourni des informations qui visaient un « savoir » (v. 14 et 36). Il presse maintenant les gens à passer de l'action : « Convertissez-vous, et que chacun de vous se fasse baptiser... Sauvez-vous du milieu de cette génération dévoyée » (v. 38-40). L'exhortation est assortie d'une promesse qui s'inspire, en les corrigeant, des termes par lesquels s'achevait l'oracle de Joël (Jl 3, 5*bc*) : « Vous recevrez alors le don de l'Esprit Saint, car elle est pour vous la promesse, ainsi que pour vos enfants et pour tous ceux qui sont au loin, en aussi grand nombre que les appellera le Seigneur notre Dieu » (Ac 2, 38-39). Conformément à l'oracle du prophète, le don de l'Esprit, qui a visiblement transformé les apôtres, est destiné à tous, et Luc tient ici à faire éclater la perspective particulariste de Joël en précisant : pas seulement tous ceux qui se trouveront à Jérusalem, mais aussi ceux qui sont au loin (cf. Is 57, 19). La présence de Jl 3, 5*bc* en arrière-plan de la déclaration du v. 39 invite naturellement à reconnaître une allusion à Jl 3, 5*a* : « Et alors quiconque aura invoqué le nom du Seigneur *sera sauvé* », dans l'exhortation finale du v. 40 : « *Sauvez-vous* du milieu de cette génération dévoyée. »

Le rattachement du discours de Pierre à la situation concrète qui en a été l'occasion s'avère donc très ferme. Il fallait d'abord laisser les gens s'interroger sur le sens de l'événement auquel ils assistaient pour que les explications de Pierre reçoivent une motivation. Le premier souci de Pierre est de répondre à la question que les gens se posent (v. 14-21). Et s'il est vrai que, dans une première étape, le message christologique n'a pas d'attache immédiate avec la circonstance concrète qui provoque le discours (v. 22-31), la mention de ce que les auditeurs « voient et entendent » (v. 33) n'en prend que plus de relief dans la seconde partie (v. 32-36). Répondant à une nouvelle question des auditeurs (v. 37), l'exhortation finale (v. 38-40) reste solidement accrochée à la situation par la promesse du don de l'Esprit sur laquelle elle prend appui (v. 38*b*-39). L'appel que Pierre fait aux Écritures, c'est-à-dire aux prophéties de Joël (Ac 2, 16-21.39) et de David (v. 25-31 et 34-35), a pour but d'éclairer cette situation en dévoilant sa pleine signification eschatologique et christologique.

2. Les suites de la guérison d'un infirme

Un nouvel événement extraordinaire donne le départ aux péripéties à l'occasion desquelles les trois chapitres suivants reprennent le message christologique. Le récit en est fait en 3, 1-8, précisant les circonstances dans lesquelles Pierre et Jean ont opéré, au nom de Jésus, la guérison miraculeuse d'un infirme à la porte du Temple.

Le miracle a pour premier effet de susciter la stupeur et l'effroi (v. 10 et 11) du peuple qui en est témoin et qui accourt vers les deux apôtres sous le portique de Salomon (v. 9-11). Les questions que les gens se posent sont rapportées sous une forme indirecte : d'abord celles qui concernent l'identité de l'homme qui a été guéri (v. 10), ensuite celles auxquelles Pierre fait écho dans l'exorde de son discours : «Hommes d'Israël, pourquoi vous étonner de cela, ou pourquoi tenir les yeux fixés sur nous, comme si c'était par notre propre puissance ou piété que nous avons fait marcher cet homme ?» (v. 12). La stupéfaction des assistants montre assez la nécessité d'une explication et, comme en 2, 15, Pierre entre en matière en excluant une explication inadéquate. On pourrait parler de cet exorde du v. 12 comme d'une analyse de la situation. C'est sur elle que se greffent toutes les considérations qui suivent (v. 13-26).

Dans les v. 13-16, Pierre répond directement à la question posée en établissant une relation entre la guérison de l'infirme et l'affirmation que Dieu a ressuscité Jésus d'entre les morts. La relation s'opère par la mention du mot clé «nom» : le v. 6 avait déjà dit que la guérison avait été réalisée «au nom de Jésus-Christ le Nazaréen» ; le v. 16 explique que si ce nom, ou la foi en ce nom, a pu produire un tel effet, c'est en vertu de l'intervention par laquelle Dieu a ressuscité Jésus. Le miracle, qui fait l'objet d'une expérience immédiate pour les auditeurs, devient ainsi confirmation du témoignage que les apôtres rendent de ce fait de la résurrection de Jésus (v. 15).

Mais il ne suffit pas de fournir aux assistants l'explication adéquate de ce qui vient de se passer sous leurs yeux. Il faut aussi les mettre en face des conséquences pratiques que le message pascal entraîne pour eux. C'est à quoi s'emploie la suite du discours (v. 17-26). L'intervention par laquelle Dieu a ressuscité Jésus reçoit sa signification des Écritures qui l'avaient annoncée, et elle devient ainsi motif pressant de repentir et de conversion : condition indispensable pour avoir part à la bénédiction dont cet événement est le gage pour Israël et pour toutes les familles de la terre. Il n'est pas possible de comprendre réellement la situation présente sans se rendre compte du « faire » qu'elle réclame (cf. 2, 37).

Ce discours de Pierre à l'adresse du peuple provoque un rebondissement de l'affaire devant le Sanhédrin. Les apôtres sont arrêtés (4, 1-3) et comparaissent le lendemain devant les plus hautes autorités du judaïsme : Luc prend manifestement plaisir à décrire l'auditoire impressionnant devant lequel Pierre va prononcer un nouveau discours (4, 5-6). Ce discours est introduit par une question très précise : « Par quel pouvoir ou en quel nom avez-vous fait cela, vous ? » (v. 7). Mais avant de s'engager sur le terrain des explications théologiques, Pierre tient à attirer d'abord l'attention sur la singularité de la situation : « Nous avons aujourd'hui à répondre en justice du bienfait accordé à un homme infirme et par lequel il a été sauvé » (v. 9). Curieux procès que celui où les inculpés ont à se justifier non d'un méfait, mais d'un bienfait accordé à un malheureux !

Au premier mot clé « nom » introduit par la question des sanhédrites, l'exorde de circonstance du v. 9 en a ajouté un second : le verbe « sauver ». Le discours de Pierre tend à montrer qu'en vertu de sa résurrection Jésus possède le « nom » par lequel tous doivent être « sauvés » (v. 12). La guérison de l'infirme par ce « nom » (v. 10) devient ainsi le signe du « salut » que nous avons à atteindre du même « nom » (v. 12). Comme on le voit, les données de base restent celles de la situation concrète : un infirme vient d'être guéri. C'est à partir de là qu'on remonte à l'affirmation de l'événement pascal (v. 10), dont la portée est dévoilée par un texte scripturaire (v. 11).

Le discours de Pierre ne clôt pas l'épisode. Le Sanhédrin doit prendre une décision, et la présence du miraculé ne facilite pas les choses (v. 14 et 20). On se bornera donc à interdire aux apôtres « de parler désormais à qui que ce soit en ce nom-là » (v. 17), « d'ouvrir la bouche et d'enseigner au nom de Jésus » (v. 18). Pierre et Jean sont résolus à ne tenir aucun compte de cette sommation : « S'il est juste devant Dieu de vous écouter plutôt que Dieu, à vous d'en juger...» (v. 19). L'insistance du récit est manifestement destinée à préparer l'épisode de la seconde comparution des apôtres devant le Sanhédrin (5, 17-40) : ce sera là le dernier rebondissement de l'histoire commencée en 3, 1.

Avant cela, les sanctions dont les apôtres sont menacés les tournent vers Dieu : ils lui adressent une prière pour lui demander la force nécessaire pour continuer à parler (4, 23-31). La situation dans laquelle ils se trouvent à la suite de la menace que les autorités font peser sur eux est éclairée à la lumière de ce que le Ps 2, 1-2 dit de la conjuration des puissants contre Dieu et son Messie (v. 25 et 28). C'est donc bien le Christ Jésus qui est visé en ses témoins ; il est désigné ici par Pierre au moyen de l'expression «ton saint Serviteur Jésus» (v. 27 et 30). Il n'est pas sans intérêt de noter que cette christologie du «Serviteur de Dieu» avait déjà caractérisé le discours du chapitre 3 : Dieu «a glorifié son Serviteur» (v. 13), il «a ressuscité son Serviteur» (v. 26). Ces deux passages sont, dans le Nouveau Testament, les seuls qui attribuent directement à Jésus cette appellation de «Serviteur de Dieu». Une sorte d'inclusion s'opère ainsi entre le discours qui suit immédiatement la guérison de l'infirme et la prière qui achève l'épisode, au moins provisoirement.

Nous écrivons «au moins provisoirement», pour tenir compte du lien qui unit à la première comparution des apôtres devant le Sanhédrin celle qui est rapportée en 5, 17-40. Précédée par une libération mystérieuse (5, 17-25), cette seconde comparution est introduite par un reproche du grand prêtre qui résume parfaitement la situation : «Nous vous avions expressément interdit d'enseigner en ce nom-là, et voilà que vous avez rempli Jérusalem de votre enseignement...» (v. 28). Pareille insubordination étonne et demande une explication. Pierre la donne en répétant ce qu'il avait déjà dit précédemment (4, 19) : «Il faut obéir à Dieu plutôt qu'aux hommes» (5, 29). Dieu lui-même est intervenu pour ressusciter celui que les sanhédrites avaient tué et pour faire dépendre de lui le salut d'Israël (v. 30-31). Les témoins de ces faits n'ont pas le droit de se taire : «De ces choses nous sommes témoins, nous et l'Esprit Saint que Dieu a donné à ceux qui lui obéissent» (v. 32). Encadrée par deux affirmations sur la nécessité «d'obéir» à Dieu, la réponse de Pierre est évidemment commandée par l'accusation de désobéissance portée contre les apôtres. Au centre de la réponse, la mention de l'événement pascal assure à la situation actuelle sa pleine dimension sotériologique.

Le sanhédrite Gamaliel qui intervient ensuite montre qu'il a bien compris le sens des déclarations de Pierre, quand il donne à ses collègues le conseil : « Ne risquez pas de vous trouver en guerre contre Dieu ! » (v. 39). On ne saurait réduire aux proportions d'une question disciplinaire les exigences qu'entraîne une éventuelle intervention divine. Tout ce débat reste enraciné dans les circonstances concrètes qui l'ont engendré.

3. Pierre chez le centurion de Césarée

Au chapitre 10, les deux protagonistes sont présentés successivement. Il est d'abord question du centurion Corneille (v. 1-8) : un homme exceptionnellement pieux, remarquable par la générosité de ses aumônes et l'assiduité de ses prières (v. 2 et 4 ; cf. 22 et 31). Cette piété lui vaut la visite d'un ange, qui l'engage à envoyer chercher Pierre. La seconde scène (v. 9-16) nous montre Pierre confronté à une étrange vision qui met en cause la distinction que, comme tout bon Juif, il fait entre ce qui est rituellement pur et impur.

Les envoyés de Corneille arrivent à Joppé (v. 17-23) et en ramènent Pierre à Césarée (v. 23b-33). Pierre se trouve ainsi placé dans une situation qui l'éclaire sur le sens de sa vision : « Vous savez qu'il est illicite pour un Juif de frayer avec un étranger ou de l'approcher ; mais Dieu m'a montré, à moi, qu'il ne faut appeler aucun homme souillé ou impur » (v. 28). Quant à Corneille, c'est par l'exposé de Pierre qu'il comprendra pourquoi l'ange lui a dit de le faire venir.

Le discours de Pierre (v. 34-43) prend son point de départ dans une réflexion qui dégage le sens de l'expérience que l'apôtre est en train de faire. Lui qui était si préoccupé de la distinction entre le pur et l'impur (v. 14) et qui s'était déjà rendu compte de la nécessité d'un dépassement de ces catégories (v. 28), on le voit découvrir finalement le fondement proprement « *théo*-logique » du dépassement. C'est *Dieu* lui-même qui ne fait pas de différence : « En toute vérité, je comprends que *Dieu* ne fait pas acception des personnes, mais qu'en toute nation celui qui le craint et pratique la justice est agréé de lui » (v. 34-35). Pierre part donc de ce que les circonstances l'amènent à comprendre.

C'est sur cette base qu'il va développer le message christologique, encadré par deux affirmations universalistes : « Il est le Seigneur de tous » (v. 36), « Il est celui qui a été établi par Dieu comme juge des vivants et des morts » (v. 42). Au centre, les deux étapes de l'événement : le ministère public de Jésus, au cours duquel Dieu avait montré qu'il était avec lui et dont les apôtres sont les témoins (v. 37-39a), et les événements de Jérusalem, où il a été mis à mort mais où Dieu l'a ressuscité, comme les apôtres en témoignent (v. 39b-42). En finale, l'appel à l'Écriture reste global, accentuant encore une fois la note universaliste commandée par la situation : « A lui tous les prophètes rendent ce témoignage que tout homme qui croit en lui reçoit par son nom la rémission de ses péchés » (v. 43).

Une nouvelle intervention divine se produit alors : l'Esprit Saint tombe sur les auditeurs (v. 44). Les Juifs qui accompagnent Pierre en sont stupéfaits, montrant ainsi la difficulté qu'ils éprouvent à surmonter leur distinction entre le pur et l'impur (v. 45). Même difficulté au retour de Pierre à Jérusalem, où on lui reproche : « Tu es entré chez des incirconcis et tu as mangé avec eux ! » (11, 3). Elle reparaît encore lors du « concile », fournissant à Pierre l'occasion d'une nouvelle mise au point (15, 7-11). Il y revient d'abord sur le principe « *théo*-logique » dont partait le discours de Césarée : « *Dieu*, qui connaît les cœurs, leur a rendu témoignage (aux Gentils) en leur donnant l'Esprit Saint tout comme à nous. Et il n'a fait aucune différence entre nous et eux, ayant purifié leur cœur par la foi » (v. 8-9). Mais la foi purificatrice dont il s'agit est celle qui concerne le Christ, en sorte que la portée de l'événement de Césarée est en même temps *christo*-logique : « Aussi bien, c'est par la grâce du Seigneur Jésus que nous croyons être sauvés, de la même manière qu'eux » (v. 11).

Telle est finalement l'affirmation à laquelle aboutit, dans les Actes, l'expérience que Pierre a faite chez Corneille. Elle lui a dévoilé le dépassement auquel l'appelait l'impartialité de Dieu et l'a aidé à comprendre plus clairement l'universalité du salut accordé aux hommes en Jésus-Christ. Certes, la vérification des Écritures reste nécessaire, mais elle ne saurait que confirmer ce qui a d'abord été expérience immédiate de l'intervention divine.

4. Le programme de la prédication apostolique en Lc 24

Le schéma des discours que les Actes attribuent à Pierre est donc constant dans la manière dont ils partent de l'occasion qui les provoque ; c'est en fonction de cette situation immédiate qu'est ensuite présenté le message christologique, avec la référence scripturaire qui lui sert normalement de point d'appui, et pour terminer le plus souvent par un retour sur le moment présent. Il ne paraît pas inutile d'observer que ce schéma répond au modèle du récit des événements de Pâques tel qu'il est proposé en Lc 24, à la fois conclusion de l'évangile et programme du livre des Actes. On le retrouve en effet dans chacune des trois annonces de la résurrection qui composent ce chapitre clé.

Le premier épisode (v. 1-12) rapporte les circonstances dans lesquelles les femmes ont trouvé le tombeau vide, leur perplexité, l'apparition de deux anges et leur question : « Pourquoi cherchez-vous parmi les morts celui qui est vivant ? » (v. 5). Cette question inclut une affirmation : celui que les femmes cherchent est vivant. Il n'en est pas moins vrai que cette affirmation reste indirecte et que la question porte directement sur la conduite des femmes. Elle invite celles-ci à considérer leur propre démarche et à prendre conscience de ce qu'elle présuppose : ces femmes se comportent comme si Jésus se trouvait encore parmi les morts. Elles s'étonnent de la disparition du corps : n'est-il pas plus étrange de les voir chercher dans un tombeau celui qui n'y est plus ?

C'est seulement après avoir attiré l'attention des femmes sur leur propre conduite et son présupposé que les anges déclarent explicitement : « Il n'est pas ici, mais il est ressuscité » (v. 6a). L'affirmation est aussitôt suivie d'un rappel : « Souvenez-vous comment il vous a parlé quand il était encore en Galilée » (v. 6b). Le v. 7 montre que le rappel vise plus précisément la déclaration par laquelle Jésus avait annoncé le nécessaire accomplissement de tout ce que les prophètes avaient écrit à son sujet (cf. 18, 31-33). Le v. 8 semble vouloir stimuler la mémoire du lecteur de l'évangile : « Et elles se souvinrent de ses paroles. » Le schéma est clair : les femmes sont invitées à s'interroger sur le sens de leur propre démarche, avant même d'entendre le message de la résurrection et d'observer sa conformité avec ce qui avait été annoncé auparavant, à la fois par les paroles de Jésus et celles des prophètes.

Le deuxième épisode (v. 13-35) se situe sur la route d'Emmaüs. Ici encore, l'énoncé du message pascal est introduit par une question. En abordant les deux disciples, Jésus leur demande : « Quelles sont ces paroles que vous échangez entre vous en marchant ? » (v. 17). Les disciples sont interrogés sur eux-mêmes, sur ce qu'ils sont occupés à se dire l'un à l'autre. Leur première réaction est de s'intéresser au voyageur inconnu, qui paraît ignorer ce qui vient de se passer à Jérusalem (v. 18). Jésus les ramène à leur propre conversation en interrogeant de nouveau : « Quoi donc ? » (v. 19). Ils sont ainsi amenés à formuler la cause de leur tristesse et de leur désarroi (v. 19-24). Ils fournissent ainsi une bonne analyse de la situation telle qu'eux-mêmes la perçoivent. A partir de là, Jésus pourra leur expliquer alors comment « il fallait que le Christ endurât ces souffrances pour entrer dans sa gloire » (v. 26), justifiant cette affirmation par ce qu'avaient annoncé Moïse et tous les prophètes (v. 25 et 27). Ici encore, ce qu'on peut appeler l'analyse de la situation précède le message.

Le troisième épisode (v. 36-49) reprend le même message à l'intention des Onze. Devant Jésus qui se présente à eux, ils sont « saisis de frayeur et de crainte, à la pensée de voir un esprit » (v. 36). Jésus commence donc par les interroger en les invitant à considérer leurs propres sentiments : « Pourquoi êtes-vous troublés, et pourquoi des pensées montent-elles en votre cœur ? » (v. 38). Le point de départ est de nouveau un appel à se regarder soi-même, tel qu'on est sur le moment. Jésus dissipe alors, par ses paroles et ses gestes, les doutes qui pourraient subsister (v. 39-43), puis seulement il fait appel à la mémoire de ces disciples, se référant à ce qu'il leur avait dit « quand il était encore avec eux » sur le nécessaire accomplissement des Écritures qui le concernaient (v. 44-47).

La régularité du schéma ne peut manquer de frapper : dans les trois épisodes de Lc 24, les destinataires du message pascal sont d'abord invités par une question à s'interroger sur eux-mêmes et leurs propres sentiments ; l'annonce de la résurrection ne vient qu'ensuite, avec l'appui qu'elle reçoit des prophéties qui l'avaient prévue. Nous retrouvons ici, sous une forme plus simple et dépouillée, le schéma dont nous avons reconnu la présence dans les discours par lesquels, dans les Actes, Pierre reprend le même message.

II. - A PARTIR DES ÉCRITURES

Nous ne nous attarderons pas au cas particulier du *discours d'Étienne*, dont la visée nous paraît plus ecclésiologique que christologique. La christologie n'est cependant pas absente de cette grande fresque d'histoire sainte, basée tout entière sur l'Écriture. Mais elle est présente par le moyen d'un procédé de transparence propre à ce texte : la manière dont est résumée l'histoire de Joseph (Ac 7, 9-16) et surtout celle de Moïse (v. 17-43) évoque évidemment la figure de Jésus. On prépare ainsi la mention du «Juste» dans l'accusation que la diatribe finale porte contre ceux qui l'ont trahi et assassiné (v. 52). L'Écriture n'est pas lue en dehors de sa référence au Christ, même si celle-ci ne joue que comme en filigrane.

Le procédé qui nous intéresse ici apparaît sous son jour le plus simple dans l'épisode de l'eunuque éthiopien (8, 26-40). Il fait l'objet du long développement que constitue la prédication inaugurale de Paul dans la synagogue d'Antioche de Pisidie (13, 16-41). On ne saurait oublier qu'il avait déjà été ébauché en Lc 4, 16-30, dans la scène de la prédication inaugurale de Jésus à la synagogue de Nazareth.

1. Philippe et l'eunuque éthiopien

Sans traîner sur les circonstances de la rencontre des deux personnages (v. 26-29), le récit montre Philippe prenant l'initiative. Entendant que l'eunuque est en train de lire Isaïe, il lui demande : «Est-ce que tu comprends ce que tu lis ?» (v. 30). C'est bien la question qui convient à la situation. Cependant, ce n'est pas la situation qu'il s'agit d'éclairer, mais le sens du texte. Ce genre d'entrée en matière est nouveau par rapport à ce que nous avons rencontré jusqu'ici.

L'offre d'explication, que la question impliquait, est aussitôt acceptée (v. 31). C'est alors que le narrateur renseigne son lecteur sur le passage qui fait difficulté : les versets 32-33 rapportent le texte d'Is 53, 7-8, dans le Chant du Serviteur souffrant. La difficulté est explicitée par l'eunuque : « De qui le prophète dit-il cela ? De lui-même ou de quelqu'un d'autre ? » (v. 34). On reconnaît le type de problème auquel Pierre répondait déjà dans le discours de la Pentecôte : David exprime dans un psaume la certitude d'un homme dont la chair ne connaîtra pas la décomposition du tombeau, et il parle dans un autre psaume de quelqu'un que Dieu invite à siéger à sa droite ; or, David a été déposé au tombeau et y est resté (2, 29), il n'est pas monté dans les cieux (v. 34). Ce n'est donc pas de lui-même qu'il parlait ; il ne peut s'agir que du Messie, le descendant qui devait hériter de son trône (cf. v. 30-31). Mais Pierre n'avait fait état de ces psaumes que pour éclairer l'annonce préalable de la résurrection de Jésus ; dans le cas de Philippe, l'oracle d'Isaïe constitue le point de départ, et c'est sur le sens du texte qu'on lui demande des explications.

C'est donc « à partir de ce texte » *(apo tès graphès tautès)* que Philippe va pouvoir annoncer la bonne nouvelle en parlant de Jésus (v. 35). La différence par rapport à la méthode de Pierre tient manifestement à une différence de situation : ce qui appelle une explication dans le cas présent n'est pas un événement qu'on ne comprend pas et qui provoque l'étonnement ; c'est un texte qui reste incompréhensible tant qu'on ne le met pas en relation avec l'événement christologique auquel il se rapporte. Il reste clair qu'une fois cette relation établie il faudra tirer les conséquences pratiques : ce qu'illustre bien dans ce récit le fait que l'eunuque demande à recevoir le baptême (v. 36).

2. *Paul à la synagogue d'Antioche de Pisidie*

Arrivés à Antioche de Pisidie, Paul et Barnabé se rendent à la synagogue pour y prendre part à la liturgie du sabbat. Comme tous les assistants, ils écoutent les deux lectures, tirées l'une de la Loi, l'autre des Prophètes. Ils sont alors invités par les responsables à dire « une parole de paraclèse pour le peuple » (13, 15). On attend d'eux des considérations qui, à propos des textes qu'on vient d'entendre, constituent pour les auditeurs une exhortation et un encouragement à se montrer fidèles à leurs devoirs religieux (cf. He 13, 22). En fait, le récit n'indique pas les lectures qui devraient fournir le point de départ de ce discours édifiant. Elles sont remplacées dans le discours de Paul par un rapide survol de l'histoire sainte : rappel de l'élection des Pères, des événements de l'exode et de l'entrée en Canaan, de la période des Juges, de la royauté de Saül et de celle de David (v. 17-22). Ce résumé est brusquement prolongé par la mention du descendant promis à David, c'est-à-dire Jésus (v. 23), et du témoignage qui lui a été rendu par Jean-Baptiste (v. 24-25).

Cette vision d'ensemble ne constitue encore qu'une entrée en matière. Avec le v. 26, le discours prend un nouveau départ et se présente comme une «parole de salut». Paul y proclame solennellement la résurrection de Jésus (v. 26-31), qu'il présente comme l'accomplissement de ce que David avait prophétisé dans les Psaumes 2 et 15 (LXX) (v. 32-37 : à comparer avec les v. 25-35 du discours de la Pentecôte). La conclusion souligne la portée actuelle de l'événement : à ceux qui croient il offre la possibilité d'obtenir la justification (v. 38-39), tout en faisant planer une lourde menace sur ceux qui refusent de croire (v. 40-41).

A la différence des discours de Pierre, cette prédication de Paul ne part pas de l'expérience immédiate d'un fait surprenant. Elle n'en est pas moins conforme à la situation dans laquelle elle s'insère. Dans une assemblée synagogale, l'Écriture est la donnée première, et c'est à son sujet qu'on demande des éclaircissements. Ces éclaircissements ne sont pas simplement fournis par des explications édifiantes, indiquant aux auditeurs la manière dont les textes peuvent trouver une application concrète dans leur vie d'aujourd'hui. L'Écriture prend son sens à la lumière de l'événement pascal, et c'est finalement cet événement pascal qui devient déterminant pour le moment actuel de ceux qui sont appelés à croire.

La suite du récit des Actes reviendra plusieurs fois sur la manière dont, s'adressant aux Juifs, Paul prend son point de départ dans les Écritures. Ainsi à Thessalonique : «Pendant trois sabbats, Paul discuta avec les Juifs à partir des Écritures *(apo tôn graphôn)*, expliquant et établissant que le Christ devait souffrir et ressusciter d'entre les morts. Et ce Christ, c'est Jésus que je vous annonce» (17, 2-3). Même méthode à Bérée, où on nous montre les Juifs «interrogeant chaque jour les Écritures pour voir s'il en était bien ainsi», comme Paul le disait (17, 11). Et c'est encore le cas à Rome : «Paul s'efforçait de les persuader (les Juifs) au sujet de Jésus à partir *(apo)* de la Loi de Moïse et des Prophètes» (28,

23). Le même procédé est évoqué par les notices qui concernent la prédication de Paul aux Juifs de Damas (9, 22) et de Corinthe (18, 5), celle aussi d'Apollos à Éphèse et à Corinthe (18, 24.28).

3. La prédication de Jésus à la synagogue de Nazareth

Nous avons vu que, prenant leur point de depart dans l'expérience concrète que font ceux auxquels ils sont destinés, les discours de Pierre se conforment au modèle de l'annonce du message pascal tel qu'il avait été proposé par le Ressuscité en personne au chapitre 24 de l'évangile de Luc. Il semble donc opportun d'observer que la démarche qui part de l'Écriture pour arriver ensuite à l'affirmation christologique, démarche par laquelle les Actes caractérisent la prédication de Philippe et surtout celle de Paul, a déjà été présentée par Luc comme celle de Jésus lui-même au moment où il inaugure son ministère public dans la synagogue de Nazareth (Lc 4, 16-30).

La scène commence par la lecture, faite par Jésus, de l'oracle d'Is 61, 1-2 : « L'Esprit du Seigneur est sur moi... » On attend donc une explication de ce texte. Le problème que soulève son interprétation est exactement celui que précisera si bien l'eunuque éthiopien : « De qui le prophète dit-il cela ? De lui-même ou de quelqu'un d'autre ? » (Ac 8, 34). Mieux informé que les gens de Nazareth, le lecteur de l'évangile a été préparé à la bonne réponse par le soin avec lequel Luc a souligné la présence et l'action de l'Esprit sur Jésus (Lc 3, 22 ; 4, 1ab.14). Il n'aura pas de peine à saisir la portée du commentaire de Jésus : « Aujourd'hui cette Écriture est accomplie à vos oreilles » (Lc 4, 21). Luc a trop de goût pour prêter à Jésus une déclaration par laquelle il s'identifierait directement au « moi » dont parle le prophète. Pour être indirecte, l'affirmation christologique n'en est pas moins claire : l'oracle du prophète ne peut se réaliser « aujourd'hui » pour les auditeurs de Jésus que si ce Jésus, sur qui tous les yeux sont fixés (v. 20), est bien celui dont le texte parle.

L'attitude des gens de Nazareth dans la suite du récit montre qu'il ne suffit pas d'avoir entendu l'explication christologique de l'Écriture pour accéder à la foi. La manière dont Jésus est rejeté par ses concitoyens constitue comme le prélude du drame de la Passion et de celui qui se répète à chacune des étapes de l'histoire des Actes.

CONCLUSION

Est-il préférable, pour présenter le message christologique, de partir de la situation concrète et de l'expérience vécue de ceux à qui ce message est destiné, ou de mettre ces destinataires en face des témoignages objectifs consignés dans les textes qui, appartenant à un passé lointain, n'en restent pas moins fondateurs de toute foi chrétienne authentique ? Telle était la question à propos de laquelle nous avions à interroger la pratique apostolique telle qu'elle est attestée par les Actes.

Il paraît clair que les deux modèles trouvent leur illustration dans les discours des Actes. Aucun des deux ne s'impose exclusivement, et ce sont les circonstances qui doivent indiquer l'ordre à suivre. L'ordre importe moins que la complémentarité des deux approches : si l'on part de la situation immédiate, c'est pour rejoindre l'Écriture, et si l'on part des textes c'est pour rejoindre la vie. Il est sans doute plus utile de se rendre compte de la médiation que joue l'affirmation du Christ ressuscité et actuellement vivant. C'est à travers elle qu'on passe de l'expérience présente au témoignage des textes du passé, à travers elle aussi que les textes révèlent les exigences du moment présent. C'est en conduisant à la personne du Ressuscité que le « vécu » chrétien aide à comprendre l'Écriture, comme c'est en conduisant à lui que l'Écriture nous fait comprendre ce que Dieu attend de nous.

C'est peut-être là que se trouve l'acquis principal de notre enquête : l'essentiel se trouve moins dans le point de départ que dans le point central, le mystère pascal, la personne du Christ ressuscité. Qu'il s'agisse d'arriver de la vie à l'Écriture ou de l'Écriture à la vie, c'est par là qu'il faut nécessairement passer. En nous rappelant cela, les discours des Actes n'ont rien perdu de leur actualité.

CONNAÎTRE JÉSUS-CHRIST AUJOURD'HUI « DANS L'ESPRIT SAINT »

Qu'il faut donner à la christologie une dimension pneumatologique

par AUGUSTINUS JANKOWSKI, O.S.B.* (Cracovie)

INTRODUCTION

C'est un trait de notre époque de proposer principalement à la réflexion, dans toute espèce de sciences, les questions qu'on appelle gnoséologiques. Il n'en va pas autrement dans la théologie de ce temps [1]. De fait, la solidité de la foi doit, à juste titre et à bon droit, être établie sur un terrain solide, avec l'appui d'arguments qui soient en accord avec notre époque.

Ainsi, dans la partie la plus importante de la doctrine sacrée, celle qui traite du Christ, on la voit soumise partout à une révision sérieuse, non moins qu'à une réinterprétation qui se présente de diverses façons. Or, à ces recherches, louables en elles-mêmes, il manque souvent un juste équilibre, quant aux méthodes qui doivent leur être appliquées. En premier lieu, un excès de préoccupation historique restreint plus qu'il ne faudrait le champ des recherches ou, si l'on veut, conduit à des conclusions herméneutiques de caractère trop négatif.

---

* Traduction d'André Wartelle (Institut catholique de Paris).

1. Comme exemple de ce type de réflexion critique, on peut citer les ouvrages suivants : *Exégèse et herméneutique* (coll.), Paris, 1971 ; — B.F. Lonergan, *Method in Theology*, 1971.

La préoccupation historique, qui est celle des théologiens de ce temps, n'échappe à personne. Ce qui était naguère le domaine des seuls théologiens «fondamentaux» ou, mieux encore, des apologistes, s'impose maintenant, chaque jour de plus en plus, aux dogmaticiens. De ce fait, on peut ici indiquer plusieurs raisons importantes. Mais qu'il nous suffise d'en souligner par exemple une seule principale : c'est assurément la nécessité de chercher avec le monde d'aujourd'hui un mode de dialogue tel qu'il soit appuyé, autant que faire se peut, sur des présupposés et des méthodes qu'on ait en commun avec lui. Quant à l'histoire, dans la mesure où elle est objet et résultat de la recherche, elle jouit de l'estime commune.

Toutefois, cette procédure, toute juste qu'elle soit, est seulement d'ordre méthodologique. C'est pourquoi elle ne dispense absolument pas d'une élaboration systématique de tout ce que rassemble l'effort historique. Or, l'élaboration systématique dépasse à n'en pas douter les limites de la pure histoire.

Dans la construction d'une christologie à partir des écrits du Nouveau Testament, il y a donc pour nous un égal danger à négliger complètement les actes accomplis dans la vie de Jésus, en nous contentant des seules idées, ou à faire porter notre effort uniquement sur ce qui, dans la totalité de ce champ d'étude, peut être récolté par le secours de la seule recherche historico-critique. Une telle méthode, purement et exclusivement histori-que, est tout à fait légitime dans l'apologétique, qu'on appelle communément, avec moins de rectitude, la théologie fondamen-tale. En réalité, la préoccupation apologétique d'aujourd'hui, bien vivante dans la théologie tout entière, est peut-être la raison pour laquelle cet équilibre est en danger dans le champ des discussions. Le rôle de l'apologiste est, à n'en pas douter, d'établir que Jésus-Christ a réellement existé, qu'il est l'envoyé de Dieu, auquel on peut croire. Cependant, une telle image de Jésus n'est pas encore l'image du Christ total qui apparaît dans le Nouveau Testament. L'image historique, même si en elle-même elle est vraie et nécessaire, n'est à proprement parler qu'une esquisse initiale, tant que les vrais trésors de la notion révélée de «Christ» sont à peine creusés. Ce «péché originel» qu'est la fameuse distinction entre le «Jésus de l'histoire» et le «Christ de la foi» pèse encore de nos jours sur quelques auteurs qui, ou bien s'efforcent de ne tirer des sources du Nouveau Testament que le seul «Jésus historique», ou bien rejettent en tant que *subjectif* tout ce que la *foi* des Apôtres révèle de Jésus-Christ. Plus d'un écrivain de notre temps a consacré l'effort de son œuvre à la mise en lumière de ces dangers et d'autres semblables[2].

A cette opposition, nous nous efforcerons d'ajouter ici un suffrage, en donnant satisfaction à une conclusion tirée lors de la session plénière de la Commission Biblique en 1980 : « Il est important de donner à la christologie une dimension pneumato-logique, pour sortir de la fausse alternative entre la christologie "d'en haut" et la christologie "d'en bas". Jésus est présent dans l'Église "in Spiritu", dans l'Esprit ; c'est cela qui fonde la véritable actualisation herméneutique de la révélation biblique[3]. » C'est de là que nous espérons tirer les règles que doit observer l'exégète soucieux de la vraie christologie, pour peu que nous montrions que la « dimension pneumatologique » est réclamée par des auteurs protestants[4].

Voici quelle sera notre façon de procéder : nous étudierons les points de doctrine christologique solidement et authentiquement établis dans les textes où s'exprime d'une façon remarquable cette dimension pneumatologique, afin d'en tirer plus facilement des conclusions qui permettent de supprimer de notre perspec-tive l'opposition trop rigide entre christologie « d'en haut » et « d'en-bas ». C'est là un écueil qui barre le droit chemin.

I. - ÉTABLISSEMENT
D'UNE NOTION AUTHENTIQUE
DE LA CHRISTOLOGIE

Comme il ressort de la première partie du texte publié par la Commission Biblique, il est assez clair que, chez les écrivains de notre temps, la notion de christologie est trop vague et par conséquent flottante. De fait, il y est dit que même des gens qui ne croient pas du tout en Jésus-Christ ont élaboré une espèce de

---

2. Par exemple N. Lohfink, F. Dreyfus, P.F. Carnley.

3. *Relatio* ..., p. 33. N.B. Ce texte n'a pas été publié.

4. Cf. O.A. Dilschneider, *Die Geistvergessenheit der Theologie*, TLZ, 86, 1961, 255-266.

« christologie ». C'est pourquoi, avant d'en venir à notre propos, il apparaît qu'il y a lieu de définir une notion claire et distincte de la christologie, notion pour laquelle ensuite, compte tenu de sa dimension pneumatologique, on puisse établir certains principes. Serait-il vrai par hasard que tout ce qui se dit actuellement dans les livres à propos de Jésus-Christ pourrait ressortir, en rigueur de terme, à la « christologie » ? A cette question la réponse doit être négative. En effet, pour autant qu'elle est une partie de la doctrine de la foi, la christologie se voit confier la charge d'exposer de façon systématique le Christ total que l'on peut discerner à partir des écrits du Nouveau Testament. Ces écrits ne sont pas un pur récit historique de la vie terrestre de Jésus, mais déjà un exposé catéchétique de la foi, assurément appuyé sur des faits accomplis, mais en même temps transcendant de bien loin l'histoire elle-même. Or, ce lien étroit entre l'histoire et la foi, nous le voyons on ne peut mieux mis en lumière dans le prologue de l'Évangile selon Luc : une meilleure connaissance des « événements accomplis » entraîne la certitude à l'égard de la « solidité des enseignements » transmis aux fidèles par la catéchèse. A n'en pas douter, le Christ total, celui dont les livres du Nouveau Testament nous proposent une peinture aux couleurs variées, n'est pas le seul Jésus de Nazareth, le « Jésus de l'histoire » tiré exclusivement des sources avec le secours de l'art le plus pénétrant de la critique et opposé par certains, d'une façon exagérée, au « Christ de la foi ». Il faut absolument surmonter cette distinction arbitraire, étant donné qu'elle est fondée sur un présupposé faux, à savoir que ce serait une foi purement subjective qui aurait créé l'homme-Dieu, alors qu'au contraire ce qui est vrai c'est que le Jésus historique a provoqué cette foi chez ses disciples[5], sans quoi en effet l'œuvre de Jésus, selon l'opinion de Gamaliel (Ac 5, 38), aurait dû se dissoudre. Or, c'est en tant que croyants que les Apôtres eux-mêmes évoquent celui qu'ils ont vu de leurs yeux et touché de leurs mains (1 Jn 1, 1-3).

Ainsi donc, la christologie au sens vrai du terme estime à sa juste valeur et rassemble dans l'unité tout ce que nous trouvons dans les sources à propos du Christ. Comme elle est en réalité

---

5. Cf. R. Guardini, *Das Bild von Jesum dem Christus im N.T.*, Würzburg, 1936, 32.

une partie de la théologie biblique du Nouveau Testament, payant son juste tribut à la méthode historique aussi bien qu'à la philologie et aux autres disciplines auxiliaires, elle s'efforce de présenter le Christ en tant qu'il a été l'objet de la foi des Apôtres et des fidèles de la génération sub-apostolique. Leur foi et leur intelligence de la foi comportent deux ondes qui, pour ainsi dire, s'enchaînent mutuellement l'une à l'autre, à savoir la doctrine de l'Ancien Testament sur le *Messie*, telle qu'elle a été de nouveau relue par les Apôtres, et la théologie proprement dite sur *Jésus-Christ* du Testament désormais Nouveau[6].

Étant ainsi défini et établi l'objet de notre recherche, nous pouvons aborder la principale question.

II. - LA DIMENSION PNEUMATOLOGIQUE DE LA CHRISTOLOGIE EST ESQUISSÉE DANS LE NOUVEAU TESTAMENT

Cette dimension des affirmations qui sont portées sur le Christ se laisse facilement saisir comme mise en évidence à tous les niveaux de nos sources et presque partout dans la doctrine entière du Nouveau Testament. Le lien entre le Seigneur et l'Esprit est présent d'abord dans les paroles de Jésus qui nous sont rapportées. Ces paroles sont plus rares chez les Synoptiques, plus abondantes chez Jean. En outre les débuts mêmes de la vie terrestre de Jésus aussi bien que le commencement de sa prédication sont présentés comme unis étroitement à l'action de l'Esprit. Enfin dans la christologie sciemment élaborée par les écrivains sacrés ce lien est souligné à plusieurs reprises. Ainsi donc un traitement honnête de la christologie des sources doit nécessairement montrer cette dimension pneumatologique. Autrement en effet la véritable intention des écrivains du Nouveau Testament est laissée de côté, et en même temps le but de la recherche exégétique se trouve privé de son juste éclairage. Or, l'efficacité de la lumière de l'Esprit Saint, dans ce qui est appelé

---

6. Cf. J. Ratzinger, *Offenbarung und Ueberlieferung*, Wien, 1965, 42-44.

ta peri toû Ièsoû[7] (ce qui concerne Jésus), est affirmée à plusieurs reprises. Nous allons donc nous appliquer à remettre ici en mémoire des textes d'une très grande importance.

Il faut commencer par se demander quelle est l'origine de cette lumière. Dans ces derniers temps, il est une assertion qui a rencontré un assentiment presque unanime, c'est celle qui tient que les Apôtres, enfin éclairés par la lumière de Pâques, se sont remis à réfléchir sur la vie terrestre de Jésus en même temps que sur sa doctrine, et qu'ils l'ont ensuite exposée et par oral et par écrit. Cette assertion est liée à la méthode historique, en tant que conclusion correctement déduite des faits. Toutefois, nous pouvons maintenant, grâce à la méthode exégétique, progresser plus avant en disant : dans cette lumière de Pâques prise au sens large, le tout dernier événement est de tous le plus important. De fait, l'influence de l'Esprit Saint, envoyé maintenant par le Seigneur glorieux, est présentée à plusieurs reprises comme ayant donné l'ordre aux Apôtres de prêcher Jésus Messie. A partir de l'origine de la foi, la promulgation solennelle de cette foi-là est soulignée davantage, tant dans les faits qui sont racontés au sujet des Apôtres que dans leur enseignement. Il faut examiner ce point en commençant de préférence par les Actes des Apôtres.

1. *Les Actes des Apôtres*

Après plusieurs apparitions du Seigneur ressuscité, les Apôtres commencent par obéir au commandement qu'il a exprimé lui-même : « Demeurez dans la ville jusqu'à ce que vous soyez revêtus de la force d'en haut » (Lc 24, 49). C'est pourquoi aucun d'eux ne s'est mis en route pour aller accomplir sa fonction d'enseignement avant que fût venu le jour de la Pentecôte[8]. Alors enfin l'Esprit Saint, envoyé en tant que « promesse du

---

7. Cf. X. Léon-Dufour, *Les Évangiles et l'histoire de Jésus,* Paris, 1963, 453-458.

8. « C'est donc en vertu de la présence de l'Esprit Saint ... c'est donc aussi bien en vertu de la présence du Ressuscité lui-même que les disciples vont proclamer l'Évangile de Jésus. A cette lumière, l'histoire acquiert une dimension nouvelle et la plénitude de son sens ; le mystère du Ressuscité illumine la vie de Jésus de Nazareth » (X. Léon-Dufour, *op. cit.,* 457s).

Père » — ou, si l'on préfère, appelé à la manière de saint Jean
« un autre Paraclet » (Jn 14, 16) — a vivement suscité, à partir de
son origine, la prédication totale de la foi des Apôtres et l'a
ensuite manifestement dirigée. Assurément, de cette prédication, la part la plus importante, c'est « ce qui concerne Jésus »
(Ac 18, 25), et aussi, sous l'éclairage désormais de la lumière de
Pâques, spécialement le fait que le Seigneur en gloire — « exalté
à la droite de Dieu » (Ac 2, 33) — a répandu l'Esprit en tant que
signe précis des temps derniers, après avoir accompli l'œuvre du
Messie [9], et assurément pour que les Apôtres puissent s'acquitter
de leur œuvre de témoins du Christ. Au début, ce témoignage
était plusieurs fois référé à la résurrection du Seigneur (Ac 2, 32 ;
3, 15 ; 4, 33 ; 10, 39-40), mais il est mis une fois expressément en
relation avec l'Esprit Saint : « De ces paroles, nous sommes
témoins, nous et l'Esprit Saint que Dieu a donné à ceux qui lui
obéissent » (Ac 5, 32). Par la suite, les promesses johanniques de
Jésus à propos de l'Esprit Paraclet réfléchiront la même lumière
— il en sera question plus bas.

Bien que la prédication tende à la démonstration du Christ
glorieux, il n'en reste pas moins qu'on y trouve une continuité de
grande importance entre le Jésus prépascal et le Christ
ressuscité ; c'est-à-dire que celui qui est exalté à la droite de Dieu
est le même que Jésus de Nazareth « qui fut un prophète puissant
en œuvres et en paroles devant Dieu et devant tout le peuple »
(Lc 24, 19), que déjà pendant sa vie terrestre « Dieu a oint de
l'Esprit Saint » (Ac 10, 38), et qui ensuite est présenté comme
« la pierre rejetée par les bâtisseurs, qui est devenue la pierre
angulaire » (Ac 4, 11). C'est pourquoi la lumière de Pâques, qui
éclaire la vie de Jésus vécue auparavant, bien loin de l'étouffer,
en affermit au contraire la vérité [10]. D'un point de vue opposé, si
la résurrection du Christ était détachée de la réalité historique, le
principal motif pour parler serait enlevé aux Apôtres [11]. Compte
tenu même de cette « révolution pentecostale » [12] dans la

9. Cf. G. HAYA-PRATS, L'Esprit, force de l'Église, coll. Lectio Divina, n° 81,
Paris, 1975, 57.
10. Cf. Ch. DUQUOC, Christologie, Paris, 1972, II, 15.
11. « Privées de leur dimension historique, mort et résurrection deviennent des
catégories, des chiffres, sans ancrage dans notre monde » (R. LATOURELLE,
L'Accès à Jésus par les Évangiles, Tournai-Montréal, 1978, 80).
12. Cf. D.M. STANLEY, Christ's Resurrection in Pauline Soteriology, Roma ²,
1963, 23-26.

conscience des Apôtres, qui, au spectacle du Jésus terrestre conduit par l'Esprit, firent la soudaine expérience d'un changement de rôle, en ce sens que Jésus avait envoyé l'Esprit du haut du ciel, il apparaît clairement que ni les personnes ni leur lien n'ont été changés par ce fait. Il s'agit du même Jésus, quoique glorifié ; il s'agit du même Esprit divin, et le même lien demeure entre l'un et l'autre, avec assurément un changement dans la méthode ou la direction de l'action, mais d'une façon qui est pourtant toujours conforme aux promesses anciennes. Après ces brèves notes sur les Actes des Apôtres, passons à saint Paul.

2. Saint Paul

Chez le docteur des nations, le Christ « Sagesse de Dieu » ne peut être connu que par l'Esprit, ne peut être cru que par l'Esprit. Il dit en effet de sa propre prédication : « Nous prêchons, nous, un Christ crucifié, scandale pour les Juifs et folie pour les païens, mais, pour ceux qui sont appelés, Juifs et Grecs, c'est le Christ Puissance de Dieu et Sagesse de Dieu » (1 Co 1, 23-24). Il s'agit ici d'un mode paradoxal de rédemption, exprimé dans une violente alliance de mots et opposé à la connaissance humaine à la fois naturelle et erronée. Si nous voulons savoir de quelle façon cette difficile « Sagesse de Dieu » peut être discernée par les « appelés », il nous faut lire les paroles du chapitre suivant : « Ce dont nous parlons, c'est une sagesse divine, mystérieuse ... Mais à nous, Dieu l'a révélée par l'Esprit : l'Esprit en effet scrute tout, jusqu'aux profondeurs de Dieu » (1 Co 2, 7 & 10).

Ce que nous venons de réunir en le tirant de deux textes est énoncé en un seul en un autre passage : le mystère du Christ « a été révélé à ses saints Apôtres et Prophètes et en l'Esprit » (Ep 3, 5).

De même que l'intelligence que les Apôtres avaient du mystère du Christ a exigé l'action de l'Esprit Saint, ainsi aussi le fruit de leur prédication, ou bien — selon notre manière de parler — son « corrélat », demande pour lui le même secours, car le Christ total et véritable ne peut être cru que par l'Esprit, selon l'affirmation du même Apôtre : « Personne ne peut dire : "Jésus est Seigneur", que sous l'action de l'Esprit Saint » (1 Co 12, 3). Or, ce commencement de la foi salvifique (cf. Rm 10, 9), inclus dans la formule catéchétique du premier âge, qui exprime la dépendance de chaque fidèle par rapport au Christ, est bien l'œuvre de l'Esprit Saint, qui permet au fidèle de croire au Christ en toute rectitude.

Cet acte de foi initial est cité par l'Apôtre dans l'exposé qu'il fait des charismes de l'Église primitive. Mais l'ecclésiologie de l'épître dite « aux Éphésiens » va plus loin dans la même ligne. Dans cette épître, l'image de l'Église dépendante du Christ glorieux est d'une grande importance, image où sont énumérées diverses fonctions charismatiques, « celles des apôtres, des prophètes, des évangélistes, des pasteurs et des docteurs » (Ep 4, 11-12). Ailleurs, trois de ces fonctions sont, en tant que services d'Église, expressément recensées parmi les dons de l'Esprit Saint (1 Co 12, 28-29 ; 14, 32). Or, au début de cette section ecclésiologique, est affirmée une relation tout à fait générale : « Il n'y a qu'un seul Corps et un seul Esprit » (Ep 4, 4), et l'image du corps est développée plus loin jusqu'à la fin de la section. Il est donc ici question, à n'en pas douter, de l'influence de l'Esprit Saint sur le Corps de l'Église du Christ, et assurément d'une influence telle qu'elle nous permet d'en tirer quelques conclusions sur la connaissance du Christ glorieux. Or, « l'organisation *(katartismos)* des Saints », qui doit être accomplie par ces ministères charismatiques, tend à ceci que « nous parvenons tous ensemble à l'unité de la foi et à la connaissance du Fils de Dieu » (Ep 4, 13). Cette « connaissance » *(epignôsis)* doit être prise au sens biblique, c'est-à-dire celui d'une totale adhésion au Christ dans la pensée et dans l'action [13]. Même si le texte ne dit rien de plus ici d'une façon explicite, nous sommes en droit de penser que cette *organisation* comporte les fonctions suivantes : transmettre dans l'avenir l'enseignement des Apôtres sur Jésus-Christ, le conserver et l'expliciter plus profondément [14]. Mais même sans cette énumération explicite, la suite du texte est d'une très grande importance pour que la connaissance pneumatologique du Christ soit établie dans l'Église comme devant être soutenue

13. Cf. J. DUPONT, *Gnosis*, Bruges-Paris, 1949, 43.
14. « … die Weitergabe, Bewahrung und Vertiefung der apostolischen Tradition », R. SCHNACKENBURG, « Christus, Geist und Gemeinde (Ep 4, 1-16) », in *Christ and Spirit in the N.T.* (in honor. C.F.D. Moule), Cambridge, 1973, 295.

par l'autorité [15], principalement contre les périls qui sont dépeints sous l'image du naufrage : « Pour que désormais nous ne soyons plus de tout petits enfants, ballottés par les flots et emportés à tout vent de doctrine, au gré de la duperie des hommes et de leur astuce à fourvoyer dans l'erreur » (Ep 4, 14).

Notre recherche de la connaissance du Christ « dans l'Esprit » reçoit indirectement un encouragement considérable du principe énoncé par l'Apôtre en ces termes : « Aussi désormais ne connaissons-nous *(oidamen)* plus personne selon la chair, et même si nous avons connu *(egnôkamen)* le Christ selon la chair, nous ne le connaissons *(ginôskomen)* plus ainsi à présent » (2 Co 5, 16). Bien que ces deux propositions soient jusqu'à ce jour l'objet de vives controverses, il ne semble pas toutefois désespéré de donner de ce texte très maltraité une interprétation indubitable qui puisse s'appliquer à notre modeste propos [16].

Il ne s'agit pas ici de la connaissance pour ainsi dire personnelle du seul Paul, mais d'une façon générale du mode de connaissance des fidèles du Christ. Or, la « connaissance » doit être prise à la façon du mot biblique *yādaᶜ*, de la pleine adhésion du cœur (cf. Ga 4, 8), unie à la juste estimation (cf. 1 Th 5, 12). L'expression *kata sarka* (« selon la chair ») doit faire référence au mode de connaissance plutôt qu'au Christ. Est donc exclue la connaissance qui serait selon la nature corrompue de l'homme, non encore rachetée et soumise à la servitude de la Loi. En vérité, l'Apôtre n'a pas rejeté du tout la vie terrestre de Jésus, sans quoi il se serait mis en contradiction avec lui-même, dès lors qu'il soulignait tant de fois que la mort de la croix était la cause de la rédemption. Il s'agit donc d'une nouvelle et pleine connaissance du Christ total, qu'il est permis d'appeler *kata pneûma* (« selon l'Esprit ») [17] ou selon la foi. Cette interprétation acquiert une plus grande certitude si l'on fait la comparaison avec

15. Car il y a bien, en dépit du caractère flottant de la terminologie actuelle, un véritable magistère de l'Église. Cf. A. LEMAIRE, *Les Ministères aux origines de l'Église*, coll. Lectio Divina, n° 68, Paris, 1971, 108.

16. Cf. : J. DUPONT, *op. cit.,* 180-186 ; — K. KRÜMM, *Diakonia Pneumatos*, Rom-Freiburg-Wien, 1967, I, 325-340 ; — J.W. FRASER, « Paul's Knowledge of Jesus : 2 Cor. 5, 16 once more » dans *NTS,* 17, (1970-1971), 293-313 ; — J.F. COLLANGE, *Énigmes de la 2ᵉ Épître de Paul aux Corinthiens*, Cambridge, 1972, 257-263 ; — C.K. BARRETT, *The Second Epistle to the Corinthians*, New York, 1973.

17. Cf. K. KRÜMM, *op. cit.,* II, 1, 426 s.

ce qui est dit en 2 Co 3, du lien entre le Seigneur *(kyrion)* et l'Esprit *(pneûma)*. De fait, deux époques de la même économie du salut y sont opposées l'une à l'autre des deux côtés, de façon à opposer l'ancienne Alliance en même temps que la nature non rachetée à l'ordre nouveau de la grâce. De tout cela, on peut en conclusion tirer le principe suivant : c'est par la foi, sous l'impulsion de l'Esprit Saint que le Christ glorifié doit être « connu », au sens tout à fait biblique et porteur de salut. Ces notions sont déjà toutes proches de celle de la relation du Christ et de l'Esprit, que propose le IV⁰ évangile.

3. Le IV⁰ évangile

Il nous faut donc traiter de la fonction de l'Esprit Paraclet, pour ce qui est de la connaissance de Jésus [18]. L'Esprit Saint ne reçoit chez Jean le nom de *ho paraklètos* (le Paraclet, le défenseur, l'avocat) que dans les chapitres 14 à 16, et aussi il est vrai « un autre Paraclet », alors que selon 1 Jn 2, 1, c'est le Christ qui doive être ainsi appelé le premier. Ce nom insolite, qui ne peut être rendu par un seul vocable ni du latin, ni de quelque autre langue particulière, contient en lui beaucoup de notions, celles d'avocat, de défenseur, de protecteur, de consolateur. Il va donc dans le sens de notre propos d'en retenir ce qui peut nous faire savoir que l'Esprit Paraclet intervient activement pour une certaine part dans la connaissance du Christ.

Et tout d'abord, dans cette section johannique, sont établis tour à tour deux avènements, à savoir celui de l'Esprit promis par Jésus et demandé par lui au Père (Jn 14, 11-17) et celui de Jésus lui-même (Jn 14, 18-20). Ensuite, la poursuite de l'œuvre est accomplie par l'Esprit Saint, sous la dépendance du Christ (Jn 16, 7-15). Mais il n'en reste pas moins que Jésus qui s'en va maintenant, les disciples le verront parler ouvertement (Jn 16, 16-25). De quoi l'on peut déduire que Jésus reviendra bientôt vers ses disciples « dans l'Esprit » [19]. L'une et l'autre admirable

18. Cf. : I. de LA POTTERIE - S. LYONNET, *La vie selon l'Esprit. Condition du chrétien*, coll. Unam Sanctam, n⁰ 55, Paris, 1965, 96-101 ; — R. SCHNACKENBURG, *Das Johannes Evangelium*, Freiburg - Basel - Wien, 1975, III, 156-173.

19. Cf. H. SCHLIER, « Zum Begriff des Geistes nach dem Johannes-Evangelium », in *Neutestamentliche Aufsätze* (Festschrift J. Schmid), Regensburg, 1963, 234.

parousia (parousie : arrivée, présence du Christ) sont fort bien mises en relation avec «l'eschatologie déjà réalisée» (R. Bultmann, C.H. Dodd), qu'il vaudrait mieux chez Jean appeler eschatologie réalisée seulement «en partie». Deux phrases paraissent ici convenir à l'élucidation de notre propos. La première est plus générale : «Mais le Paraclet, l'Esprit Saint qu'enverra le Père en mon nom, c'est lui qui vous enseignera tout et vous rappellera tout ce que je vous ai dit» (Jn, 14, 26) ; la seconde promet davantage : «J'ai encore beaucoup à vous dire, mais vous n'êtes pas encore en état de le porter ; mais quand il viendra, lui, l'Esprit de vérité, il vous introduira dans la vérité tout entière [20] : car il ne parlera pas de sa propre autorité, mais tout ce qu'il entendra, il le dira, et il vous annoncera l'avenir» (Jn 16, 12-13). Les deux verbes «enseigner» (*didaskein*) et «rappeler» *hypomimnèskein* ont chez Jean un sens plus étendu que celui que nous comprenons d'ordinaire. Le premier en effet, quand il est appliqué à Dieu ou au Christ (cf. Jn 7, 14 & 28 ; 8, 28), équivaut à peu près à «révéler». Le second connote l'idée de découvrir un sens plus profond des mots [21]. Ainsi donc la doctrine révélée par le Père, qui nous a été manifestée par le Fils, pénètre à l'intérieur du cœur des fidèles par l'intermédiaire de l'Esprit, de telle sorte qu'elle cesse de nous être extérieure ; et elle n'arrive à être pleinement comprise que si elle est reçue par la foi. La Parole du Christ reçue en nous par la foi sous la conduite de l'Esprit semble être ce *chrisma* (1 Jn, 2, 27 : cette *onction*) qui demeure en nous et supprime en même temps toute nécessité que quelqu'un d'autre nous enseigne [22].

Dans le second des deux textes johanniques, il y a lieu de souligner l'opposition entre le mot *arti* («maintenant») qui s'applique aux derniers instants de la vie terrestre de Jésus, et d'autre part l'âge à venir, postérieur à la venue du Paraclet. La personne et l'enseignement de Jésus, désignés dans le Quatrième Évangile par le seul mot «vérité», seront enfin mis en pleine lumière. Or, le verbe *hodègèsei* «il vous conduira», peut-être

20. Les éditeurs du texte sont en désaccord et lisent soit *tē alètheirai* avec le datif, soit *eis tèn alètheian* avec l'accusatif. L'un et l'autre sens convient à notre propos.

21. Cf. : O. Michel, *ThWNT*, 4, 681 ; — N.A. Dahl, «Anamnesis. Mémoire et commémoration dans le christianisme primitif», in *St Th*, 1, 1948, 94.

22. I. de La Potterie, *op. cit.*, 92 ss.

emprunté au Ps 24, 5 (LXX), suggère l'idée d'un guide sûr sur le chemin de la vérité. En même temps, par la double répétition, est fortement souligné le fait que toute cette activité d'enseignement, accomplie par l'Esprit, dépend du Christ, unique révélateur.

Mais nous, c'est d'abord la personne du Christ qui nous appelle à cette fonction d'enseignement. Et au-devant de notre effort vient encore un troisième texte qui nous parle du Paraclet : « Or, lorsque viendra le Paraclet que je vous enverrai d'auprès du Père, l'Esprit de vérité qui procède du Père, c'est lui qui rendra témoignage de moi, et vous aussi vous rendrez témoignage, parce que vous êtes avec moi depuis le début » (Jn 15, 26). A cette notion johannique de prédilection « rendre témoignage » (*martyrein*) le contexte suggère ici le sens sous-jacent de défendre dans une action en justice la cause du Christ. Mais il faut bien voir que, dans le IVe Évangile, à plusieurs personnes qui rendent témoignage n'est transmis en réalité qu'un seul témoignage, à savoir celui de Dieu le Père [23]. Le même témoignage, que rendent le Père et le Fils (Jn 8, 18), est continué dans l'Église, sous la conduite de l'Esprit Paraclet. Cette continuité ne se réalise pas par la seule répétition ou la seule codification, mais bien plutôt par une interprétation adaptée aux divers temps [24].

4. *L'Apocalypse*

Enfin, dans l'Apocalypse de Jean, le Christ glorieux, à la fois Roi, Juge et Prêtre, connaît parfaitement tout ce qui se fait dans l'Église, mais il n'en donne pas moins l'ordre que chacune des sept Lettres se termine par un avertissement toujours le même : « Qui a des oreilles, qu'il entende ce que l'Esprit dit aux Églises » (Ap 2, 7. 11. 17. 29 ; 3, 6. 12. 22). Cet avertissement répercute, à peines changées, des paroles de Jésus plusieurs fois prononcées par lui pendant son ministère public (Mc 4, 9. 23 ; 7, 16 ; Lc 8, 8 ; 14, 35 ; Mt 11, 15 ; 13, 9. 43) ; mais en vérité il est joint aux promesses johanniques mentionnées plus haut, concernant la

---

23. Cf. I. de La Potterie, « La notion de témoignage dans saint Jean, dans *Sacra Pagina*, Gembloux, 1959, II, 200-202.

24. Cf. R. Schnackenburg, *Das Johann. Evang.*, III, 173.

protection future de l'Esprit Paraclet (Jn 15, 26 ; 16, 7. 13-14) [25]. Il faut remarquer que le Christ, qui d'autre part dans l'Apocalypse, au début et à la fin, parle lui-même et accomplit de nombreuses actions en tant qu'Agneau, transmet ici à l'Esprit Saint toute la charge de parler aux Églises. Ainsi donc sa médiation nécessaire et unique suggère le principe que tout ce qui concerne même Jésus-Christ est porté à la connaissance des fidèles par l'intermédiaire de l'Esprit.

Vers la fin de l'âge apostolique, ou peut-être « sub-apostolique », l'action de l'Esprit et l'interprétation des Écritures sont présentées comme étant en rapport réciproque l'une avec l'autre. Cela ressort clairement du texte pétrinien qui est à juste titre considéré comme classique dans nos traités de l'Inspiration : « Par-dessus tout, sachez-le bien, aucune prophétie de l'Écriture n'est affaire d'interprétation privée, car jamais prophétie ne fut proférée par la volonté de l'homme : c'est sous l'inspiration de l'Esprit Saint que des hommes ont parlé de Dieu » (2 P 1, 20-21).

CONCLUSION

De notre exposé on peut désormais tirer facilement en conclusion les principes corrects d'une élaboration de la christologie.

a) La méthode historique, en exégèse et en théologie, reste tout à fait nécessaire lorsqu'elle s'efforce de découvrir les stades divers et les strates variées de la tradition orale et de la tradition écrite ; mais elle doit en même temps être guidée par un juste principe théologique. Dans cette recherche, il ne s'agit pas de faire la distinction entre la tradition authentique des paroles prononcées par Jésus et les développements de la prédication de l'Église, mais, après avoir fait une juste distinction entre les traditions illégitimes et anonymes d'une part, et de l'autre, la

---

25. Cf. W.J. HARRINGTON, *Understanding the Apocalypse,* Washington, 1969, 85.

véritable tradition apostolique mise par écrit dans le Nouveau Testament, de se consacrer à l'étude de cette dernière en tant qu'inspirée [26]. C'est elle en effet qui, à l'âge apostolique, n'a cessé de briller, sous l'inspiration de l'Esprit, d'une lumière de plus en plus éclatante.

b) Il n'y a donc pas de raison d'accorder à un stade antérieur dans le temps plus de valeur théologique qu'à un stade postérieur. Dans la lumière de la foi, tout doit être reçu et rassemblé dans l'unité.

c) Assurément, cette tradition apostolique a commencé à concevoir et à élaborer sa christologie a partir « d'en bas », en découvrant peu à peu le mystère du Christ ; et cette voie est à recommander vivement aujourd'hui à ceux qui peinent encore dans la recherche du Christ. Mais ce serait un effort trop simplifié, et par conséquent erroné, de ne faire cas que de la seule christologie « d'en bas », en négligeant complètement celle qui procède « d'en haut », car les deux voies se complètent mutuellement, puisqu'il n'existe entre elles aucune opposition réelle [27]. De fait, la christologie qu'on appelle « fonctionnelle » devient déjà dans le Nouveau Testament peu à peu essentielle (ou « ontologique »). En effet, la réflexion de la première et de la deuxième génération de fidèles, à partir de la considération de la puissance (*exousia*) manifeste du Christ, s'élevait par degrés plus haut, afin de reconnaître, au moins jusqu'à un certain point, quelle est son essence (*ousia*). Ce progrès se laisse facilement apercevoir par exemple dans les hymnes du Nouveau Testament, mais il se réalisait « selon l'Esprit ». C'est pourquoi aujourd'hui encore la tâche de l'exégète soucieux de méthode historique ressemble beaucoup à la fonction des Évangélistes, à savoir qu'elle consiste à montrer Jésus-Christ tout entier et vivant.

d) Si un acte de foi salvifique dans le Christ ne peut, si peu que ce soit, s'exercer sans le secours de l'Esprit Saint, combien plus

---

26. Cf. W. TRILLING, « Les traits essentiels de l'Église du Christ », dans *Ass Seign,* 53, 1965, 22.
27. Cf. R.H. FULLER, *The Foundations of New Testament Christology*, London-Glasgow[3], 1974, 248.

252   BIBLE ET CHRISTOLOGIE

l'enseignement total du Nouveau Testament sur Jésus Christ requiert-il le même secours de l'Esprit, qui est à l'œuvre dans le magistère de l'Église, pour être gardé en bon état et correctement entretenu. L'Église primitive, du sein de laquelle tous les écrits du Nouveau Testament [28] tirent leur origine, sous l'inspiration du Saint-Esprit, fut pleinement consciente que ce même secours lui serait accordé aussi dans l'avenir.

C'est aussi pourquoi l'Église de notre époque, bien qu'elle soit, dans le temps, éloignée de l'Église primitive, confiante dans le même secours, poursuit l'élaboration «dans l'Esprit» d'une christologie totale, c'est-à-dire sans aucune mutilation due à des préjugés.

28. Cf. X. Léon-Dufour, *Les Évangiles...*, 493.

L'ASPECT PHYSIQUE
ET COSMIQUE DU SALUT
DANS LES ÉCRITS PAULINIENS*

par PIERRE BENOIT, O.P. (Jérusalem)

I. - LE CORPS AUSSI DOIT ÊTRE SAUVÉ

« Sauver les âmes ! », devise généreuse du travail apostolique.
Et les corps ?... Récemment encore le rituel romain faisait dire
au prêtre distribuant la communion eucharistique : « Que le
corps de N.-S.J.-C. garde ton âme pour la vie éternelle. » Et ton
corps ?... Ces formules ne sont certes pas à prendre avec rigueur,
mais elles reflètent bien une attitude assez répandue parmi les
chrétiens de notre temps, attitude qui n'accorde pas au corps sa
juste place dans le salut de l'homme. Inconsciemment sans
doute, cette attitude remonte au dualisme platonicien. Pour
celui-ci l'âme est tombée du ciel dans un corps, où elle est
enfermée comme dans une prison. Le corps, fait de matière, est
mauvais. Le salut de l'âme consiste à s'en affranchir pour
remonter pure dans les sphères célestes. Sans professer, certes,
une telle doctrine, bien des chrétiens zélés et soucieux de vie

---

* Conformément à la directive qui nous a été donnée de ne pas charger ces
contributions annexes d'un « lourd apparat scientifique », je m'abstiendrai
d'accumuler ici des notes et références bibliographiques que l'on pourra trouver
dans deux précédents articles : « Corps, Tête et Plérôme dans les épîtres de la
captivité », *Revue Biblique*, LXIII, 1956, p. 5-44, reproduit dans mon recueil
Exégèse et Théologie, vol. II, Paris, Cerf, 1961, p. 107-153 ; « L'Église Corps du
Christ », paru dans *Populus Dei*. II. *Ecclesia* (Hommage au cardinal Ottaviani),
Rome, 1969, p. 971-1028, reproduit dans *Exégèse et Théologie*, vol. IV, Paris,
Cerf, 1982, p. 207-262. Voir aussi mes comptes rendus groupés dans *Exégèse et
Théologie*, vol. II, p. 154-177.

spirituelle entretiennent à l'égard du corps une certaine mé-
fiance, voire un certain mépris. Ils comprennent mal la nécessité
d'une résurrection de ce pauvre corps et s'accommoderaient fort
bien d'une vie future où l'âme enfin dégagée du poids de la chair
jouirait sans entraves de la vision de Dieu.

Une telle manière de voir n'est pas chrétienne. Elle est
contraire à la révélation biblique, selon laquelle Dieu a créé
l'homme tout entier, âme et corps, esprit et matière, au centre de
tout un cosmos dont il lui confie le gouvernement (Gn 1, 26-28).
« Et Dieu vit que cela était bon. » La désobéissance de l'homme a
introduit le désordre dans la création, qui « gémit » en attendant
d'être « libérée de la servitude de la corruption » (Rm 8, 21-22).
Ce désordre s'observe au premier chef dans l'homme lui-même,
dont la rébellion contre son créateur entraîne la rébellion à
l'intérieur de sa propre personne. Les passions échappent au
contrôle de la raison, l'esprit et la chair sont en lutte. Le retour à
l'ordre — qui est le salut — devra nécessairement intéresser tous
les éléments qui composent la personne humaine, son corps tout
comme son âme. L'un et l'autre doivent retrouver la vie, perdue
par le péché, et pour le corps cela engage une résurrection après
la mort. C'est la conception qui s'est imposée à la pensée juive,
notamment chez les Pharisiens (cf. Ac 23, 6-8), lorsque le
progrès de la révélation l'a mieux éclairée sur la vie future, et
c'est la foi que Jésus et ses disciples ont enseignée à l'Église
(Mt 22, 23-32 par. ; Lc 14, 14 ; 20, 34-38 ; Ac 4, 2 ; 1 Co 15, etc.).

Saint Paul est un de ceux qui ont le mieux mis en relief la place
du corps dans le salut chrétien, soulignant fortement l'aspect
« physique » de ce salut. Et puisque le corps de l'homme fait
partie du cosmos, il en est venu à dégager, vers la fin de sa vie, ce
qu'on peut appeler l'aspect « cosmique » du salut chrétien. Mais,
avant d'en venir à l'examen de ces textes, il importe de dissiper
un malentendu.

On reproche parfois à la distinction « âme/corps » de relever
d'une philosophie grecque qui était étrangère à la pensée
sémitique d'un Juif comme était Paul. En hébreu, nous dit-on, on
ne trouve aucun mot qui réponde exactement au *sôma* du grec.
Pour le Sémite, le corps n'est pas un élément du composé
humain, associé à l'âme et distinct d'elle. Il est l'homme tout
entier sous son aspect extérieur, sensible, dynamique, moyen de
communication, tandis que l'âme est aussi l'homme tout entier,
mais sous son aspect intérieur, caché, invisible.

Cela n'est pas faux, mais l'opposition entre pensée sémitique et pensée grecque ne doit pas être exagérée. Depuis la conquête d'Alexandre les deux cultures s'étaient profondément compénétrées. Chez Paul en particulier, né à Tarse, la culture rabbinique reçue aux pieds de Gamaliel (Ac 22, 3) s'alliait avec une forte culture grecque qui se traduit dans son langage comme dans sa pensée. Et puis, dans l'une comme dans l'autre culture, on ne peut refuser, à la base de distinctions subtiles, la perception très simple et commune d'une différence entre l'homme extérieur qui se voit et l'homme intérieur qui ne se voit pas. Que le mot « corps » ne signifie pas seulement le composé matériel de chair et d'os, de nerfs et de sang, mais exprime à travers cette matière un aspect visible et vivant qui permet à l'homme de communiquer avec le monde ambiant, nous en convenons aisément. Aussi bien est-ce à cet aspect de l'homme que nous songeons en revendiquant pour lui une place dans l'ordre du salut. Quand Paul exhorte les chrétiens de Rome à « offrir leurs corps (*sômata*) en hostie vivante, sainte, agréable à Dieu », et voit là un « culte spirituel », (Rm 12, 1), il ne songe certainement pas à une oblation de leur corps matériel seulement, mais bien de tout leur être, de leur « personne ». Mais il pense aussi à ce corps. Si sa pensée ne se limite pas à lui, elle ne l'exclut pas non plus, elle l'inclut au contraire. *Sôma* n'est pas pour lui que le corps de l'homme, mais il est bien l'homme dans son corps.

Pour Paul comme pour tout chrétien, le salut de l'homme réside dans l'union au Christ. Par son incarnation le Christ a pris en charge la nature humaine blessée par le péché, par sa mort sur la croix il a expié le péché et reconquis la justice, par sa résurrection il a rendu la justice, la vie, l'Esprit Saint à l'« Homme Nouveau » recréé en sa personne. Il faut et il suffit à tout homme de s'unir à lui par la foi pour revêtir cet Homme Nouveau qui a les promesses de la vie éternelle.

Ce qui m'intéresse ici, c'est de montrer que le corps du Christ et celui du chrétien sont engagés dans tout ce processus de salut. C'était nécessaire, ai-je dit plus haut, pour que le salut fût authentique, total, englobant l'homme tout entier. C'est dans son corps, devenu « chair de péché » (Rm 8, 3), que le Christ a subi la mort, c'est dans son corps qu'il est ressuscité. C'est par leurs corps que les chrétiens entrent en contact avec lui et vivent en lui. Cela s'opère par les sacrements qui, se servant d'éléments matériels de ce monde, en font des moyens, symboliques mais efficaces et réels, de toucher, sous tel ou tel aspect, la vie nouvelle qui habite le corps crucifié et ressuscité du Christ.

Une expression privilégiée chez Paul pour énoncer cette doctrine est celle de «Corps du Christ», dont les chrétiens sont les «membres». Cette formule clé a été l'objet d'innombrables études. Parcourir les textes pauliniens qui la contiennent me permettra de dire comment je l'entends et d'insister sur le réalisme physique qu'elle comporte.

II. - LE CORPS DU CHRIST

La Première aux Corinthiens est la première lettre paulinienne où ce thème est absorbé. On le voit apparaître en particulier à propos des charismes (12, 12-27), ces dons de l'Esprit qui n'ont rien d'extraordinaire comme on le croit trop volontiers, mais sont des aptitudes, des «grâces d'état», accordées aux individus pour le bien de la communauté. Ces dons sont divers et peuvent susciter des rivalités, des jalousies. Paul explique qu'ils sont complémentaires et tous également nécessaires. Pour ce faire, il utilise l'apologue classique bien connu de Menenius Agrippa. Voulant apaiser la rébellion de la plèbe contre la classe dirigeante, ce sénateur romain comparait la société romaine à un corps composé de plusieurs membres qui ont tous besoin les uns des autres. L'estomac peut paraître oisif et profiteur, mais si les mains ou les pieds veulent se passer de lui et lui couper les vivres, ils seront les premiers à en pâtir. Il n'est guère douteux que Paul songe à cet apologue quand il montre que pied, main, oreille, œil sont également du corps sans être chacun tout le corps, et qu'ils ne peuvent s'affranchir de leurs mutuels services.

Bien des exégètes ont cru trouver ici l'origine du thème paulinien du «Corps du Christ», ou mieux des chrétiens constituant «un corps dans le Christ». Cette interprétation est manifestement insuffisante. Elle réduit le «Corps du Christ» à n'être qu'une image abstraite, symbolique, comme lorsqu'on parle d'un «corps de métier», d'un «corps d'armée», du «corps diplomatique». Ce qui unit les membres de tels groupements est d'ordre purement moral, une «raison sociale», un emblème, un drapeau. Tout autre est le lien qui unit les chrétiens au Christ et entre eux. On le voit bien quand Paul dit dans le même contexte que ce qui fait l'unité des chrétiens, c'est qu'ils ont « tous été baptisés en un seul corps », « tous ont été abreuvés d'un seul Esprit » (v. 13), allusions claires au baptême et peut-être à l'eucharistie, qui unissent au corps crucifié et ressuscité du Christ, faisant mourir avec lui, revivre avec lui (Rm 6, 1-11) et se nourrir de lui (1 Co 10, 16-17). Aussi bien Paul ne dit-il pas : « Vous êtes un corps dans le Christ », mais « vous êtes *le Corps du Christ*, et membres chacun pour sa part » (1 Co 12, 27). En somme, il a utilisé l'apologue classique pour illustrer l'unité des chrétiens *entre eux*, mais non pour exprimer leur union *avec le Christ* qui est à la base de cette unité. Cette union a des racines d'un tout autre ordre, bien plus profondes, qui relèvent d'une donnée de foi et d'une théologie proprement chrétienne, que Paul possède indépendamment de l'apologue classique et avant de l'utiliser.

On le voit dans un passage antérieur de la même lettre aux Corinthiens, qui fait allusion explicite à l'eucharistie : « La coupe de bénédiction que nous bénissons, n'est-elle pas communion au sang du Christ ? Le pain que nous rompons, n'est-il pas communion au corps du Christ ? Parce qu'il n'y a qu'un seul pain, à plusieurs nous ne sommes qu'un seul corps, car tous nous participons à ce pain unique » (1 Co 10, 16-17). Dans un tel texte il s'agit bien du corps et du sang du Christ personnel, dans son individualité historique de victime offerte sur la croix et ensuite ressuscitée. Paul le précisera encore un peu plus loin, quand il transmettra la tradition sur la dernière Cène (1 Co 11, 23-27). Sous les espèces sacramentelles, c'est au Christ dans son être physique en même temps que spirituel que le chrétien s'unit physiquement, mangeant et buvant. Et c'est avec ce réalisme sacramentel qu'il faut entendre la conclusion que tire Paul : « Nous ne sommes qu'un corps, car tous nous participons à ce corps unique » (1 Co 10, 17). Nous sommes loin, vraiment, de la métaphore d'un « corps social » groupé par une même foi. Nous sommes dans une réalité d'ordre ontologique, où l'homme est entièrement engagé, âme et corps, âme à travers le corps.

Ce réalisme éclate d'une façon surprenante dans un passage encore antérieur de la même lettre aux Corinthiens, en 6, 12-20.

Il s'agit là d'un problème moral, bien humble, et combien réaliste ! celui de la fornication qu'un homme commet en s'unissant à une prostituée. D'un coup d'aile bien caractéristique de son génie, Paul élève le traitement d'un tel cas à un haut niveau théologique qui intéresse notre problème. A vrai dire, il ne nomme pas ici expressément le « Corps du Christ », mais il le suppose (donc déjà acquis dans sa synthèse intérieure) en rappelant que « nos corps sont les membres du Christ » (v. 15), de son corps évidemment comme il l'explicite ailleurs. Et il ne craint pas de comparer, pour les opposer, l'union d'un homme avec une prostituée et son union avec le Christ. « J'irais prendre les membres du Christ pour en faire des membres de prostituée ! Jamais de la vie ! » (v. 15). Rien ne saurait mieux montrer avec quel réalisme physique il conçoit l'union du corps du chrétien au Corps du Christ. Sans doute s'empresse-t-il de rappeler la portée spirituelle de cette union à base physique. « Celui qui s'unit à la prostituée n'est avec elle qu'un seul corps... Celui qui s'unit au Christ, au contraire, n'est avec lui qu'un seul esprit » (v. 16-17). Et un peu plus loin : « Ne savez-vous pas que votre corps est un temple du Saint-Esprit ? » (v. 19). Mais cette sublimation du symbolisme sacramentel n'enlève rien au réalisme de base qui le fonde. Le grand intérêt de ce texte est de nous montrer que le thème du « Corps du Christ » est déjà dans l'esprit de Paul, jaillissant à propos d'un cas concret comme chez lui bien d'autres éclairs, et que ce thème, loin de rien devoir à une métaphore plus ou moins usée, est déjà fondé sur des bases proprement théologiques : la rédemption (v. 20), la résurrection (v. 14), l'habitation du Saint-Esprit (v. 19).

Peu après 1 Co, Paul écrivait l'épître aux Romains. En 12, 4-5 il reprend en plus bref le passage de 1 Co 12, 12-27 concernant les charismes que nous avons étudiés plus haut. Des exégètes, observant qu'ici Paul ne dit pas : nous sommes « le Corps du Christ », mais « nous ne formons qu'un seul corps dans le Christ », ont cru y trouver une confirmation de leur thèse selon laquelle le thème aurait évolué du « corps *dans le* Christ », dans les « grandes épîtres », au « Corps *du* Christ », dans les épîtres de la captivité. Cette thèse est inacceptable. Nous avons montré que le thème du « Corps du Christ », avec toute sa richesse spécifiquement paulinienne, est déjà sous-jacent aux passages de 1 Co qui en traitent. Nous avons même rencontré l'expression

« Corps du Christ » en 1 Co 12, 27. Il serait invraisemblable que Rm, reprenant en résumé ce que vient de développer 1 Co, s'en écarte volontairement de façon significative. En fait, le changement dans l'expression s'explique sans doute par une raison de style. Tenant au « un » (grec *hen*) qui s'oppose aux « plusieurs » (*polloi*) et ne pouvant écrire « un (seul, unique) Corps du Christ », Paul aura tourné la difficulté par un léger changement : un unique corps dans le Christ.

Si nous passons aux épîtres aux Colossiens et aux Éphésiens, que je tiens pour pauliniennes tout en admettant l'influence plus forte d'un disciple dans la forme littéraire d'Ep, nous y trouvons un ample usage du thème du « Corps du Christ », substantiellement homogène au sens que lui donnait 1 Co, mais enrichi de façon notable. Les deux notes les plus frappantes sont l'apparition du thème qui fait du Christ la *Tête* du Corps et l'intégration d'un élément nouveau dans le plan du salut, le *Plérôme*. Mais avant d'expliquer et d'exploiter ces deux thèmes, il nous faut observer comment le thème du *Corps* prend lui-même des dimensions nouvelles. Il apparaît plus fréquemment et il revêt comme une personnalité plus marquée, celle de l'Église à laquelle il est identifié. En Col 1, 18 « Église » est écrit en apposition à « Corps » ; en Col 1, 24 on lit : « Je complète en ma chair ce qui manque aux épreuves du Christ pour son Corps, qui est l'Église » ; et en Ep 1, 22 s. le Christ apparaît « constitué (par Dieu) au sommet de tout, Tête pour l'Église, laquelle est son Corps... » L'usage très large, universel, du mot « Église » dans ces textes est lui-même remarquable. Dans les épîtres antérieures le mot désignait ordinairement une Église locale, l'assemblée chrétienne dans telle ou telle ville (Rm 16, 1 ; 1 Co 1, 2 ; 2 Co 1, 1, etc.), ou encore Paul parlait en ce sens de « toutes les Églises » (Rm 16, 4 ; 1 Co 7, 17, etc.). En Col, Ep, dans un horizon élargi à une dimension universelle par la crise colossienne dont je reparlerai bientôt, *Ekklèsia* en vient à désigner collectivement toutes les communautés qui ne font qu'un dans le Christ. En cette fin de sa vie, le vieil Apôtre s'attache à cette unité qui rassemble toutes les Églises locales en une seule Église du Christ, et c'est alors qu'il identifie cette Église avec le Corps du Christ où il voit la réunion de tous les chrétiens, « membres » d'un seul Corps qui est celui du Christ. D'où son insistance : « Vous avez été appelés (par Dieu) en un seul Corps » (Col 3, 15). « Il n'y a qu'un Corps et qu'un Esprit, comme il n'y a qu'une espérance au terme de l'appel que vous avez reçu » (Ep 4, 4). Et non seulement les chrétiens sont ainsi unis entre eux, mais les Juifs, jadis rebelles (cf. Rm 9-11), sont désormais réunis aux chrétiens dans la vision optimiste de Paul vieillissant. En mourant sur la croix, le Christ a supprimé « en sa chair » la haine qui séparait les Juifs des païens, et il les a réconciliés « tous deux en un seul Corps » (Ep 2, 14.16). Réunion que Paul décrit par un puissant néologisme, *sussôma* : « les païens sont admis au même héritage, membres du même Corps, bénéficiaires de la même promesse » que les Juifs (Ep 3, 6).

Cette vue élargie du *sôma* ne retire rien de son réalisme physique de base. On le voit dans le passage d'Ep 5, 25-33 où Paul décrit l'union du Christ et de l'Église sous les traits d'un mariage. Le thème du *sôma* reparaît dans ce contexte. Le Christ est dit « sauveur du Corps » (v. 23), c'est-à-dire de l'Église ; et les chrétiens sont « les membres de son Corps » (v. 30). Tout cela dans la perspective réaliste où se situe la comparaison avec le mariage humain. Le Christ « a aimé l'Église et s'est livré pour elle » (v. 25). « Les maris aiment leurs femmes comme leurs propres corps » (v. 28). Or « nul n'a jamais haï sa propre chair ; on la nourrit, au contraire, et on en prend bien soin. C'est justement ce que le Christ fait pour l'Église » (v. 29). Réalisme donc, réalisme physique, mais encore une fois élevé au niveau de l'ordre sacramentel. Le « bain d'eau » par lequel le Christ a sanctifié l'Église en la purifiant (v. 26) peut être le bain de la fiancée qui normalement précédait son mariage. Mais il est bien probable qu'il fait aussi, et peut-être surtout, allusion au baptême qui purifie et sanctifie les chrétiens.

III. - LE CHRIST TÊTE DU CORPS

La personnalisation du « Corps » en Col, Ep, se manifeste particulièrement lorsqu'il est distingué du Christ qui est sa « Tête ». Cela est nouveau. En 1 Co 12, 21 la tête n'était qu'un membre du corps parmi les autres. En 1 Co 11, 3 l'image de la tête « chef » servait seulement à illustrer l'autorité du Christ sur l'homme, de l'homme sur la femme et de Dieu sur le Christ. En

Col, Ep, le Christ, qui était auparavant comme identifié à son Corps, extension ecclésiale de sa sainte humanité, s'en distingue davantage en devenant sa Tête, qui trône au ciel, tandis que son Corps grandit vers lui sur la terre (Col 2, 19 ; Ep 4, 15 s.). On a souvent considéré cette évolution comme le développement normal du thème « Corps du Christ » ; puisqu'un corps a une tête, qui en est évidemment le membre éminent, n'était-il pas spontané de faire du Christ la Tête du Corps qui est l'Église ? Je pense cependant que la genèse de ce thème a été autre. Le titre de « Tête » aura été donné par Paul au Christ, d'abord par rapport aux Puissances célestes pour marquer son autorité sur elles (Col 2, 9) ; il était pris alors en son sens sémitique de « chef ». C'est seulement ensuite que Paul aura pensé à associer le thème de la « Tête » à celui du « Corps », mais alors au sens hellénistique de principe nourricier.

Les docteurs de Colosses accordaient aux Puissances célestes et à leur gouvernement du monde une importance exagérée qui mettait en péril la primauté du Christ. Il n'était nullement question des « Éons » dont les gnostiques du IIe siècle rempliront leur « plérôme » divin (voir *infra*), mais tout simplement des Puissances cosmiques auxquelles le monde ancien, et Paul lui-même, attribuaient un rôle dans la marche de l'univers. On peut penser que les spéculations colossiennes relevaient d'un judaïsme ésotérique apparenté à l'essénisme, dont on sait qu'il s'intéressait beaucoup au monde angélique et l'associait étroitement à la destinée humaine. Dans sa lettre aux Colossiens Paul s'attache à montrer que ces Puissances célestes — dont il ne nie pas l'existence — sont inférieures au Christ. Créées par lui (Co 1, 16), vaincues par lui (2, 15), elles sont totalement soumises à son universelle primauté (Col 1, 18-20 ; cf. Ep 1, 10-22). C'est ce qu'il résume en disant que le Christ est leur Tête au sens de Chef.

Mais, si la tête occupe dans le corps une place « capitale » qui légitime sa qualification de « chef », elle y joue aussi, surtout dans la physiologie de l'ancien monde hellénistique, un rôle de principe animateur et nourricier. Les médecins Hippocrate et Galien cherchaient dans l'encéphale la source de l'influx nerveux qui dirige tous les membres. Quand donc Paul a associé les deux thèmes du Christ « Tête » (des Puissances) et du « Corps » du Christ, il a exploité cette combinaison pour décrire l'influence de principe vital que le Christ exerce dans son Corps : il est « la Tête dont le Corps tout entier reçoit nourriture et cohésion par les

jointures et ligaments, pour réaliser sa croissance en Dieu »
(Col 2, 19 ; cf. Ep 4, 16). Cette description physiologique, où
certains ont voulu reconnaître l'influence de Luc « le cher
médecin » (Col 4, 14), a l'intérêt de nous rappeler une fois de
plus la façon réelle, physique, dont Paul conçoit le Corps du
Christ. Bien entendu, cet influx vital que le chrétien, membre du
Corps du Christ, reçoit de sa Tête est de nature spirituelle. Cet
influx est l'Esprit Saint, comme le suggère la comparaison
verbale (*epichorègein, epichorègia*) de Col 2, 19 et Ep 4, 16 avec
Ph 1, 19. Mais c'est dans l'homme tout entier, corps et âme, que
pénètre cet Esprit de Dieu communiqué par le Christ à ses
membres. Cet Esprit a commencé par pénétrer tout entier
l'Homme Nouveau qu'il recrée dans le Christ, y établissant les
vertus, les dispositions du parfait Fils de Dieu fait homme, en
toutes les circonstances de la vie humaine (les « états » de la
spiritualité bérullienne), qui nous sont communiquées et qui sont
ce que nous appelons la « grâce sanctifiante » (chez Paul le
pneuma, plutôt que la *charis* qui est notre « grâce actuelle »). Il
n'est pas de notre sujet de développer davantage ce qu'est cette
vie nouvelle que le chrétien reçoit du Christ, mais il était
important de constater que Paul en parle dans le contexte du
« Corps », de ses « jointures », de ses « ligaments », qui dénote
bien le caractère concret, à base physique, de cette vie qui
régénère le chrétien tout entier, jusque dans son corps.

IV. - LE PLÉRÔME

Les Puissances cosmiques dont se préoccupaient tant les
docteurs de Colosses, — « Trônes », « Seigneuries », « Principau-
tés », « Puissances » (Col 1, 16) — sont entrées en force dans
l'horizon de Paul à la suite des informations alarmantes que lui a
apportées Épaphras, son disciple missionnaire (Col 1, 7 ; 4,
12 s.). Il ne les ignorait pas et en avait fait de brèves mentions
dans ses précédentes épîtres (1 Co 15, 24 ; Rom. 8, 38 ; cf.
1 Co 2, 6.8), mais il ne les présentait alors que comme des
adversaires imprécis. Or voici qu'elles se précisent comme des
rivales du Christ, auxquelles les Colossiens font confiance en
attendant d'elles le salut, tout autant que du Christ. C'est du

moins ce qu'on devine à travers l'interprétation géniale que donne Paul de leur emprise sur le monde.

Une tradition juive (cf. Ac 7, 53 ; Gal 3, 19 ; He 2, 2) lui faisait voir derrière la loi mosaïque des anges chargés de la communiquer et de l'administrer. Par assimilation il discerne derrière toutes les lois religieuses du monde ancien les Puissances célestes qui gouvernent le monde, ces Puissances qui intéressent tant les Colossiens. Or Anges et Puissances ne peuvent prescrire par leurs lois que des observances matérielles : circoncision, règles alimentaires, calendrier liturgique que règle le mouvement des astres, que Paul caractérise comme «éléments de ce monde» (*stoicheia tou kosmou*), «faibles et pauvres», incapables de sauver, ainsi que les «faux dieux» qui les administrent et qu'il ne craint pas d'affubler du même titre méprisant (Col 2, 8.20 ; cf. Ga 4, 3.8 s.). Tenir à ces observances et professer une humble soumission aux Puissances qui les régentent, c'est ce que Paul appelle un «culte des anges» (Col 2, 18). Or par sa mort et sa résurrection Jésus a mis un terme au régime de la loi en lui substituant celui de la justification par la foi (cf. Ga, Rm). Du même coup il a dépouillé les Puissances de leur autorité (Col 2, 14-15) qui tenait les hommes en esclavage (Ga 4, 8 s.). Il a rétabli la primauté universelle qu'il possédait par la création (Col 1, 15-17) et que le péché lui avait contestée. Par le sang de sa croix il a réconcilié et pacifié en sa personne, non seulement l'humanité, mais tous les êtres du ciel et de la terre, en un mot tout l'univers, en lui-même et dans ses relations avec Dieu (Col 1, 18-20).

Pour désigner cet univers qu'embrasse la primauté du Christ, et qui est plus vaste que le «Corps» de l'humanité sauvée, il fallait à Paul un mot nouveau. Je pense qu'il l'a trouvé en adoptant le terme «plérôme», entendu au sens de plénitude cosmique, ou mieux plénitude de l'Être, qui englobe à la fois la Divinité et tout le cosmos. Cette interprétation n'est pas commune et je dois la justifier.

Le *plèrôma* apparaît d'abord en Col 1, 19 : «Dieu s'est plu à faire habiter en lui (le Christ) tout le plérôme.» Certains exégètes ont voulu reconnaître ici le plérôme des gnostiques valentiniens, qui contient toute la Divinité répartie par émanations successives en trente Éons groupés par couples (ou syzygies). Les Colossiens auraient noyé le Christ dans ce plérôme comme un des Éons parmi d'autres, et Paul répondrait en affirmant que le Christ renferme en lui seul tout le plérôme.

Cette interprétation ne satisfait pas. D'abord parce que le gnosticisme invoqué n'apparaît clairement qu'au IIe siècle apr. J.-C. Ensuite parce que les analogies littéraires s'expliquent par des emprunts de cette gnose aux écrits pauliniens, et non l'inverse. Enfin parce que ce gnosticisme est à base d'un dualisme opposant le « plérôme » divin au « kénôme » du monde inférieur, dualisme tout à fait étranger au monisme de la pensée biblique et paulinienne, et même de l'erreur colossienne telle qu'on la perçoit à travers la réfutation de Paul.

De fait, la plupart des exégètes expliquent autrement le « plérôme ». Il s'agirait de la plénitude de l'essence divine, ou encore de la plénitude des dons divins, des grâces, qui découlent de la richesse du Christ. Cela non plus ne satisfait pas. Cela pourra convenir pour des textes d'Ep, nous le verrons, mais non pas pour le texte de Col. On sait depuis Col 1, 13.15 que le Christ est le « Fils bien-aimé » du Père, « L'image du Dieu invisible ». Pourquoi dire au v. 19 que la plénitude de la divinité « habite » en lui, et cela comme un effet du « bon plaisir » de Dieu ? Ne serait-ce pas là une expression de saveur nestorienne ? Le Christ est pleinement Dieu par nature, par essence. Cela ne saurait être présenté comme l'« habitation » de la Divinité dans l'homme Jésus, et comme l'effet d'un « bon plaisir » divin.

C'est pourquoi je préfère chercher ailleurs l'origine et le sens de ce « plérôme » : dans la doctrine stoïcienne très répandue dans le monde gréco-romain à l'époque de saint Paul, et ayant même pénétré, avec les retouches nécessaires, dans la pensée biblique, notamment dans les écrits sapientiaux, tels que l'Ecclésiastique (Ben Sira) et la Sagesse. Selon cette doctrine, le cosmos est entièrement pénétré par le *Pneuma* divin, dans une étroite unité qui ne comporte aucun « vide ». Pas de « kénôme », mais un plérôme qui englobe tout. Dieu « remplit » l'univers et il « est rempli » par l'univers. Monisme bien conforme à la plus ancienne philosophie grecque, antérieure au dualisme platonicien. Assurément c'est un panthéisme à base d'immanence, mais les auteurs bibliques ont pu s'en servir en l'adaptant à leur monothéisme. Le Dieu unique et transcendant a créé l'univers, et l'on peut dire qu'il le remplit entièrement de son énergie créatrice, de son Esprit (Sg 1, 7), en même temps qu'il en « est rempli » puisque aucun être n'existe en dehors de lui.

C'est en ce sens, me semble-t-il, que Paul a trouvé ce terme utile pour exprimer sa vue du salut, telle que l'avait élargie sa réaction à l'erreur colossienne. Ayant à ranger sous la primauté du Christ non seulement l'humanité rachetée qui devient son Corps, mais encore le cadre cosmique de cette humanité, et en particulier les Puissances célestes qu'il a remises à leur juste place, il déclare que le Christ a pris en charge tout l'univers qu'il s'agissait de ramener à l'unité : la divinité qu'il possède par nature, et le monde créé qu'il prend en charge en s'incarnant. Ces deux composantes du plérôme, il les analyse plus clairement en Col 2, 9 : «plénitude de la divinité» et «corporellement». L'adverbe *sômatikôs* implique son corps personnel (*sôma*) et aussi tout le cosmos avec lequel son corps le met en communication. Les stoïciens parlaient volontiers du cosmos comme d'un grand «corps» pour exprimer son unité organique. Paul a pu exploiter ce sens élargi de *sôma* pour couvrir par l'adverbe *sômatikos* (un hapax chez lui), non seulement le corps humain, l'humanité, mais encore tout le grand corps du cosmos qui est son cadre. Le «bon plaisir» divin ayant fait «habiter» en Jésus — ce qui désormais se comprend bien — tout l'univers en discorde, il a réunifié, «réconcilié» (Col 1, 20) ou mieux «ramené sous un seul chef» (Ep 1, 10) ce que le péché avait divisé, les créatures entre elles, celles du ciel avec celles de la terre, et toutes ensemble avec Dieu.

Nous venons de voir que la dangereuse doctrine des Colossiens a forcé Paul à élargir sa vision de l'œuvre du Christ en y intégrant les Puissances qui gouvernent le cosmos. Mais son intérêt majeur a toujours été le salut de l'humanité. Dans l'épître pratiquement contemporaine, dite «aux Ephésiens» — en réalité une lettre circulant parmi les villes de la province d'Asie (Col 4, 16) —, il revient à son sujet préféré, l'Église, et particulièrement l'unité de l'Église. Les cadres de pensée de Col demeurent, mais des nuances importantes affectent la portée des idées et des mots, notamment du «plérôme».

Les Puissances sont encore mentionnées — non sans impatience d'ailleurs — dans leur situation de vaincues : le Christ ressuscité siège à la droite de Dieu, dans les cieux, «bien au-dessus de toute Principauté, Puissance, Vertu, Seigneurie, et de tout autre nom qui se pourra nommer, non seulement dans ce siècle-ci, mais encore dans le siècle à venir» (Ep 1, 21). Elles ont maintenant à apprendre «par le moyen de l'Église» la sagesse infinie du Mystère divin (3, 10). Elles apparaissent même franchement mauvaises, diaboliques, en 6, 11-12, alors qu'en Col on pouvait les croire neutres, simplement dépouillées de leur mandat de tuteurs-pédagogues (cf. Ga 3, 24-25 ; 4, 2-3. 8), victimes en quelque sorte de l'obstination des hommes à maintenir leur autorité en observant la Loi. D'autre part, comme en Col, le « Corps du Christ » est encore présenté en état de « croissance », de « construction » (Ep 4, 12 ; cf. Col 2, 19) sous l'influx de sa Tête le Christ, qui l'alimente et lui donne « concorde et cohésion » (Ep 4, 16). Mais ce qui éclate davantage, c'est l'extension universelle, cosmique, de l'Église assimilée au Plérôme.

On lit en effet en Ep 1, 23 que Dieu a établi le Christ « au sommet de tout, Tête pour l'Église, laquelle est son Corps, la Plénitude (*plèrôma*) de Celui qui est rempli, tout en tout ». L'exégèse de ce verset est, à vrai dire, difficile et discutée. Certains commentateurs font de « plérôme » une apposition au Christ-Tête, « laquelle est son corps » étant une sorte de parenthèse. Cette construction est pourtant peu naturelle et je préfère, avec beaucoup d'autres, faire de « plérôme » une apposition à « Corps » qui précède immédiatement. L'Église n'est pas seulement le « Corps » du Christ, elle est même son « Plérôme », ce qui veut dire — si j'ai bien apprécié ce terme en Col — qu'elle étend sa présence et son influence à tout l'univers. Il y a là un progrès de pensée remarquable. A travers les chrétiens, qui sont ses membres, l'Église fait rayonner la vie de l'« Homme Nouveau » dans tout son cadre cosmique qui est l'univers. Or c'est dans son corps et par son corps que l'homme communique avec le cosmos. De ce corps sanctifié par les sacrements, la grâce du Christ va toucher et sanctifier le monde créé. La « nouvelle création » est universelle.

Bien entendu, la création matérielle ne reçoit pas la vie de la grâce au même titre que l'homme. Il ne peut s'agir que d'une participation indirecte, mais qui a sa réalité. Paul ne dit-il pas que « la création en attente aspire à la révélation des fils de Dieu… avec l'espérance d'être elle aussi libérée de la servitude de la corruption pour entrer dans la liberté de la gloire des enfants de Dieu » (Rm 8, 19-21) ? Chargé par Dieu de gouverner l'univers (Gn 1, 28), l'homme l'a entraîné dans sa chute, il peut et il doit le relever, avec le Christ et par le Christ, en le remettant entièrement au service de Dieu. C'est ce qui permet de parler d'un salut « cosmique », qui sacralise l'univers.

Cette intégration de l'univers au salut chrétien est assurément mystérieuse. Celle des Puissances cosmiques l'est encore plus. Sans recevoir la « grâce » sous sa forme propre à l'humanité régénérée par le Christ, sont-elles « sauvées » à leur façon ? Le mot « réconcilier » en Col 1, 20 peut faire illusion. Je le tiens pour une reprise quelque peu matérielle du même mot au v.22, où il a son plein sens, dans un contexte que je crois antérieur à l'hymne 15-20 (cf. *Exégèse et Théologie*, vol. IV, 1982, p. 195 s.). L'auteur d'Ep 1, 10 a trouvé le mot plus juste de *anakephalaiô-sasthai*, « ramener sous un seul chef », qui ne préjuge pas de la façon heureuse ou malheureuse, de bon ou de mauvais gré, dont s'opère la soumission des Puissances au Christ.

Au fait, nous n'avons pas dans la Bible une révélation claire sur le sort des anges, bons ou mauvais. Paul lui-même ne se soucie pas de nous éclairer là-dessus. Sa pensée est centrée sur le Christ et le salut de l'humanité. C'est pourquoi en Ep 4, 13 le « plérôme » perd de sa coloration cosmique pour se ramener à la « plénitude » du Christ, « Homme parfait, dans la force de l'âge », qui est son Corps parvenu au terme de sa croissance ressemblent tous les chrétiens dans l'avènement eschatologique.

En Ep 3, 19 la connotation cosmique du « plérôme » s'estompe davantage encore pour faire place à l'extension la plus ample possible, celle de Dieu. Le mot vient au terme d'une prière (3, 14-19) où l'Apôtre, genoux fléchis en présence du Père, demande pour ses fidèles la foi, l'amour, la pleine connaissance, qui les feront « entrer par leur plénitude dans toute la Plénitude de Dieu ». Traduction approchée d'un texte intraduisible, où l'emphase enthousiaste et pléthorique de l'expression déconseille de vouloir serrer de trop près la signification précise des mots. Après avoir considéré la plénitude cosmique où se situe la réconciliation de Dieu et de l'univers, la pensée de Paul est remontée vers le Christ en qui habite cette plénitude (Col 1, 19) et en qui les chrétiens « sont remplis » (Col 2, 10), pour s'élever vers la plénitude du Christ que représente son Corps parvenu à sa maturité (Ep 4, 13), et atteindre enfin la Plénitude même de Dieu, source et fin de tout le plan de salut.

CONCLUSION

Dans ses épîtres aux Galates et aux Romains, saint Paul a magistralement défini le rôle de la Loi dans le salut de l'homme, régime utile mais provisoire et finalement inefficace, auquel le Christ a mis fin en lui substituant le régime de la justification par la foi. Il est bon de mettre en valeur cette doctrine, ainsi que l'a fait Luther. Mais il serait erroné de limiter à elle la théologie paulinienne. Cela pourrait amener à refuser à Paul tout écrit qui ne renferme pas cette doctrine, et cela menacerait la voie du salut de devenir un individualisme cérébral et desséchant. Un certain protestantisme n'a pas échappé à ce danger.

Pour éviter un tel péril, il importe de mieux respecter l'extrême richesse du message paulinien et de faire justice aux aspects « physique » et « cosmique » du salut, qui accompagnent chez lui la thèse de la justification par la foi. C'est ce que j'ai tâché de faire ici, en rappelant l'importance qu'il accorde au corps dans l'union au Christ grâce à l'ordre sacramentel, et en exploitant les thèmes du « Corps du Christ » et du « Plérôme ».

Ainsi rétablie sur des bases plus larges, la théologie paulinienne du salut revêt une ampleur et une cohérence, dans la diversité et l'unité, qui est riche d'enseignements. L'homme est sauvé tout entier, dans son corps comme dans son âme. Le corps étant son moyen de communication avec ses semblables, sa montée vers Dieu, tout en restant une démarche de sa responsabilité individuelle, se fait sociale et collective : sociale par un culte liturgique qui soutient sa prière dans des attitudes, des gestes, des chants vécus en commun et engageant dans la beauté tous les sens du corps ; collective parce qu'il réalise que son salut est solidaire de celui des autres membres du Corps du Christ et que tous doivent s'entraider dans leurs besoins, corporels comme spirituels. Sa vie « dans le Christ » atteint même à travers son corps, « temple du Saint-Esprit », tout le monde créé qui l'entoure et dont il se sert. Ce monde d'ici-bas, dont le matérialisme idéologique absolutise les valeurs, va ainsi être réintégré dans son vrai rôle de créature destinée à servir le salut des enfants de Dieu et à chanter à travers eux la gloire du Créateur.

Son corps lui-même, transformé par la présence de l'Esprit et par les grâces sacramentelles, se spiritualisera peu à peu, de plus en plus, préparant son corps d'éternité. O. Cullmann a parlé très justement d'une « délivrance anticipée du corps humain ». Cette délivrance est en travail et en progrès tout au long de la vie. Elle est nécessaire, car « la chair et le sang ne peuvent hériter du Royaume de Dieu... Il faut que cet être corruptible revête l'incorruptibilité » (1 Co 15, 50. 53). La transformation, déjà à l'œuvre, s'achèvera par l'action décisive du « Dernier Adam, esprit vivifiant » (1 Co 15, 45). « De même que nous avons porté l'image (de l'homme) terrestre, nous porterons aussi l'image du céleste » (1 Co 15, 49). Déjà ressuscité sacramentellement, le chrétien recevra de sa communion au corps du Christ ressuscité la résurrection définitive qui assurera le salut éternel de son être entier, âme et corps. « Si l'Esprit de Celui qui a ressuscité Jésus d'entre les morts habite en vous, Celui qui a ressuscité le Christ Jésus d'entre les morts donnera aussi la vie à vos corps mortels par son Esprit qui habite en vous » (Rm 8, 11).

CHRISTOLOGIE ET PNEUMATOLOGIE DANS S. JEAN

par IGNACE DE LA POTTERIE, S.J. (Rome)

De plusieurs côtés et de points de vue souvent très différents, on s'efforce aujourd'hui de renouveler la christologie traditionnelle. Quelques-uns de ces essais ont été décrits dans la première partie du document de la Commission Biblique. Mais il en est un qui n'y est pas mentionné et qui mérite d'être traité à part : nous voulons parler de l'étude du rapport très étroit entre la christologie et la pneumatologie ; c'est ce qu'on appelle maintenant la « christologie pneumatologique ». Depuis une bonne dizaine d'années, les travaux sur ce sujet se multiplient[1].

Cette étude de la « christologie pneumatologique » est importante, tout d'abord du point de vue œcuménique : cela est encore apparu récemment, au Congrès international de pneumatologie, tenu à Rome à l'occasion du XVIᵉ centenaire du Concile de Constantinople (381). L'Orient reproche à l'Occident son christocentrisme (ou christomonisme) ; les Églises occidentales, par contre, sont gênées par le pneumatocentrisme de la théologie orientale. Dans ces conditions, le progrès dans le dialogue n'est possible que si, de part et d'autre, on est disposé à chercher un nouvel équilibre. Avec Y. Congar, il est permis de rappeler aux

---

1. Nous ne citerons ici que les plus importants (par ordre chronologique) : M. Simonetti, « Note di cristologia pneumatica », *Augustinianum*, 12 (1972), 201-232 ; — Ph. Rosato, « Spirit Christology », *ThSt*, 38 (1977), 423-429 ; — P.J.A.M. Schoonenberg, « Spirit Christology and Logos Christology », *Bijdragen*, 38 (1977), 350-375 ; — Y. Congar, « Pour une christologie pneumatologique. Note bibliographique », *RSPhTh*, 63 (1979), 435-442 ; — L.F. Ladaria, « Cristología del Logos y cristología del Espíritu », *Gregorianum*, 61 (1980), 353-360.

Orientaux que la santé de la pneumatologie, c'est la christologie. Mais en Occident, nous devrions mieux comprendre que la santé de la christologie, c'est la pneumatologie.

Ceci est important également en raison de l'orientation actuelle des recherches christologiques. Celles-ci sont caractérisées par ce qu'on a appelé un retour au Jésus de l'histoire.

Après le défi de Bultmann et de son école (pour eux, ce que nous savons de Jésus est fort peu de chose et n'a guère d'importance), il était nécessaire de s'intéresser de nouveau au Jésus de l'histoire. Mais aujourd'hui se fait jour le danger inverse : la christologie semble parfois se réduire à la «jésulogie». En raison des exigences de la méthode historico-critique en exégèse et avec le développement que prennent les études de sociologie, le risque est grand de ne plus voir en Jésus qu'un homme de son temps, qui continue, certes, à nous intéresser, mais avant tout par son action sociale ou politique. Cette lecture est réductrice. Elle évacue le mystère de Jésus, en qui la foi confesse le Christ, le Fils de Dieu. Ici, la christologie pneumatologique pourrait être libératrice ; car elle s'intéresse elle aussi au Jésus terrestre, mais c'est pour déceler en lui l'action de l'Esprit Saint : c'est «"une christologie de l'Esprit" ou christologie des *mystères* de la vie du Christ, de sa naissance et son baptême à son exaltation dans la gloire, qui est une "christologie ascendante"»[2].

Dans cette redécouverte de la christologie pneumatologique, l'exégèse peut et doit jouer un rôle important. Car d'après certains théologiens orthodoxes, on peut distinguer, non seulement chez les Pères, mais déjà dans le N.T. lui-même, deux types de rapport entre le Christ et l'Esprit : d'après un premier modèle, «la christologie ... devient la source de la pneumatologie» ; celle-ci, en un sens, est alors seconde par rapport à la christologie : le travail de l'Esprit *suit* celui du Christ. Pour le deuxième modèle au contraire «la pneumatologie est la source de la christologie»[3] : c'est l'Esprit qui réalise l'événement du

---

2. Y. de ANDIA, «La résurrection de la chair selon les valentiniens et Irénée de Lyon», dans *Dieu l'a ressuscité d'entre les morts*, Les quatre fleuves, n⁰ˢ 15-16, Paris, Beauchesne, 1982, 59-70 (cf. p. 67). Les italiques sont de nous.

3. T. ZIZIOULAS, «Implications ecclésiologiques de deux types de pneumatologie», dans *Communio Sanctorum*. Mélanges offerts à J.-J. von Allmen, Genève, Labor et Fides, 1982, 141-154 (cf. p. 141-142).

Christ dans l'histoire. Dans le N.T., les deux auteurs les plus
importants pour ce problème sont Luc et Jean. Chez Luc prévaut
plutôt le premier de ces deux modèles. Cependant, ni Luc ni Jean
ne présente l'un ou l'autre de manière exclusive. Mais c'est dans
S. Jean, semble-t-il, que l'intégration des deux points de vue est
la plus parfaite : Jésus y est, d'une part, celui qui est
profondément *animé par l'Esprit*, mais d'autre part aussi celui qui
donne l'Esprit aux disciples, en vue de leur mission apostolique.
De plus, le IVe évangile est le seul écrit du N.T. où l'Esprit est
déjà donné par le Jésus terrestre après sa résurrection
(Jn 20, 22).

C'est ce rapport étroit entre Jésus et l'Esprit que nous
voudrions examiner plus attentivement dans l'évangile de saint
Jean [4].

I. - JÉSUS, « TEMPLE » DE L'ESPRIT (1, 32-33)

Les quatre évangiles concordent pour placer au début de la vie
publique de Jésus un événement capital : son baptême au
Jourdain et la descente de l'Esprit de Dieu sur Jésus. Luc
rappelle qu'en cette occasion Jésus fut « oint de l'Esprit Saint »
(Ac 10, 38) ; en effet, à la synagogue de Nazareth, Jésus s'était
appliqué le texte de Is 61, 1 : « l'Esprit du Seigneur est sur moi,
parce qu'il m'a conféré l'onction (littéralement : m'a oint), pour
annoncer la bonne nouvelle aux pauvres » (Lc 4, 18). Cette
perspective de Luc, dans le IIIe évangile et dans les Actes, est
kérygmatique : l'Esprit prophétique reçu par Jésus est la source
de sa prédication et de sa mission de salut.

Le point de vue de Jean est différent : comme la plupart des
épisodes du IVe évangile, la scène du Jourdain (Jn 1, 29-34) a
chez lui un rôle révélateur ; elle est au point de départ de la
mission de Jean-Baptiste qui était de *manifester* le Messie à Israël
(1, 31). La descente de l'Esprit sur Jésus y est présentée comme
l'objet de la *vision* du Baptiste, comme un *signe* qui lui fait

---

4. Cf. I. de LA POTTERIE, « Gesù e lo Spirito secondo il vangelo di Giovanni »,
in *Lo Spirito del Signore*, Parola, Spirito e Vita, n° 4 (1981), 114-129.

découvrir qui est Jésus et comme le fondement de son *témoignage* sur Jésus. Toute la péricope est construite en chiasme, avec un approfondissement progressif dans l'emploi des verbes de vision : « Il (Jean) *aperçoit* Jésus venir vers lui » (v. 29) ; « Jean rendit témoignage en disant : J'ai *contemplé (tetheamai)* l'Esprit, telle une colombe, descendre du ciel... » (v. 32) ; « et moi, *pour avoir vu (heôraka,* au parfait), je témoigne : c'est lui, l'Élu de Dieu » (v. 34).

Au centre du passage se situe le v. 32, qui décrit précisément la descente de l'Esprit sur Jésus. Mais à ce thème, qui se trouvait déjà chez les synoptiques, Jean ajoute deux traits caractéristiques : l'Esprit qui vient sur Jésus est l'Esprit « descendant *du ciel* » ; l'évangéliste souligne donc l'origine céleste de l'Esprit, ce qui anticipe déjà le v. 51 : en Jésus s'accomplit le rêve du patriarche Jacob ; il est la demeure de Dieu parmi les hommes. Au v. 32, Jean-Baptiste ajoute encore, en parlant de l'Esprit : « Il *demeurait sur lui* », et il le répétera au v. 33. On notera ici l'emploi insistant du verbe « demeurer », si typique pour le vocabulaire johannique. A la différence des autres évangélistes, qui montrent Jésus « poussé » par l'Esprit (Mc 1, 12) ou « conduit par l'Esprit » (Lc 4, 1), Jean dit plutôt que l'Esprit de Dieu « demeurait sur lui ». On peut voir ici une référence à l'oracle d'Isaïe : « Sur lui repose l'Esprit de Yahvé » (Is 11, 2) ; il y a aussi une analogie entre l'Esprit qui demeure sur Jésus et la gloire de Yahvé sur la Tente de Réunion au temps de l'Exode (Nb 14, 10 LXX). Dès à présent (cf. plus loin, 2, 21), Jésus est présenté comme le Temple eschatologique, comme le lieu de la présence définitive de l'Esprit ; ce qui revient à dire que Jésus *possède* l'Esprit comme *sien,* qu'il le porte *en lui-même* d'une manière permanente, en plénitude.

Cette descente de l'Esprit fut pour Jean-Baptiste le signe décisif qui lui fit découvrir l'identité de Jésus. L'importance et le sens de l'événement sont encore soulignés par le contraste entre l'ignorance antérieure du Baptiste et son témoignage subséquent : de part et d'autre du verset central sur le témoignage de Jean (v. 32), le texte souligne par deux fois (v. 31.33) qu'il ne connaissait aucunement celui dont il préparait la venue par son baptême d'eau. Mais la vision de l'Esprit sur Jésus transforme Jean, de baptiseur d'eau, en un témoin croyant de celui en qui réside l'Esprit.

Le v. 33 ajoute une précision importante. Jean avait reçu une communication d'en haut : « Celui sur qui tu verras l'Esprit descendre et demeurer sur lui, c'est lui qui *baptise dans l'Esprit Saint.* » Cette expression, avec le verbe au présent, n'annonce pas un moment précis du ministère de Jésus ; elle désigne globalement le sens de sa présence et de sa mission : elle sera « un baptême dans l'Esprit Saint ». Lui, qui est le Temple de l'Esprit, réalisera la grande effusion eschatologique de l'Esprit Saint, annoncée par les prophètes (Ez 36, 26-29 ; Jl 3, 1-5).

Ce passage de Jn 1, 32-33 contient déjà en condensé tout ce que les chapitres suivants diront plus explicitement sur le rapport entre Jésus et l'Esprit : ces versets montrent, tout d'abord, que Jésus est le lieu de la présence de l'Esprit, mais aussi, que c'est Jésus qui va communiquer aux hommes ce don de l'Esprit.

II. - LA PAROLE DE JÉSUS
ET L'ESPRIT (3, 34 ; 6, 63)

Comment Jésus va-t-il communiquer l'Esprit ? Principalement par sa parole. Dans les écrits johanniques, la parole de Jésus et l'Esprit ont tendance à s'identifier. Deux textes sont à cet égard tout à fait explicites (Jn 3, 34 ; 6, 63). Mais la même idée est sous-jacente aux métaphores de l'eau vive et de l'onction.

1. Voici le texte de Jn 3, 34 : « Celui que Dieu a envoyé prononce les paroles de Dieu ; car c'est sans mesure qu'il donne l'Esprit. » Cette phrase fait partie de la péricope 3, 31-36, sur laquelle se termine l'ultime témoignage de Jean-Baptiste (3, 22-36). Elle constitue comme un commentaire de ce que le Baptiste avait déjà dit en 1, 32-33. En raison de sa concision, cette phrase, depuis l'époque patristique, a été lue de différentes manières. On discute surtout pour savoir quel est le sujet du verbe « donne » ; est-ce Dieu ou le Christ (l'envoyé de Dieu) ? Par souci de clarification certains témoins anciens, surtout dans la tradition antiochienne et latine, ont inséré le mot « Dieu » : « C'est sans mesure que Dieu donne l'Esprit. » Mais ce n'est pas le texte authentique. Il faut lire : « *il* donne... » ; et plusieurs raisons philologiques et théologiques nous invitent à accepter l'interprétation de la tradition alexandrine : c'est *le Christ* qui donne

l'Esprit sans mesure. Voici l'excellent commentaire d'Origène :
« Il y a eu, certes, des sages qui possédaient Dieu et prononçaient
les paroles de Dieu ; mais ils n'avaient que partiellement l'Esprit
de Dieu (cf. Jl 3, 1). Le Sauveur au contraire envoyé précisément pour prononcer les paroles de Dieu, ne donne pas
partiellement l'Esprit : ce n'est pas pour l'avoir reçu lui-même
qu'il le communique aux autres ; lui, qui a été envoyé d'en haut et
qui est au-dessus de tous, le donne, *parce qu'il en est la source*[5]. »
S. Cyrille d'Alexandrie, lui aussi, souligne que ce texte fait voir
toute la différence entre le Christ et les prophètes : ceux-là
n'avaient reçu l'Esprit que partiellement et par participation, ils
ne pouvaient donc le donner aux autres ; le Fils au contraire le
communique à tous, sans mesure, parce qu'il le donne de sa
propre plénitude (cf. Jn 1, 16) et qu'il le possède totalement en
lui-même : cela montre qu'il est Dieu de Dieu ; il peut donc aussi
prononcer les paroles qui conviennent à Dieu[6].

Entre les paroles de Dieu que le Christ prononce et l'Esprit
qu'il communique, il y a pratiquement identité, pour Jean,
puisque le don de l'Esprit, est présenté ici comme l'explication de
l'œuvre de révélation de Jésus : « Il prononce les paroles de
Dieu, *car* il donne l'Esprit sans mesure. » Jean opère ici la
synthèse entre les deux grands passages de l'A.T. sur la nouvelle
Alliance : Jr 31, 33-34 et Ez 36, 26-27. Dans ces deux textes
prophétiques, on trouve le même verbe « donner » ; mais, d'après
Jérémie l'objet de ce don divin, c'est la *Loi* inscrite dans les
cœurs ; d'après Ézéchiel, c'est l'*Esprit* de Dieu : la Loi de Dieu
intériorisée dans l'homme ou l'Esprit de Dieu au-dedans de
l'homme, c'est le même don divin.

En 3, 31-36, Jean indique à quelles conditions l'homme peut
recevoir ce don : il faut qu'il accueille le témoignage du Christ,
qui vient du ciel et qui témoigne de ce qu'il a vu et entendu
(v. 32-33) ; il faut qu'il croie en Jésus, le Fils du Père (v. 36).

Le v. 35 explique quel est l'objet de cette révélation et pour
quelle raison le Christ peut conférer ce double don de la parole et
de l'Esprit : « Le Père aime le Fils et a tout remis entre ses
mains. » Jésus est le Fils aimé du Père et il aime le Père : c'est
pourquoi le Père lui a *tout* donné. Saint Augustin explique :

---

5. *Fragment* 48 (*GCS*, IV, 523, 5-9).
6. *In Joannen*, II (*PG*, 73, 280).

« Comment *tout* ? Il veut dire que le Fils est aussi grand que le Père… Quand il (le Père) a daigné nous envoyer le Fils, n'allons pas penser que nous a été envoyé quelqu'un de moindre que le Père. Le Père, en envoyant le Fils, a envoyé un autre lui-même [7]. » Et l'on peut ajouter ; en envoyant son Fils, le Père a envoyé celui qui est sa propre Parole (cf. 1, 1-2) ; par lui aussi, le Père envoie et donne le Paraclet, l'Esprit de la vérité (14, 16-17).

Dans cette révélation de l'amour du *Père* par la parole du *Fils* et le don de l'*Esprit* on peut déjà discerner une structure trinitaire.

2. Dans le deuxième texte apparaît encore plus nettement l'unité profonde entre les paroles de Jésus et l'Esprit : « Les *paroles* que je vous ai dites sont *esprit* et elles sont vie » (6, 63*b*).

Ce verset appartient à une péricope qui vient immédiatement après le discours sur le pain de vie, et qui décrit le contraste entre l'incrédulité des disciples et la foi. Les disciples, qui n'ont pas compris le discours de Jésus, sont scandalisés par cette parole et ils murmurent (v. 60-61) ; plusieurs d'entre eux ne croient pas (v. 64). Leur attitude est semblable à celle des Juifs, décrite un peu avant (6, 41-42) : eux aussi s'étaient mis à murmurer après le discours qu'ils avaient entendu dans la synagogue de Capharnaüm (6, 41). Jésus les avait cependant invités à venir à lui, mais en leur faisant comprendre que la foi est un don : pour croire, il faut se laisser enseigner par Dieu et se mettre à l'écoute du Père (6, 45). D'une manière analogue, Jésus rappelle aux disciples qu'ils ne peuvent venir à lui, si cela ne leur est pas donné par le *Père* (6, 65). Mais la racine véritable du contraste, dans l'homme, entre la foi et l'incrédulité est indiquée par Jésus au centre du passage : « C'est l'*Esprit* qui vivifie, *la chair* ne sert de rien » (6, 63*a*). Sans l'action de l'Esprit, l'homme n'est que « chair » : il est impuissant à croire au mystère de Jésus. La plus grande nouveauté de cette révélation, c'est que l'Esprit et la vie sont désormais transmis dans les paroles de Jésus. L'A.T. avait déjà enseigné que l'Esprit de Dieu apporte la vie (Ez 37, 1-10). Mais d'après le IVe évangile, l'action de l'Esprit et le don de la vie nous atteignent maintenant à travers la parole de Jésus. Au binôme biblique *(esprit-vie)*, Jean substitue un schème à trois

7. *Tract in Joannem*, 14, 11 (*PL*, 35, 1509).

termes *(parole-esprit-vie)*, qui est caractéristique de la nouvelle Alliance (cf. 2 Co 3, 6). L'évangéliste est convaincu que les paroles de Jésus sont « esprit » (6, 63*b*) ; c'est pourquoi dans la confession de foi des disciples, il peut se contenter de mentionner uniquement comme source de vie les paroles de Jésus, puisque en ces paroles opère déjà l'*Esprit* : « Tu as les *paroles* de *vie* éternelle » (6, 68). On voit ce qui en découle pour la conception johannique de la foi et de la « connaissance » du chrétien : croire en Jésus, connaître Jésus, ce n'est pas seulement accepter les paroles dites par Jésus, c'est les accueillir avec l'Esprit qu'elles portent en elles ; c'est les comprendre et les assimiler dans leur sens profond, suivant l'Esprit dans lequel elles ont été prononcées par Jésus [8].

3. Ce qui précède permet de mieux comprendre la portée exacte de deux métaphores utilisées par saint Jean : l'eau vive et l'huile d'onction ; elles servent à décrire l'action conjointe qu'exercent dans le croyant la parole de Jésus et l'Esprit Saint. L'eau vive promise à la Samaritaine (4, 10) n'est pas encore directement l'Esprit (cf. 7, 38-39) ; c'est la vérité de Jésus, son automanifestation aux hommes (4, 26) ; mais celle-ci ne deviendra « eau vive » pour le croyant que lorsqu'elle sera « bue », c'est-à-dire quand elle aura été intériorisée grâce à l'Esprit : alors elle « deviendra en lui une source qui jaillit pour la vie éternelle » (4, 14). Il en va de même pour l'onction des chrétiens (1 Jn 2, 20.27) ; on dit parfois qu'elle désigne l'action intérieure de l'Esprit Saint. Mais le contexte invite à y voir avant tout une image de l'enseignement « entendu dès le commencement » (2, 24) ; ce renvoi au passé évoque le message qui vient du Christ (v. 20*b*.27*a*) ; mais, pour les croyants dans la communauté chrétienne, cet enseignement ne devient une « huile d'onction », que s'il « demeure » en eux sous l'action de l'Esprit : il peut alors les « enseigner sur tout » [9].

---

8. Cf. en ce sens, la constitution *Dei Verbum* de Vatican II, n° 12, 3ᵉ § : « Puisque la Sainte Écriture doit être lue et interprétée à la lumière du même Esprit *(eodem Spiritu)* qui la fit rédiger... ».

9. Voir, dans la *TOB*, les notes à 1 Jn 2, 20 et 2, 27.

III. - JÉSUS, SOURCE DE L'ESPRIT

D'après les textes examinés jusqu'à présent, l'Esprit est communiqué aux hommes dans la *parole* de Jésus. Mais au fur et à mesure qu'on avance dans la lecture du IVᵉ évangile, on découvre que Jean nous présente l'Esprit comme un don qui jaillit de la personne de Jésus lui-même. En reprenant la formule d'Origène, on peut dire que Jésus est la *source* de l'Esprit. Cela ressort en toute clarté de la solennelle déclaration de Jésus au Temple, lors de la fête des Tabernacles.

1. « *Des fleuves couleront de son sein, des fleuves d'eau vive* » (*Jn 7, 38b*)

Au sujet de ce texte, malheureusement, plusieurs questions se posent, p. ex. sur la ponctuation de la phrase et sur le passage d'Écriture auquel renvoie la fin du verset. Nous présenterons la solution la plus vraisemblable, en insistant sur l'importance de ce texte pour la doctrine du rapport entre le Christ et l'Esprit.

Les premiers mots du v. 38, « celui qui croit en moi », ne sont pas à rattacher à ce qui suit, comme l'a pensé une longue tradition ; dans ce cas, c'est du sein du croyant que couleraient des fleuves d'eau vive : cela serait peu conforme à la pensée de saint Jean. Avec les témoins les plus anciens, il faut joindre ce membre de phrase à ce qui précède (au v. 37b) : « ... et qu'il boive, celui qui croit en moi ! Comme dit l'Écriture : des fleuves couleront de son sein, des fleuves d'eau vive. » Il s'agit alors du « sein » de Jésus. Cette interprétation christologique s'adapte parfaitement au contexte immédiat et à l'ensemble de la théologie johannique. L'évangéliste fait probablement allusion à la grande vision d'Ez 47, 1-2 (cf. aussi Za 14, 8), sur le torrent d'eau vive qui sortira du Temple à l'époque eschatologique. En Jn 7, 37-38, Jésus se présente comme étant lui-même le nouveau Temple du temps messianique : c'est *de lui* que couleront des fleuves d'eau vive.

Mais Jean explique aussitôt : « Il parlait de l'Esprit que devaient recevoir ceux qui avaient cru en lui. Car il n'y avait pas

encore d'Esprit, parce que Jésus n'avait pas encore été glorifié »
(7, 39). Comme en 4, 10-14, Jean distingue ici les deux grandes
étapes de la révélation chrétienne : par l'alternance des verbes au
passé, au présent et au futur, il invite à respecter la différence
entre le temps de Jésus et le temps de l'Esprit. Ici encore l'eau
vive désigne tout d'abord la révélation que le Christ apporte
pendant son existence terrestre en se dévoilant lui-même ; c'est
pourquoi il invite ceux qui l'entourent à croire *en lui* (v. 38*a*), à
« boire » l'eau vive qui s'écoule *de lui*. Mais la perspective s'ouvre
aussitôt sur l'avenir, sur le temps de l'Esprit. Comme l'eau sortie
du Temple dans la vision d'Ézéchiel devait se transformer en un
fleuve qui porterait partout la fertilité et la vie, ainsi l'eau vive de
la révélation apportée par Jésus doit se répandre dans les cœurs
et devenir, moyennant la foi au Christ (v. 39), ces « fleuves » qui
font germer la vie nouvelle. Ce sera l'œuvre de l'Esprit : de cet
Esprit que recevront tous ceux qui auront cru en Jésus.

Mais au moment présent, quand Jésus parle au Temple,
l'Esprit n'est « pas encore » donné : Jean oriente ici le regard vers
le temps de la glorification de Jésus.

2. *Le don de l'Esprit au moment de l'Heure*

Dans le quatrième évangile, l'Heure de Jésus comprend,
comme un tout indivisible, l'heure de sa mort et l'heure de sa
glorification. Jean lie le don de l'Esprit aussi bien à l'épisode du
Calvaire qu'aux apparitions du jour de Pâques.

a) Pour parler de la mort de Jésus et pour suggérer qu'il existe
un rapport étroit entre cette mort et le don de l'Esprit, Jean
utilise une expression sans précédent : « tradidit Spiritum »
(paredôken to pneuma) ; comme il le fait souvent dans des
passages importants, il choisit ici une formule à double sens : elle
signifie tout ensemble que Jésus « rendit l'esprit » et qu'il
« transmit l'Esprit ». On l'a très bien dit : « Jésus, en mourant,
ouvre le passage à l'Esprit [10]. »

La même idée est ensuite suggérée sous forme symbolique
dans l'épisode suivant, la scène du coup de lance (19, 31-37) :

---

10. A. VANHOYE, « L'œuvre du Christ, don du Père (Jn 5, 36 et 17, 4) », *RSR*,
48 (1960), 377-417 (cf. p. 407).

« Le jaillissement de l'eau, mêlée au sang, préfigure la permanence de l'effusion de l'Esprit au-delà de la mort de Jésus[11]. » C'est la réalisation de ce que Jésus avait annoncé en 7, 38 en appliquant à lui-même un passage de l'Écriture : les fleuves d'eau vive qui doivent couler du sein de Jésus, nouveau Temple, c'est pour l'évangéliste l'eau qui s'écoule du côté transpercé de Jésus à la croix. Cette « eau » a certainement un sens symbolique, comme le laisse entendre la triple insistance du témoin au v. 35 et comme l'a bien compris toute la tradition postérieure. De quel symbolisme s'agit-il ? Comme le suggère l'évangéliste lui-même (cf. 7, 39, et le renvoi à Za 12, 10 en 19, 37, au sujet du côté transpercé), la meilleure interprétation consiste à voir dans l'eau du côté un symbole de l'Esprit : « Par le Sang nous avons l'eau de l'Esprit » (Hippolyte). Mais on peut encore préciser. La péricope de Jn 19, 31-37 est étroitement liée au passage précédent (19, 28-30), qui raconte la mort de Jésus. Les versets 28, 30 et 34, en effet, développent un même thème, le don de l'Esprit par Jésus : la *soif* de Jésus mourant (v. 28), c'est son désir de voir se prolonger son œuvre dans l'action de l'Esprit (cf. 16, 7), désir qui commença précisément à se réaliser quand Jésus « remit l'*esprit* » (19, 30 ; cf. *supra*) ; mais ce don de l'Esprit lui-même est ensuite symbolisé par l'*eau* du côté (v. 34). Parallèlement à ce développement sur l'Esprit, ces mêmes versets ont entre eux des connexions semblables du point de vue strictement christologique : « (Tout) est achevé » des versets 28 et 30 est symbolisé dans l'épisode suivant par le sang qui « sort » du côté de Jésus (v. 34). Rappelons que, dans la Bible, le sang est symbole de la vie (Lv 17, 11.14 ; Dt 12, 23) ; on peut donc dire que le *sang* qui « sort » de la plaie du côté dévoile le mystère de la *vie* intérieure du Christ au moment de sa mort, à savoir son obéissance filiale au Père, son oblation salvifique et son amour pour les hommes (cf. 19, 30 et 13, 1).

Observons encore le lien étroit entre le thème christologique (le sang) et le thème pneumatologique (l'eau) : « Il sortit du sang et de l'eau ». L'eau, qui représente l'Esprit, est jointe au sang, qui symbolise l'oblation de Jésus. Cela signifie tout d'abord que l'Esprit vient de Jésus (puisque Jésus en est « la source », comme

---

11. D. MOLLAT, *L'expérience de l'Esprit Saint selon le Nouveau Testament*, Paris, 1973, 45.

disait Origène). Mais l'ordre des deux mots, lui aussi, a de l'importance : certains témoins, il est vrai, ont l'ordre inverse («de l'eau et du sang»), sans doute parce qu'ils songeaient à 1 Jn 5, 6 ou qu'ils faisaient déjà une lecture sacramentelle de l'événement (l'eau et le sang : le baptême et l'eucharistie) ; mais en Jn 19, 34, cela est prématuré : le sens de l'épisode est plus directement christologique qu'ecclésial. La mention de l'eau *après* le sang implique que le don de l'Esprit est un fruit de l'oblation sacrificielle de Jésus. En outre, puisque le *sang* sorti du côté de *Jésus* révèle sa vie profonde, on peut penser que, par l'*eau* de l'*Esprit*, les croyants reçoivent la possibilité et le pouvoir d'entrer en communion avec cette vie profonde de Jésus. Nous reviendrons sur ce thème dans la dernière section.

b) Le don de l'Esprit n'est pas seulement symbolisé par l'eau du côté transpercé. Si c'est vraiment le Jésus terrestre qui est la source de l'Esprit, il faut s'attendre à ce que, après la Résurrection, il vienne en personne pour communiquer l'Esprit aux disciples. C'est de fait ce que Jean rapporte dans le récit de l'apparition de Jésus ressuscité, le soir du jour de Pâques (20, 19-23) : «Il souffla sur eux et leur dit : "Recevez l'Esprit Saint"» (v. 22).

Ici de nouveau le texte de Jean pose plusieurs problèmes. Mentionnons uniquement ceux qui intéressent notre sujet. Observons tout d'abord que ce don de l'Esprit par Jésus, le jour de Pâques, n'est certainement pas l'équivalent johannique de l'effusion eschatologique de l'Esprit à la Pentecôte (Ac 2). Il est improbable aussi que le don de l'Esprit soit directement la transmission d'un pouvoir spécial, celui de remettre les péchés. Les deux gestes symboliques de Jésus aident à comprendre le sens de ses paroles : comme Dieu, à la création, avait insufflé dans les narines d'Adam une haleine de vie (Gn 2, 7), ainsi Jésus, le soir de Pâques, «souffla» sur ses disciples (Jn 20, 22*a*) pour faire comprendre que, en leur communiquant le «souffle» de l'Esprit, il faisait naître en eux la vie nouvelle et inaugurait la nouvelle création. L'autre geste de Jésus était décrit au v. 20 : «Il leur montra ses mains et son côté.» Jésus avait annoncé aux disciples que les événements de la passion allaient être une épreuve pour leur foi : ils allaient le laisser seul (16, 32). Dans la lumière de Pâques, le rappel de la passion leur fait comprendre que ces événements sont dorénavant le fondement de leur foi. Huit jours après, Jésus répète le même geste en présence de

Thomas, qui était resté sceptique ; cette fois il en explique le sens : « Cesse d'être incrédule, et deviens un homme de foi » (20, 27). Le soir de Pâques, ce geste de Jésus devait avoir la même portée ; il est donc probable qu'en soufflant sur ses disciples et en leur donnant l'Esprit Saint, Jésus suscitait en eux la *foi pascale*, et qu'il les transformait ainsi en êtres nouveaux, capables désormais de prolonger dans le monde sa mission de salut (20, 23).

IV. - JÉSUS PRÉSENT DANS L'ESPRIT

Si la christologie pneumatologique, comme il a été dit au début, est une christologie des mystères de la vie de Jésus, il semble à première vue qu'il ne puisse plus en être question après la Résurrection, pendant toute la durée du temps de l'Église. Ce n'est pourtant pas exact, en raison des promesses de Jésus pour cette période. Dans les discours d'adieux de Jn 14-16, Jésus — de façon mystérieuse — annonce la venue du Paraclet, l'Esprit de la vérité, mais aussi son propre retour auprès de siens : « Je m'en vais et je reviendrai vers vous » (14, 28). Ici encore, nous devons donc nous demander : pendant cette période nouvelle, après le « départ » de Jésus, comment faut-il comprendre, dans la vie de la communauté chrétienne, le rapport entre le Christ et l'Esprit ?

1. *Analyse de Jn 14, 1-28*

Pour répondre à cette question, nous devons examiner de plus près les quatre textes johanniques sur le *retour* de Jésus. Ils sont tous concentrés dans le premier discours d'adieux (14, 3.18.23.28).

En 14, 3, nous avons simplement l'annonce du sujet : Jésus reviendra vers ses disciples et les prendra auprès de lui, dans l'intimité du Père ; la longue phrase de 14, 28, par contre, se présente comme un rappel et une conclusion de ce qui précède. Ce sont donc les versets 18 et 23 qui méritent toute notre attention. Replaçons-les dans leur contexte. Ils appartiennent à la petite section 14, 16-26, qui forme une unité littéraire, à composition concentrique. Or, l'ensemble est délimité par les deux premières promesses du Paraclet :

L'Esprit *a)* Promesse d'un autre PARACLET
l'ESPRIT DE VÉRITÉ (v. 16-17).

Jésus et *b)* « *Je viendrai vers vous...*
son Père *Celui qui m'aime* sera aimé de mon Père,... je me manifesterai à lui » (v. 18-21).

c) (Incompréhension) « Tu te manifesteras à nous, et non pas au monde ? » (v. 22)

Jésus et *b')* « *Si quelqu'un m'aime...,*
son Père *nous viendrons vers lui* (Le Père et moi) » (v. 23-24).

a') Promesse du PARACLET
L'Esprit L'ESPRIT SAINT (v. 25-26).

On observera les places parallèles (*b, b'*) qu'occupent les deux versets sur le retour de Jésus (v. 18, 23, en italiques). Ce retour sera aussi une « manifestation » de Jésus à ceux qu'il aime.

2. La venue de Jésus et du Père, dans l'Esprit

A deux reprises, Jésus annonce à ses disciples qu'après son départ, il reviendra vers eux. En quoi consistera cette nouvelle présence ?

a) Ce sera une présence essentiellement intérieure et spirituelle ; et c'est ainsi seulement que Jésus pourra vraiment « se manifester » aux siens.

Jusqu'à ce moment, pendant la vie publique, Jésus demeurait simplement *auprès* de ses disciples (v. 25). Maintenant il va les quitter ; il ne les laissera pourtant pas orphelins : il reviendra vers eux (v. 18). Mais c'est alors précisément qu'ils feront une expérience tout à fait nouvelle : « Vous découvrirez que je suis *en mon Père*, que vous êtes *en moi* et moi *en vous* » (v. 20). C'est pourquoi, quand Jésus reviendra vers celui qui l'aime, il ne sera plus seul à venir, mais le Père viendra avec lui : « Nous viendrons vers lui, et nous nous ferons une demeure chez lui » (v. 23). On comprend maintenant ce que signifie la promesse : « Je me manifesterai à lui » (v. 21), que les disciples sur l'heure n'avaient pas comprise ; ils découvriront que Jésus est « en son Père » (v. 20) qu'il vit dans une étroite communion avec son Père.

Le disciple pourra faire, en lui-même, l'expérience de cette nouvelle présence de Jésus ; pour cela il ne doit réaliser qu'une seule condition, qui revient comme un refrain dans toute la section : il doit *aimer Jésus* (v. 15.21*bc*.23*a*.24*a*). Alors, dit Jésus, « mon Père l'aimera » (v. 23). C'est dans l'exercice de cet amour réciproque entre Jésus et le disciple, ou plutôt de cet amour circulaire entre Jésus, le disciple et le Père, que le Père et Jésus « viendront chez le disciple » pour s'y établir à demeure. Ce sera l'expérience de communion, cette expérience que Jean décrit dans la première épître : « Votre communion est communion avec le Père et avec son Fils Jésus Christ » (1 Jn 1, 3).

b) Jusqu'à présent il n'était question que de Jésus et du Père dans leurs relations aux disciples. Rien n'a encore été dit de l'Esprit. Mais le moment est venu d'observer que les promesses faites en 14, 16-26 sont insérées entre deux promesses de la venue du Paraclet : au début, il est appelé l'Esprit de Vérité (v. 17) ; à la fin, l'Esprit Saint (v. 26). Pour lui comme pour Jésus, on est invité à suivre un même mouvement d'intériorisation : Jésus, qui demeurait jusqu'à présent *auprès* des siens (v. 25), sera dorénavant *en* eux (v. 20) ; l'Esprit de Vérité pareillement, pendant la vie de Jésus, était *auprès* d'eux (v. 17*d*), mais désormais il sera *en* eux (v. 17*e*). La présence intérieure de l'*Esprit* semble s'identifier avec la présence intérieure de *Jésus* ; et l'enseignement de l'*Esprit Saint* consistera en ceci qu'il enseignera et rappellera intérieurement aux disciples tout ce que leur a dit *Jésus* (v. 26). C'est par l'action de l'Esprit que la parole de Jésus sera intériorisée dans le cœur des disciples, et qu'elle deviendra pour eux une eau vive, une huile d'onction, comme nous l'avons dit précédemment. Cette action de l'Esprit rendra également possible ce nouveau mode de présence de Jésus dans le disciple ; ainsi, suivant la promesse de Jésus lui-même (16, 19), il leur sera possible de le « revoir », dans la foi. Mais en quel sens ? Ici s'applique le mot de saint Ambroise : « Il n'est pas donné aux yeux du corps, mais à ceux de l'âme, de voir Jésus [12]. »

Ainsi s'accomplira d'une manière tout à fait imprévisible la

---

12. *Expos. evang. sec. Lucam,* 1, 5 (*CCL*, 14, 9) : Traité sur l'évangile de Luc, « Sources chrétiennes » 45 bis, p. 49.

promesse prophétique de l'inhabitation eschatologique de Dieu parmi les hommes (Ez 48, 35 : «Le nom de la ville sera désormais : *"Yahvé est là"*»). La section de Jn 14, 16-26, on l'aura remarqué, a une structure trinitaire. C'est donc très opportunément que saint Augustin, en commentant le v. 23, soulignait le caractère trinitaire de l'inhabitation divine dans les croyants : «Voici que, avec le Père et le Fils, le Saint Esprit également établit sa demeure chez les fidèles ; et cela intérieurement, comme *Dieu dans son temple.* C'est le Dieu Trinité, Père, Fils et Esprit Saint : ils viennent à nous, quand nous allons à eux [13]. »

CONCLUSION

On découvre donc, à travers tout le IVe évangile, la révélation progressive d'un rapport toujours plus intime entre le Christ et l'Esprit. Au début de la vie publique, Jésus est présenté par son témoin Jean-Baptiste, comme celui sur lequel l'Esprit de Dieu *demeure* : c'est le signe de la présence divine sur lui et en lui. Il se fait ensuite connaître comme celui qui donne l'Esprit dans ses propres *paroles.* A la fête des Tabernacles, on découvre que Jésus lui-même va devenir la *source* de l'Esprit. De fait, au moment de sa mort et de sa résurrection, il *donne* lui-même directement l'Esprit à ses disciples. Mais pour le temps de l'Église, Jésus avait annoncé qu'il enverrait d'auprès du Père un autre Paraclet, c'est-à-dire *un autre lui-même.*

Ainsi est arrivé à son terme tout le développement de notre thème : le rapport entre Jésus et l'Esprit est devenu toujours plus étroit, au point même de créer l'impression que leurs fonctions convergent jusqu'à s'identifier. Grâce à l'action de l'Esprit de Vérité, sont assurées dorénavant la permanence et l'efficacité de la parole de Jésus, de la vérité de Jésus, de Jésus lui-même. On peut donc dire que, pour saint Jean, l'Esprit Saint est «l'actualité du Christ» [14]. Non pas, certes, en ce sens qu'il se borne à raviver

---

13. *Tract. in Joannem*, 76, 4 (*PL*, 35, 1832).
14. Cf. B. GILLIÉRON, *Le Saint-Esprit, actualité du Christ*, Genève, 1978.

en nous le souvenir des événements passés de la vie terrestre de Jésus. L'actualisation du Christ se fait dans l'Esprit ; elle n'est possible que pour ceux qui cherchent à pénétrer dans le *mystère* du Christ. En cela précisément consistera « le baptême dans l'Esprit Saint » ; il réalise la présence permanente de Jésus dans le croyant, mais de Jésus tel qu'il s'est révélé à nous : Jésus qui vit en communion avec le Père, et qui est dans le Père. Avec saint Paul on pourrait dire : la mystérieuse unité entre Jésus et l'Esprit, en définitive, consiste en ceci que Jésus lui-même est présent dans nos existences, « dans l'Esprit » ; il est désormais pour nous « l'être spirituel qui donne la vie » (1 Co 15, 45).

TABLE DES MATIÈRES

I
BIBLE ET CHRISTOLOGIE
Document de la Commission Biblique Pontificale

II
COMMENTAIRES

294 BIBLE ET CHRISTOLOGIE

Achevé d'imprimer en juillet 1984
sur les presses de l'imprimerie Laballery et Cie
58500 Clamecy
Dépôt légal : juillet 1984
Numéro d'imprimeur : 403085
Numéro d'éditeur : 7837
Imprimé en France